Dunkle Gemäuer

Julia Bernard

Dunkle Gemäuer

Ein Baden-Krimi

Weltbild

Besuchen Sie uns im Internet:
www.weltbild.de

Genehmigte Lizenzausgabe für Weltbild GmbH & Co. KG,
Ohmstraße 8a, 86199 Augsburg

Umschlaggestaltung: Johannes Frick, Neusäß
Umschlagmotiv: © Johannes Frick unter Verwendung von Motiven von
plainpicture/whatapicture und iStock/123ducu
Satz: Datagroup int. SRL, Timisoara
Druck und Bindung: CPI Moravia Books s.r.o., Pohorelice
Printed in the EU
ISBN 978-3-96377-928-2

Prolog

Er würde diesen Tag nicht überleben. Aber Tod und Hölle schreckten ihn nicht, genauso wenig wie die »ehrbaren Bürger«, die in diesem Moment mit Stangen und Mistgabeln bewaffnet auf das Siechenhaus zustürmten. Ein stinkender, geifernder Mob. Der Lärm, den sie verursachten, war ohrenbetäubend. Hildebrandt starrte durch das offene Fenster im oberen Stock auf das Gewühle hinunter. Seine Lippen verzogen sich zu einem heimtückischen Lächeln und gaben den Blick auf braune, verfaulte Zähne frei. »Das hier ist mein Haus!«, brüllte er der Menge zu. »Und es wird immer mein Haus bleiben!«

Der Mob ignorierte ihn. Die ersten Häscher waren an der maroden Haustür angekommen; sie würde dem Ansturm nicht lange standhalten.

Hildebrandt entzündete seine Lampe. Mit leiser, beschwörender Stimme sprach er in die grünliche Flamme: »Jeden, der mein Haus gegen meinen Willen betritt, werde ich töten. Heute und bis in alle Ewigkeit.«

Im Licht ihrer Taschenlampe blätterte die Frau gespannt das Notizbuch des Regisseurs weiter durch, das sie vor ein paar Minuten im nächtlich verlassenen Filmcateringzelt gefunden hatte. Zu ihrem großen Bedauern befanden sich bisher noch keine Tagebucheinträge oder Geheimnisse darin, sondern lediglich noch mehr Bemerkungen und kurze Texte zu Hildebrandt, dem Massenmörder. Auf seiner Geschichte basierte der Horrorfilm »Dunkle Gemäuer«, der hier gedreht wurde. Ganz so realitätsnah, wie der Regisseur das gerne darstellte, war die Verfilmung allerdings nicht, das wurde der Frau nach ein paar Seiten klar. Da waren einige Leichen hinzugefügt worden, zum Beispiel die, die auf dem Flammkuchenblech gebacken wurde. Sie hatte sich sowas die ganze Zeit schon gedacht. Mit einem schiefen Grinsen sah sie auf. Es war mittlerweile ziemlich spät. Hoffentlich würde die Nachricht bald kommen, damit sie loslegen konnte. Sie hatte nicht vor, länger als nötig hierzubleiben. Bald, sehr bald würde sie ihr Ziel erreicht haben. Sie klappte das Notizbuch entschlossen zu.

Ein Zeitungsartikel fiel heraus, sie hob ihn auf und überflog ihn. Unter der Überschrift *Kann man dem Bösen entkommen?* fand sich eine Zusammenfassung des historischen Kriminalfalls um den Serienmörder Gottlieb Arnoldus Hildebrandt, der im Jahre 1421 drüben im Horrorhaus gewütet haben sollte und am Ende grausam gelyncht worden war. Es folgte ein Bericht über die Skelette mit gebrochenem Genick, die man im Laufe der Jahre im Keller des Gebäudes ausgegraben hatte, und über die mumifizierte Leiche aus der Mauer, die den Strick, mit dem sie erhängt worden war, noch um den Hals liegen gehabt hatte. Der Artikel endete mit den Worten: *Geht Hildebrandt also bis heute um und überfällt seine unschuldigen Opfer? Wer das Willstätter Horrorhaus an einem dunklen Wintertag besichtigt, könnte das fast glauben.*

Die Frau schüttelte den Kopf. Das Haus da drüben war nichts weiter als ein uraltes Gebäude mit knarrenden Dielen. Wenn dort irgendetwas umging, dann höchstens ein paar Spinnen. Sie steckte das Notizbuch in die Innentasche ihres Blazers, sie würde es später in einer Mülltonne irgendwo auf einem Autobahnrastplatz entsorgen. Eine kleine, letzte Rache. Der Regisseur war selbst schuld, so herablassend, wie er sie alle behandelte. In dem Funkgerät, das neben ihr auf dem Stehtisch lag, knackte es plötzlich. Die erlösende Nachricht kam. Perfekt! Alles lief nach Plan.

Sie warf einen Blick aus dem Cateringzelt. Alles ruhig und verlassen. Dann ging sie leise zum Horrorhaus hinüber, das sich schwarz und einsam gegen den Nachthimmel erhob.

Die dunkle Gestalt mit dem Strick in den behandschuhten Händen, die sich lautlos aus dem Schatten löste und ihr folgte, bemerkte sie nicht.

Kapitel 1

Nachdem die Autoscheinwerfer erloschen waren, war es auf dem Parkplatz stockfinster. Privatermittlerin Suzanne Griesbaum stieg aus ihrem Renault aus. Der Fall der verschwundenen Kamerafrau, der sie hergeführt hatte, war eindeutig einer der seltsamsten Ermittlungsaufträge, die sie je übernommen hatte. Aber auch hier musste es logische Erklärungen für all die scheinbar unerklärlichen Vorkommnisse geben, und die würde sie finden. Sie schloss ihre Jacke. Es war kalt, und der Novemberwind heulte gespenstisch. Am dunklen Himmel zogen Wolkenfetzen dahin.

Zügig ging sie zu dem alten, mit kahlen Weinranken bewachsenen Fachwerkhaus hinüber. An der Eingangstür schwankte eine Glühbirne an einem Kabel und ließ zwei verkrüppelte Büsche Monsterschatten werfen.

Suzanne schaute an der Fassade hoch. Hier, im *Willstätter Horrorhaus*, das im Moment als Kulisse für den Horrorfilm »Dunkle Gemäuer« diente, war vor drei Tagen die Kamerafrau Mona Laurent auf geheimnisvolle Art und Weise mitten in den Dreharbeiten spurlos verschwunden. Da seit dem Verschwinden niemand mehr etwas von ihr gehört hatte, hatte die Produktionsfirma Suzanne vorgestern damit beauftragt, die Frau wiederzufinden.

Kurz vor ihrem Verschwinden war die Kamerafrau von mehreren Leuten in einem der Zimmer im oberen Stock gesehen worden, dann war sie plötzlich weg gewesen, als habe sie sich in Luft aufgelöst. Wenn Suzanne den panischen Bericht des Regisseurs Danilo Petrow am Telefon richtig verstanden hatte, konnte die Frau das Haus unmöglich ungesehen verlassen haben. Im Haus war sie allerdings auch nicht mehr gewesen, denn sämtliche anwesende Filmmitarbeiter hatten erfolglos nach ihr gesucht. Die Sache schien unerklärlich, und Petrow hatte von einem »übernatürlichen Phänomen« gesprochen. Bislang war es Suzanne noch nicht gelungen, ihn vom Gegenteil zu überzeugen, aber das würde sie sicherlich noch hinkriegen.

Ihre Schritte knirschten auf dem kalten Boden, als sie an dem Gebäude entlangging.

Der Regisseur, ein schlanker, kleiner, etwa sechzigjähriger Mann mit einer dicken schwarzen Intellektuellenbrille und einem Vollbart, wartete bereits an der Hausecke auf sie. Er wirkte angespannt. »Danke, dass Sie sofort nach meinem Anruf vorhin vorbeigekommen sind, obwohl es Sonntagabend ist«, sprudelte er los, nachdem sie sich die Hand gegeben hatten. »Aber ich mache mir große Sorgen um Mona. Als ich jetzt noch die Zeichnung gesehen habe, bin ich einfach panisch geworden.« Er atmete gepresst aus. »Kommen Sie, ich zeige es Ihnen.«

»Ich helfe Ihnen gerne«, sagte Suzanne und folgte dem Regisseur ums Haus herum. »Außerdem war ich gerade auf dem Heimweg von München. Über Willstätt zu fahren war nur ein winziger Umweg.«

Sie verspürte einen schmerzlichen Stich im Magen, weil sie wieder an das hinter ihr liegende Wochenende denken musste. Bis gegen siebzehn Uhr war sie in der bayrischen Hauptstadt bei einem Musikwettbewerb gewesen, um ihre Lieblingsband *Dieselskandal* und vor allem deren Sänger Liam zu unterstützen, für den sie seit Langem von ganzem Herzen schwärmte. Die Death Metal Band hatte eine geniale Show abgezogen, und »Scotch and Skeletons« und »My Bitch drives an old Banger« waren Hammersongs, aber trotzdem war *Dieselskandal* auf dem letzten Platz gelandet. Auf dem *letzten*. Eine schreiende Ungerechtigkeit. Keine Ahnung hatten diese Juroren von guter Musik. Liam, den sie seit Kurzem nicht nur von der Bühne, sondern auch persönlich kannte, war so geknickt gewesen, dass sie es kaum hatte ertragen können. Sie hatte daher all ihren Mut zusammengenommen und ihn gefragt, ob er nicht Lust hätte, sich ein paar Tage bei ihr auf dem Hof zu erholen, wo er schon einmal kurze Zeit gewohnt hatte. Und wundervollerweise war er, spontan wie er war, tatsächlich in ihr Auto gestiegen und mitgefahren. Sein Manager Achim, ein Anwalt, war unerwarteterweise auch gleich noch mitgekommen, weil er Liam in seiner gedrückten Stimmung nicht hatte alleinlassen wollen.

»Hier«, sagte Petrow in diesem Moment, blieb stehen und richtete den Strahl seiner Handytaschenlampe auf einen offenbar von der Filmcrew angebrachten Pappfensterladen im Untergeschoss. Dort hatte jemand ein großes, krakeliges Strichmännchen gemalt, dessen Kopf wie eine abgeknickte Blüte nach unten hing. Petrow zeigte auf den Hals des Männchens und sagte mit zitternder Stimme: »Für mich sieht das wie ein Genickbruch aus.«

»Glauben Sie nicht, dass sich hier nur ein Kind verewigt hat? Eines, das nicht sonderlich gut malen konnte, und dann ist ihm der Hals krumm geraten?«, versuchte Suzanne, den Regisseur zu beruhigen.

»Ein Kind?« Petrows Stimme überschlug sich fast. »Niemals.« Er fuhr sich mit der Hand über die Stirn. »Ich kann nur hoffen, dass diese abscheuliche Zeichnung nicht Mona darstellen soll.«

»Bisher gibt es keinerlei Hinweise darauf, dass Ihre Kamerafrau tot ist, und schon gar nicht, dass ihr das Genick gebrochen wurde. Auch die Polizei geht nicht von einem Verbrechen aus«, sagte Suzanne.

»Mona wurde *hier* im *Willstätter Horrorhaus* das letzte Mal gesehen. Jetzt taucht *hier* ein Strichmännchen mit gebrochenem Genick auf«, widersprach Petrow. »Das kann doch kein Zufall sein. Kennen Sie die Geschichte des Gebäudes nicht?«

»Ich weiß, dass sich einige düstere Legenden …«

»Das sind keine *düsteren Legenden*, sondern *wahre Begebenheiten*.« Er tippte mit dem Finger mehrfach auf den Hals des Männchens. »Immer wieder wurden im Laufe der Jahre Menschen im Horrorhaus ermordet, und alle Ermordeten hatten ein gebrochenes Genick! Das sind Fakten. Glauben Sie mir, ich habe das Drehbuch zu diesem Film selbst geschrieben und mich wirklich ausführlich mit sämtlichen Forschungsergebnissen und historischen Quellen befasst.«

Er räusperte sich. »Das Haus ist uralt und diente viele Jahre als Siechenhaus, in dem man ansteckende Kranke isoliert hat, wussten Sie das? Die Mittelalterversion von Quarantäne. Nur dass damals so gut wie niemand das Haus lebend wieder verlassen hat.« Erneut tippte er auf den Hals des Männchens. »Und dann haben die hier zu allem Unglück auch noch Gottlieb Arnoldus Hildebrandt als Hausmeister und Nachtwächter eingestellt. Ein Monster. So hat das Morden angefangen. Schon in der ersten Nacht fiel er ohne Vorwarnung die Vorsteherin des Hauses an, die Siechenmutter Christina, und brach ihr das Genick. Einfach so. Er hatte Spaß am Töten, und in den folgenden Nächten hat er neben Christina noch mindestens fünf dahinsiechende Kranke und einen Müller getötet. Durch Genickbruch. Als er schließlich erwischt wurde, hat er behauptet, er habe die Leute ›seinem Haus‹ opfern müssen, um es gnädig zu stimmen. Können Sie sich das vorstellen? Am Ende wurde Hildebrandt von einem wütenden Mob die Kellertreppe hinabgestoßen, wobei er – seltsamerweise ebenfalls durch Genickbruch – gestorben ist.«

Petrow stieß pfeifend Luft aus. »Aber das Morden hat damit nicht aufgehört. Hildebrandt wurde zum Wiedergänger oder zum Geist, hier unterscheiden sich die Quellen etwas. Nur eines ist sicher: Bis heute kommen immer wieder Menschen im Horrorhaus um.« Er zeigte auf sein Genick. »Und das sind keine Legenden. Man hat die Skelette gefunden. Im Boden des Kellers und eingemauert in Zwischenwänden. Vielleicht liegt Mona jetzt auch schon da unten verscharrt.«

»Gibt es dafür irgendeinen konkreten Hinweis?«, fragte Suzanne. Nun wurde ihr doch etwas mulmig zumute.

»Das glücklicherweise nicht, aber vielleicht verstehen Sie jetzt, warum ich eine Zeichnung mit einem abgeknickten Hals in diesem Zusammenhang für so beunruhigend halte.« Suzanne strich ihre schulterlangen blonden Haare hinter die Ohren. An Übernatürliches glaubte sie zwar nicht, aber es war selbstverständlich vorstellbar, dass das Strichmännchen als Drohung gemeint war, so kindlich es auch aussah. »Hat Ihre Kamerafrau Feinde?«

Petrow schien zu überlegen. Schließlich sagte er: »Hier am Set nicht, nein. Kleine Querelen vielleicht, aber nichts Gravierendes.« Er schürzte die Lippen. »Und über ihr Privatleben weiß ich so gut wie nichts. Aber sie ist ein ruhiger und zuverlässiger Mensch. Wen sollte sie so verärgert haben?« Er knetete seine Hände. »Wenn ich ehrlich bin, gibt es nur einen, den ich mir da vorstellen ... Halten Sie mich bitte nicht für verrückt, aber ich glaube mittlerweile, dass diese Dreharbeiten verflucht sind. Es hört sich absurd an, aber was, wenn Hildebrandt etwas dagegen hat, dass wir seine Geschichte verfilmen, und gerade mit allen Mitteln versucht, uns aus seinem Haus zu vertreiben? Wenn er deswegen Mona etwas angetan hat?« Er zog seinen eleganten Mantel enger um sich.

»Hildebrandt ist seit Jahrhunderten tot. Ich glaube nicht, dass er etwas mit der Sache zu tun hat.« Suzanne machte mit dem Handy Fotos von dem Strichmännchen. »Aber es wäre natürlich schon möglich, dass jemand, und zwar jemand aus Fleisch und Blut, etwas gegen Ihren Film hat. Erst die ganzen Requisiten, die verschwunden sind. Jetzt auch noch die Kamerafrau. Und dann taucht dieses Strichmännchen auf. Vielleicht hängt das alles zusammen?«

Petrow schaute auf den Boden und nickte langsam. Suzanne steckte ihr Handy wieder ein. Seit Beginn der Dreharbeiten geschahen tatsächlich seltsame Dinge am Set. Angefangen hatte es damit, dass immer wieder Kamerazubehör und Requisiten auf merkwürdige Weise abhandengekommen waren. Als ob wirklich jemand versuchte, die Dreharbeiten zu behindern. Ihre Detektei bearbeitete auch diese Vorkommnisse, bislang ohne Ergebnis. War es vorstellbar, dass der Requisitendieb jetzt auch noch dafür gesorgt hatte, dass ein Mensch verschwand? Hatte er die Kamerafrau entführt, um dem Film zu schaden?

»Haben Sie eine Idee, wer außer diesem Geist etwas gegen Ihren Film haben könnte?«, hakte sie nach.

Petrow wand sich sichtlich. Dann sagte er so schnell, dass er sich fast verhaspelte: »Nein, auf gar keinen Fall. Wer sollte denn außer Hildebrandt etwas gegen meinen Film haben?«

Sie hatte das Gefühl, dass er ihr gerade nicht die Wahrheit gesagt hatte. »Sind Sie sicher?«

Er nestelte an seinem Mantel herum. »Ganz sicher. Es ist eisig hier draußen. Wollen wir nicht endlich ins Haus gehen? Dann zeige ich Ihnen noch die Stelle, an der unsere Kamerafrau verschwunden ist. Alles andere können wir ja morgen klären.«

Sie stimmte zu, auch ihr war trotz ihrer Daunenjacke ziemlich kalt. Gemeinsam gingen sie zur Tür. Der Regisseur zog einen altmodischen Schlüssel aus der Tasche und steckte ihn ins Schloss. Die Tür sprang mit einem leisen Quietschen auf.

»Ich bin ungern bei Nacht hier«, gestand er, drückte einen Lichtschalter und machte einen zögerlichen Schritt über die Schwelle. Alles an ihm schien sich gegen das Haus zu sträuben. Wie bei einer Katze, die gezwungen wird, ins Wasser zu springen.

»Aber spielen viele Szenen in einem Horrorfilm nicht bei Nacht?« Neugierig folgte Suzanne ihm in das berüchtigte *Willstätter Horrorhaus*. Abgestandene Luft und ein schwacher Schimmelgeruch schlug ihr entgegen. Sie fand das alte Haus mit dem Lehmboden und den weißen, abgenutzten Wänden nicht sonderlich gruselig.

»Das ist richtig, so kann man die Urangst der Zuschauer vor der Dunkelheit nutzen, um den Film für sie noch bedrohlicher zu machen. Blöd nur, dass eben nicht nur die Zuschauer diese Urangst haben. Die Szenen in den Rheinauen sind kein Problem für mich, aber hier … Na ja, es heißt, Hildebrandt gehe nur nachts um …« Petrow lächelte peinlich berührt. »Im Haus drehen wir zur Sicherheit jedenfalls nur am Tag. Mit lichtundurchlässigen Pappfensterläden. Sie haben ja gerade einen gesehen.« Während er erzählte, stiegen sie eine knarzende Holztreppe ins Obergeschoss hoch. Suzanne kam ganz schön außer Atem und schwor sich, endlich ein paar Kilo abzunehmen und mehr Sport zu treiben. Nicht, dass sie dick war, aber ihre Jeans saß in letzter Zeit schon ein bisschen stramm an den Oberschenkeln und am Bauch. Abgesehen davon war einunddreißig eindeutig zu jung, um beim Treppensteigen zu keuchen.

Oben angekommen, gingen sie den Flur bis fast zum anderen Ende entlang. Schließlich blieb Petrow stehen und zeigte auf einen mit einer Kette und einem großen *Durchgang-verboten-Schild* gesperrten Treppenabgang zu seiner Rechten. »Das hier ist übrigens die ehemalige Bedienstetenstiege. Hier ist Hildebrandt immer hochgeschlichen, wenn die Mordlust ihn überkam.«

Suzanne schaute hinunter. Die Wendeltreppe war baufällig und führte in mit schwarzen Schatten gefüllten Windungen zurück ins Untergeschoss.

Gegenüber der Wendeltreppe befand sich eine schmale Tür, die der Regisseur nun aufstieß. Die beiden betraten ein ärmliches kleines Zimmer mit grauen Wänden. Der Wind jammerte im gemauerten Kamin und rüttelte an den auch hier angebrachten Pappfensterläden. Knarrend ging die Tür wie von Geisterhand wieder zu, und für eine Sekunde war es stockfinster, bis Petrow, der seinem lauten Keuchen zufolge ziemlich panisch wurde, den Lichtschalter gefunden und gedrückt hatte. »Genau das meine ich. Das sind diese Dinge, die Hildebrandt tut.« Er holte immer noch leicht keuchend Luft, ging zwei Schritte vor und blieb neben dem einzigen Möbelstück im Raum stehen, einer schmalen Holzpritsche. »Hier im ehemaligen Schlafzimmer der ermordeten Siechenmutter wurde Mona das letzte Mal gesehen. Donnerstagabend gegen 18.00 Uhr.« Seine Stimme klang angespannt.

»Wer hat sie hier gesehen?«

»Ihr Mann. Er wollte sie abholen. Er stand draußen im Hof und war überzeugt davon, sie durchs Fenster in diesem Raum ausgemacht zu haben. Beim Befestigen eines Pappfensterladens. Unser Hauptdarsteller, Benni Koch, hat sie wenige Minuten vor ihrem Verschwinden ebenfalls hier oben gesehen. Und die beiden waren nicht die Einzigen. Wir waren gerade dabei, mit kleiner Besetzung Szenen durchzusprechen und nebenbei im ganzen Gebäude die Fensterläden anzubringen, und Mona hat geholfen. Aber als der Ehemann ins Haus ist, war sie einfach weg.«

Das konnte bedeuten, dass die Frau lediglich keine Lust gehabt hatte, ihren Ehemann zu treffen, dachte Suzanne. »Wissen Sie zufällig, ob sie Streit mit ihrem Mann hatte?«, fragte sie.

Petrow fuhr sich mit der Hand über den Bart. »Wie gesagt, über ihr Privatleben weiß ich wenig. Aber ich habe den Eindruck, dass sie eine glückliche Ehe führt. Ihr Mann schien auch ziemlich besorgt zu sein, nachdem sie wie vom Erdboden verschluckt war. Hat sogar die Polizei gerufen. Wir mussten schließlich unsere Arbeit an dem Tag abbrechen, weil er so einen Wirbel gemacht hat.« Er fummelte an seiner Brille herum. »Und selbst wenn die Eheleute Streit gehabt haben sollten, erklärt das immer noch nicht, wie sich Mona in diesem Haus in Luft auflösen konnte.« Er machte eine hilflos wirkende Bewegung mit der rechten Hand.

»Könnte sie nicht einfach ungesehen das Gebäude verlassen haben?«

»Nein, eben nicht.« Petrow klang ungeduldig. »Zwei Darsteller und ich haben gerade unten im Flur eine Szene durchgesprochen. Wenn sie durch die Haustür gewollt hätte, hätte sie an uns vorbeigemusst, aber niemand hat sie gesehen.«

»Und die Haustür ist die einzige Tür? Keine sonstigen Ausgänge?«

Petrow nickte.

»Bestünde die Möglichkeit, dass Frau Laurent heimlich durch ein Fenster hinausgestiegen ist?«

»Hier oben wäre das nicht gegangen, da sind die Fenster viel zu klein, wie Sie sehen. Sie hätte sich außerdem den Hals gebrochen, wenn sie rausgesprungen wäre. Und unten? Von der Größe der Fenster her wäre es möglich. Mona hätte durch die gesperrte Bedienstetenstiege, die ich Ihnen gerade gezeigt habe, vielleicht auch ungesehen ins Untergeschoss gelangen können. Allerdings hatten wir zu dem Zeitpunkt, als sie verschwunden ist, unten bereits an allen Fenstern die Pappfensterläden angebracht. Sie sehen ja hier, dass die ziemlich gut befestigt sind.« Er zeigte auf die zwei winzigen Fenster, hinter denen die robuste Pappe mit dickem Draht und viel Klebeband festgemacht war. »Das ist unten genauso. Und in den meisten Zimmern haben wir innen sogar noch eine weitere Abdeckung auf den Scheiben, die aussieht wie eine normale Wand. Damit das im Film so wirkt, als wären es fensterlose Räume. Da rauszuklettern, ohne dass jemand etwas bemerkt, ist unmöglich. Wir waren etwa fünfzehn Leute hier im Haus. Zumindest hätte sie einen Fensterladen entfernen müssen, aber die waren alle noch dran. Und warum um alles in der Welt hätte sie überhaupt durch ein Fenster hinaussteigen sollen? Das ergibt doch gar keinen Sinn. Und wo ist sie dann jetzt? Warum hat seither niemand mehr etwas von ihr gehört?« Petrow schüttelte den Kopf.

»Könnte sie sich im Haus versteckt gehalten haben, als Sie nach ihr gesucht haben, und das Gebäude erst später verlassen haben?«

»Nein, das ist unmöglich. Wir haben alles mehrfach und sehr gründlich abgesucht, sogar den Keller und die Bühne. Wir dachten erst, dass sie ohnmächtig geworden oder gestürzt ist und irgendwo liegt. Ganz ehrlich, ich hatte wirklich Angst, dass wir sie mit gebrochenem Genick finden. Aber Gott sei Dank war sie einfach nur weg.« Wieder schob er seine Brille nach oben. »Wir können uns das Ganze einfach nicht erklären. Und dann war da ja noch die Sache mit dem Leuchten.«

»Was für ein Leuchten?«

Petrow druckste ein wenig herum, dann sagte er: »Na ja, es gibt das Gerücht, dass kurz bevor in diesem Haus jemand stirbt, ein geheimnisvolles grünes Licht aufleuchtet. Das Hildebrandtslicht. Es heißt, die Flamme von Hildebrandts Nachtlampe, die er bei seinen unsäglichen Taten mit sich geführt hat, hätte sich kurz vor einem Mord immer grün gefärbt.« Er räusperte sich. »Unser Hauptdarsteller ist sich sicher, dass er an dem Tag, an dem Mona verschwunden ist, ein grünes Licht im Zimmer der Siechenmutter gesehen hat.«

»Könnte das irgendeine Filmbeleuchtung gewesen sein?«

»Eben nicht, nein.«

»Gut. Ich würde die Leute, die an dem Tag hier waren, gerne einmal befragen«, sagte sie. »Vor allem mit dem Ehemann und dem Hauptdarsteller Benni Koch sollte ich sprechen. Und gibt es vielleicht jemanden am Set, mit dem Frau Laurent befreundet ist und der mehr über ihren Verbleib wissen könnte?«

»Monas Ehemann ist ein Zahnarzt und Kieferorthopäde aus Kehl. Dr. Laurent«, erläuterte Petrow. »Und mit unserem Hauptdarsteller könnten Sie morgen kurz hier reden, wenn Sie möchten. Benni hat Mona nicht nur vor ihrem Verschwinden noch gesehen, er ist auch derjenige, mit dem sie sich hier vermutlich am besten verstanden hat. Was den Rest meiner Leute angeht ...« Petrow räusperte sich erneut. Schließlich brachte er hervor: »Es wäre mir lieber, wenn zunächst nicht alle erführen, dass Sie wegen Mona ermitteln. Ich meine, die Polizei war ja schon hier und ... Falls wirklich nichts weiter dahintersteckt als ein banaler Streit zwischen Eheleuten oder Mona einfach mal eine Auszeit von den Dreharbeiten gebraucht hat, wäre es ... Es wäre nicht sonderlich gut für meinen Ruf als Regisseur, wenn jeder denken würde, dass ich wegen Hildebrandt Panik geschoben habe, verstehen Sie?«

Sie nickte. »Wenn meine Detektei nicht offiziell ermitteln soll, bestünde die Möglichkeit, dass wir einen Detektiv undercover in die Filmproduktion einschleusen. Jemanden, der bei den Dreharbeiten vor Ort ist und unauffällig so viel wie möglich über Ihre Kamerafrau und deren seltsames Verschwinden herausfinden kann. Gleichzeitig können wir so dem Requisitendiebstahl auf den Grund gehen.«

Der Regisseur nickte: »Ein Undercover-Detektiv klingt gut.« Er musterte Suzanne mit zusammengekniffenen Augen. »Haben Sie schon einmal in einem Film mitgespielt? Sie könnten die Rolle einer Bauernmagd übernehmen. Ich glaube, diese mittelalterlichen Trachten würden Ihnen stehen. Haben Sie nicht neulich erwähnt, dass Sie Ziegen mögen? Wir besorgen eine, die Sie hinter dem Horrorhaus auf einer Weide ... Das könnte sogar in eine Splatterszene münden. Hildebrandts Geist könnte zum Beispiel in die Ziege fahren und sie zum Mordwerkzeug machen. Da müsste ich das Drehbuch ein wenig umschreiben, aber das ist kein Problem. Vielleicht kommen Sie ganz groß raus. Ich meine, ›Dunkle Gemäuer‹ ist nicht irgendein billiger Horrorfilm, er wird unter Insidern schon als Kandidat für den Deutschen Filmpreis gehandelt.« Er lächelte stolz.

Nur über meine Leiche, dachte Suzanne, auch wenn sie sich ein klein wenig geschmeichelt fühlte. Petrow war ein preisgekrönter Filmemacher, und eine Menge Leute würden sich vermutlich einen Finger abhacken, wenn sie dafür in einem seiner Filme mitspielen könnten. »Ich glaube, die Schauspielerei ist überhaupt nichts für mich. Aber ich schaue morgen mal, wer von meinen Leuten dafür in Frage kommen könnte.«

»Wunderbar, danke. Ich hoffe, Sie werden Mona schnell wiederfinden und herausbekommen, ob hinter ihrem Verschwinden etwas … etwas Übernatürliches steckt. Und es wäre natürlich großartig, wenn Sie auch den Requisitendieb dabei entlarven. Wir können es uns nämlich langsam nicht mehr leisten, den Dreh von irgendwelchen Szenen zu verschieben, weil wichtige Gegenstände plötzlich fehlen. Ich habe selbst einiges an Geld in den Film …«

Wie als Kommentar ertönte über ihnen plötzlich ein lautes, hässliches Kratzen. Der Regisseur zuckte zusammen und wurde ganz blass. »Wir müssen hier raus. Sofort«, stieß er hervor.

Es dauerte eine Weile, bis Suzanne ihn davon überzeugen konnte, dass es sich bei den Geräuschen nur um ein Tier handelte, wahrscheinlich um einen Marder. So richtig schien er ihr aber nicht zu glauben, und sie wandten sich zum Gehen. Trotz Petrows Protesten bestand sie darauf, über die gesperrte, dunkle Bedienstetenstiege nach unten zurückzugehen, da sie herausfinden wollte, wie die Kamerafrau in diesem Haus hatte »verschwinden« können. Unten angekommen, blieb Suzanne stehen und sah sich um. Angenommen, die Kamerafrau war hier unbemerkt heruntergekommen, was konnte sie nun getan haben? Der Ausgang der Stiege war hinter einem massiven, großen

Schrank mit dreckigen Glastüren verborgen. Von hier aus konnte man die Eingangstür des Hauses nicht sehen und von dort aus auch nicht gesehen werden. Und direkt neben dem Stiegenabgang befand sich eine wurmstichige schwarze Holzpforte, die mit seltsamen Monsterfratzen verziert war. Da hinein hätte Mona Laurent problemlos ungesehen schleichen können. Wobei sich natürlich immer noch die Fragen stellten, warum um alles in der Welt sie das getan haben sollte und wo sie jetzt war. Suzanne zeigte auf die Pforte. »Wo geht es da hin?«, fragte sie.

»In den Keller.«

Sie griff nach der Klinke. Im Gegensatz zu den anderen Türen des Hauses, die sie bisher geöffnet hatten, ging die Kellertür vollkommen lautlos und geschmeidig auf. Als habe jemand sie erst vor Kurzem frisch geölt, was Suzanne in Anbetracht des maroden Zustands des Rests des Hauses recht auffällig fand.

»Bitte, lassen Sie das. Auf keinen Fall können wir bei Dunkelheit in diesen Keller.« Petrow klang panisch. »Das Licht ist mies, und die Treppen sind sehr steil. Das ist lebensgefährlich! Wir bräuchten zumindest eine starke Taschenlampe, aber noch besser wäre es, wenn die Scheinwerfer an wären, und das sind sie nur bei Tag. Dann läuft nämlich unser Generator. Die Elektrik hier im Haus ist mehr als unzuverlässig.«

Suzanne konnte gar nicht richtig zuhören. Gebannt starrte sie in den schwarzen Keller hinunter. Eine unnatürliche Kälte schien aus der Dunkelheit aufzusteigen, modrig und feucht. Ein Gefühl der Beklemmung machte sich plötzlich in ihr breit. Als werde sie von etwas beobachtet. Sie wusste, dass das Unfug war, dass es keine Untoten und keine Geister gab, aber sie musste sich richtiggehend zwingen, die Hand auszustrecken und den Lichtschalter an der Wand neben der Treppe zu drücken. Ein dunkelgelbes Licht flackerte auf und gab den Blick frei auf eine steile Treppe, dann wurde es mit einem Schlag stockfinster. Die Pappfensterläden waren wahrlich lichtundurchlässig.

Hinter ihr schrie Petrow auf. Auch Suzannes Herzschlag beschleunigte sich. In der Sekunde, bevor das Licht ausgegangen war, hatte nämlich etwas aus dem Keller zu ihr heraufgestarrt. Es hatte ausgesehen wie eine Skelettfratze. Schnell tastete sie sich Richtung Tür. Ein paar Sekunden später klickte es, das Licht ging wieder an. Der Regisseur hatte Schweißperlen auf der Stirn. »Sie spüren es auch, oder?«, fragte er. »Dass mit dem Haus etwas nicht stimmt?«

»Absolut nicht, nein. Mir sitzt nur das Wochenende ein bisschen in den Knochen«, brachte sie heraus. Was war das da unten gewesen?

Der Blick, den Petrow ihr zuwarf, zeigte deutlich, dass er ihr das nicht abnahm.

»Aber ich denke, es schadet tatsächlich nicht, wenn wir uns den Keller morgen bei Tag und in Ruhe anschauen«, fügte sie hinzu.

Sie verließen das Gebäude. Sobald sie wieder draußen in der eisigen Novemberluft standen, ärgerte sich Suzanne über ihre Ängstlichkeit, die so gar nicht typisch für sie war. Eine Skelettfratze, so ein Unsinn. Wahrscheinlich war es eine alte Jacke oder sowas gewesen, die in dem schlechten Licht ein wenig unheimlich ausgesehen hatte. Sie musste wirklich sehr erschöpft sein.

Nebeneinander gingen Petrow und sie zum dunklen Parkplatz zurück, wo Liam und Bandmanager Achim auf sie warteten. Der Sänger von *Dieselskandal* sah immer noch vollkommen niedergeschlagen aus, wie er da an die Motorhaube gelehnt dastand und auf die schwarze Kinzig starrte. Suzannes Herz krampfte sich vor Mitleid zusammen, gleichzeitig hatte sie ein paar Schmetterlinge im Bauch. In den nächsten Tagen würde sie alles tun, was in ihrer Macht stand, um Liam wieder aufzumuntern und ihm klarzumachen, dass die Juroren Idioten und *Dieselskandal* die genialste Band der Welt war.

Achim kam ihnen nun entgegen geschlendert, und Suzanne stellte ihn Petrow vor. Der Anwalt drückte dem Regisseur herzlich die Hand, dann sagte er: »Sie sind aber nicht *der* Petrow, oder? Der ›Uschi legt den Richter flach‹ gemacht hat? War ein Kultfilm, als ich Jura studiert habe.«

Petrow blieb wie angewurzelt stehen. »Sie kennen mein Frühwerk?« Er lächelte, ein wenig unangenehm berührt, wie es schien. »Uschi war ein besonderer Film«, fügte er dann hinzu. »Porno trifft feministische Sozialkritik, sowas ging nur in den Neunzigern.«

»Die Sozialkritik isch mir wohl entgangen.« Achim zog die Augenbrauen hoch.

»Na, die Uschi kam doch aus schwierigen Verhältnissen«, half der Regisseur ihm auf die Sprünge. »Hat sich dann aber bis zur Sekretärin hochgeschlafen. Was ich immer als Symbolbild für die Unterdrückung der Frau im kapitalistischen Patriarchat des Justizsystems angesehen habe.«

Achim verzog die Lippen zu einem Grinsen. »Für einen politischen Film wurde es aber ziemlich ausführlich gezeigt. Wie Uschi sich hochgeschlafen hat, meine ich.« Und bevor Petrow, der grimmig die Stirn in Falten legte, etwas erwidern konnte, fragte der Anwalt: »Und jetzt sind Sie ins Horrorgenre gewechselt?«

»Ich mache, was der Markt von mir will«, stieß der Regisseur hervor. Er sagte es auf eine Art, als sei »der Markt« eine Gottheit, die zu ihm spräche, und zwar nur zu ihm. Allerdings auf eine ziemlich herrschsüchtige Art, die ihn zwang, Dinge zu tun, die er eigentlich gar nicht wollte.

Suzanne hatte mit einem Mal ein unangenehmes Gefühl im Bauch. Irgendetwas an der Art, wie Petrow das mit dem Markt gesagt hatte, war seltsam gewesen. War es vorstellbar, dass er gar keine Lust hatte, »Dunkle Gemäuer« zu drehen, vielleicht, weil er Angst vor Hildebrandt hatte, und daher jetzt selbst dafür sorgte, dass der Film nicht zustande kam, indem er Requisiten und sogar eine Kamerafrau verschwinden ließ? Aber warum hätte er den Job als Regisseur dann überhaupt annehmen und behalten sollen?

Kapitel 2

Am nächsten Morgen stand Suzanne um sechs Uhr auf. Es war noch stockdunkel draußen und ziemlich kalt. Sie duschte leise, um den im Gästezimmer schlafenden Liam nicht zu wecken, zog sich Jeans, dicke Socken und einen flauschigen Wollpulli an und schlich hinunter in den Hausflur. Dort schlüpfte sie als Erstes in ihre Gummistiefel und ging hinüber zum Ziegenstall, um ihre Ziegen zu füttern und ausgiebig mit ihnen zu knuddeln, vor allem mit Flecki und Robbi. Danach ließ sie die Tiere auf die große Weide hinaus. Auf dem Rückweg zum Haus sah sie, dass in der Einliegerwohnung Licht brannte. Bandmanager Achim war offenbar ebenfalls schon wach, vielleicht hatte er auch überhaupt nicht geschlafen. Die Niederlage seiner Band hatte ihn mit Sicherheit genauso tief getroffen wie sie selbst.

In der Küche bereitete Suzanne den Teig für Rosinenbrötchen vor und holte aus ihrer Vorratskammer ein Glas selbstgemachtes Quittengelee, Birnen, Äpfel und Mandarinen. Während die Brötchen aufgingen und schließlich köstlich duftend im Ofen backten, schnitt sie Obst für einen Obstsalat, deckte den Tisch für drei und brühte Kaffee auf. Sie hatte eigentlich gehofft, dass der Geruch ihres Frühstücks Liam wecken und an den Tisch locken würde. Der Arme hatte seit gestern Mittag nichts als eine schlabbrige Brezel gegessen und war am Abend nach ihrer Rückkehr nur wortlos und geknickt ins Gästezimmer geschlichen, wo er sich eingeschlossen hatte. Aber der Sänger kam nicht hinunter, und so frühstückte Suzanne mit einem schweigsamen Achim und fuhr schließlich ins Büro.

Bei der Suche nach Vermissten war es wichtig, möglichst viel über die verschwundene Person, ihren Tagesablauf und etwaige Gründe ihres Verschwindens herauszufinden. Insbesondere, ob sie freiwillig verschwunden war oder ob es sich um eine Entführung oder ein Unglück handelte, ob die Person sich also in einer Notlage befand und man schnell handeln musste. Oder ob sie gar tot war. Im Fall der Kamerafrau war nun sogar die Art des Verschwindens rätselhaft und musste aufgeklärt werden. Möglicherweise ließen sich daraus nämlich Rückschlüsse über ihren momentanen Verbleib ziehen.

Zunächst googelte Suzanne die Vermisste. Mona Laurent war etwa fünfzig, sportlich, geradezu mager, und hatte Strähnchen in den blondierten langen Haaren und trug etwas zu viel Make-up. Sie hatte schon drei renommierte Preise für ihre Arbeit gewonnen und bei einigen größeren Filmproduktionen mitgearbeitet. Eine sichtlich erfolgreiche Frau, der ihre Karriere wichtig schien und die ihrem professionellen Internetauftritt nach nicht so wirkte, als haue sie heimlich durch Fenster ab oder verstecke sich in Kellern. Dennoch musste sie irgendetwas in der Art getan haben. Denn nach ihrem kurzen Besuch im Horrorhaus gestern erschien es Suzanne kaum möglich, dass jemand die Frau spur- und lautlos getötet oder entführt hatte; nicht in einem nicht sonderlich großen Gebäude, in dem dazu noch fünfzehn Leute herumliefen. Vorstellbar war natürlich, dass sie durch eine Drohung zum Abhauen gezwungen worden war. Die geheimnisvolle Art und der Ort des Verschwindens legten aber auf jeden Fall den Schluss nahe, dass es eine Verbindung zu den Dreharbeiten von »Dunkle Gemäuer« gab. Ob auch ein Zusammenhang mit den Requisitendiebstählen existierte, musste man ebenfalls überprüfen.

Suzanne holte sich die Akte *Verschwundene Requisiten* und ging sie durch. Bei der ersten Besichtigung eines Drehorts in den Rheinauen vor einigen Monaten waren Petrows Mantel sowie mehrere nachgebaute mittelalterliche Folterinstrumente verschwunden. Am ersten Tag der Dreharbeiten vor knapp zwei Wochen waren zwei besonders teure Kameraobjektive, eine Galgenattrappe und eine für die Filmaufnahmen präparierte Galgenschlinge plötzlich unauffindbar gewesen. Das Kostüm des

Hauptdarstellers und seiner Filmtochter sowie fünf spezialangefertigte Perücken waren wenig später abhandengekommen, ebenso wie einige Schlachtermesser und eine »blutige« Sense. Ein Flammkuchenblech war außerdem mit Sprühfarbe verunstaltet worden.

Suzanne las die Berichte und Notizen ihrer Mitarbeiterin Fiona durch, die die Requisitendiebstähle eigentlich betreute, im Moment aber krank war. Es waren immer genau die Gegenstände verschwunden, die am nächsten Tag für die Dreharbeiten gebraucht worden wären. Was darauf schließen ließ, dass es sich nicht um einen gewöhnlichen Dieb, sondern wirklich um einen Saboteur handelte. Und zwar um einen Insider, der das Drehbuch und den Drehplan genau kannte. Suzanne klopfte mit den Fingern leicht auf den Tisch. Und nicht nur die Auswahl der Stücke, sondern auch die Art, wie die Gegenstände verschwunden waren, sprach für einen Dieb mit erheblichen Insiderkenntnissen. Die Requisiten waren häufig in der Nacht entwendet worden, oft aus dem verschlossenen Horrorhaus. Obwohl am Anfang der Dreharbeiten ein Wachdienst organisiert worden war, hatte der Saboteur und Dieb es trotzdem geschafft, unbemerkt Requisiten zu klauen. Und nachdem ihre Mitarbeiterin Fiona, die die nächtliche Observation des Horrorhauses übernommen hatte, an einer Magen-Darm-Grippe erkrankt war, war sofort danach das Flammkuchenblech mit Sprühfarbe verschandelt worden, als ob der Saboteur gewusst hätte, dass Fiona nun nicht mehr vor Ort war. Suzanne biss sich nachdenklich auf die Unterlippe. Es war bereits zu erheblichen Verzögerungen der Dreharbeiten gekommen, und nachdem am Donnerstagabend dann auch noch die Kamerafrau verschwunden war, hatte am Freitag sogar den ganzen Tag nicht gedreht werden können, da ein adäquater Ersatz so schnell nicht hatte gefunden werden können.

Suzanne runzelte die Stirn. War es vorstellbar, dass die vermisste Kamerafrau selbst die Saboteurin war, weil sie aus irgendwelchen Gründen einen Groll gegen das Filmprojekt oder gegen Petrow hegte? Sie hatte mit Sicherheit immer ganz genau gewusst, welche Szenen am nächsten Tag an der Reihe gewesen wären, und mit teuren Kameraobjektiven kannte sie sich natürlich auch aus. Sie war von Anfang an an allen Drehorten sowohl in den Rheinauen als auch im Horrorhaus dabei gewesen. Und jetzt war sie verschwunden, weil sie vielleicht befürchtet hatte, bald aufzufliegen? Verschwunden mit einem Knall, der dem Filmprojekt noch weiter geschadet hatte? Das war keine schlechte Theorie!

Nach ihren ersten Recherchen im Büro fuhr Suzanne nach Kehl, um dem Ehemann der Kamerafrau einen unangekündigten Besuch abzustatten, ihn zu befragen und dabei hoffentlich die wahren Gründe für das Verschwinden seiner Ehefrau herauszufinden und möglichst viele Anhaltspunkte über ihren momentanen Verbleib zu bekommen.

Dr. Laurents Praxis war riesig und befand sich in einer Villa in vorderster Reihe zum Rhein. Im offenen, menschenleeren Wartebereich standen chromglänzende Freischwinger auf weißem Marmor. Beruhigende Klaviermusik drang aus hinter Palmen versteckten Lautsprechern, und der Geruch nach Desinfektionsmittel wurde von Lavendelduft beinahe überdeckt. Der Blick durch die große Fensterfront auf den Fluss und die Passerelle des deux Rives, eine Fußgängerbrücke von Kehl nach Frankreich hinüber, war grandios. Von einem großen Bildschirm an der Wand strahlten perfekte weiße Gebisse herunter, und ein eingeblendeter Text informierte über die neue Studie eines angeblich unabhängigen Instituts, wonach Menschen mit gebleachten Zähnen deutlich bessere Chancen auf Führungspositionen in der Wirtschaft hatten.

Suzanne trat an den futuristischen Tresen, der wirkte, als sei er aus einem Raumschiff ausgebaut worden. Sie fühlte sich ein wenig underdressed in ihrem Wollpulli und der Jeans, auf der, wie sie jetzt bemerkte, ein kleiner Grasfleck war, wie er entstand, wenn man von einer Ziege angeknabbert wurde. Hinter dem Tresen saßen einige junge Frauen, die meisten davon mit »unsichtbaren« Zahnspangen oder unnatürlich weißen Zähnen, denen das Bleaching aber offensichtlich noch keine Führungsposition in der Wirtschaft beschert hatte. Die rosa Praxisuniformen, auf denen *Zahnarzt- und Kieferorthopädiezentrum Dr. Laurent* stand, sahen so eng und unbequem aus, dass Suzanne eine Woge des Mitleids mit den Arzthelferinnen verspürte und sich wieder pudelwohl fühlte in ihren Klamotten.

Dr. Laurent, ein hochgewachsener, attraktiver Mann um die sechzig, kam einige Minuten, nachdem Suzanne sich angemeldet hatte, mit festem Schritt in den Wartebereich, um sie abzuholen. »Mein Name ist Gerard«, schnurrte er und reichte ihr eine manikürte Hand, »und Sie müssen Susanne sein?« Er lächelte sie an, aber das Lächeln reichte nicht bis zu seinen Augen.

»Süsann«, berichtigte sie, ein wenig erstaunt, dass der Mann sie gleich mit Vornamen ansprach.

»Ach, verzeihen Sie, meine Liebe, hier im Grenzgebiet weiß man ja nie, wie man die Namen aussprechen muss. *Süsann* also.« Er lachte affektiert. »Bitte, meine Liebe, kommen Sie doch mit hinüber in mein Büro.« Er legte ihr die Hand auf den Rücken und drängte sie geradezu aus dem Empfangsbereich.

Suzanne war der Typ auf Anhieb unsympathisch, aber sie zwang sich zu einem Lächeln und ging mit ihm in ein ganz in Türkis und Weiß gehaltenes Büro. Der Zahnarzt ließ sich an einem gläsernen Schreibtisch nieder, hinter dem tropische Fische in einem überdimensionierten Aquarium zwischen künstlichen Felsen in Gebissform herumschwammen. Auf dem Boden des Aquariums lagen bunte Zahnspangendöschen, die sich wie Muscheln öffneten und schlossen und aus denen Luftbläschen emporstiegen. Laurent bot Suzanne mit einer kaum sichtbaren Handbewegung an, sich auf einen der Freischwinger zu setzen. Er nahm ein Stück Draht, das vermutlich normalerweise für Zahnspangen verwendet wurde, aus einem Schälchen mit unterschiedlich geformten Drahtstücken und begann, damit herumzuspielen. »Also, worum geht es? Und bitte fassen Sie sich kurz, ich muss arbeiten.« Sein künstliches Lächeln erlosch.

Sie sagte: »Ich wurde engagiert, um das Verschwinden Ihrer Frau …«

»Diese Typen von *Splatter and more Productions* haben Sie angeheuert, um Mona zu suchen? Die und dieser Petrow sind doch schuld daran, dass sie weg ist!«

»Wie kommen Sie darauf?«

»Meine Frau ist in dem Haus verschwunden, in dem diese Leute gerade drehen. Wer sollte denn sonst schuld sein?« Der Zahnarzt beugte sich nach vorn, schien ihren Wollpulli und ihre ungebleachten Zähne zu mustern.

Suzanne lehnte sich vorgeblich entspannt zurück, obwohl ihr der Blick unangenehm war. »Haben Sie eine Ahnung, wo Ihre Frau jetzt sein könnte?«

»Bedauerlicherweise nicht.« Er verdrehte den Draht brutal zu einem knotenartigen Gebilde und warf ihn mit einer wütenden Bewegung in die Schale zurück, in der schon einige dieser Knoten lagen.

»Gibt es Freunde, Verwandte oder einen Ort, wo sie öfter hingeht?«, fragte sie.

»Mona ist gerne alleine, sie hat keine Freundinnen und männliche Freunde schon gar nicht. Die einzige Verwandte ist ihre Schwester Camille, aber mit der hat sie zum Glück vor Jahren gebrochen. Camille ist nämlich ein Junkie.« Der Zahnarzt nickte grimmig. »Ansonsten ist meine Frau in ihrer Freizeit am liebsten mit mir zusammen. Ich bin schließlich ihr Mann. Wir lieben uns sehr.«

»Können Sie sich einen Grund vorstellen, warum Ihre Frau weggegangen sein könnte?«, fragte sie.

»Nein, absolut nicht. Wir führen eine unglaublich harmonische Ehe, und Mona ist sehr glücklich. Ich kann ihr das Leben bieten, das sich jede Frau wünscht. Sie ist außerdem eine recht erfolgreiche Kamerafrau. Sie hat schon Preise gewonnen.«

»Wie sieht denn der normale Tagesablauf Ihrer Frau aus? War irgendetwas vor ihrem Verschwinden anders als sonst?«

»Nein, alles wie immer. Sie ist aufgestanden und hat gefrühstückt. Morgens trinkt sie gewöhnlich lediglich ein Glas lauwarmes Wasser, damit sie ihre gute Figur behält.« Er schien Suzannes Oberkörper mit den Augen abzuscannen und schüttelte schließlich kaum merklich den Kopf. »Dann macht sie den Garten oder geht zum Shoppen oder zum Yoga. Oder zur Arbeit. Wenn sie gerade Arbeit hat. In den letzten zwei Monaten war sie häufig bei Dreharbeiten. Eine Reportage über irgendwelche Schmetterlinge auf der Schwäbischen Alb und die Biografie eines völlig überschätzten Stuttgarter Schriftstellers.«

Er betonte die Sätze auf eine Art, als seien die Tätigkeiten seiner Frau, vor allem ihre Arbeiten beim Film, eine bodenlose Zeitverschwendung. »Und jetzt noch der Horrorfilm. Ich war ehrlich gesagt dagegen, dass sie da auch noch mitmacht. Ich mag vielleicht ein wenig konservativ sein, aber ich finde, eine verheiratete Frau sollte ihren Lebensschwerpunkt im heimischen Nest haben und nicht irgendwo hinter einer Kamera. Sie hat mir versprochen, es sei das letzte Projekt für längere Zeit, daher … Ich kann ihr nun mal nichts abschlagen.« Er lächelte kalt. »Das einzig Gute an Petrow ist, dass er hier in der Nähe dreht und Mona das Wochenende frei hat. Da muss sich dieser Regisseur nämlich immer um seine kranke Mutter kümmern.«

Suzanne waren der Typ und seine Einstellung gegenüber seiner Frau sowas von unsympathisch, dass sie sich um einen freundlich-neutralen Tonfall richtiggehend bemühen musste. »Kommt Ihre Frau gut mit Herrn Petrow zurecht? Oder hatte sie Probleme bei der Arbeit?«

»Davon weiß ich nichts. Aber selbst wenn es Probleme gegeben haben sollte: Warum um alles in der Welt hätte sie deswegen *verschwinden* sollen? Sie hätte einfach kündigen können.«

Das stimmte natürlich. Aber falls sie die Saboteurin gewesen sein sollte, hatte sie so, wie es gelaufen war, sowohl Petrow als auch dem Film den größeren Schaden zugefügt. Suzanne strich ihren Wollpulli glatt. »Ich würde gerne wissen, was an dem Tag passiert ist, als Ihre Frau verschwunden ist. Herr Petrow hat mir erzählt, dass Sie einer der Letzten waren, der sie gesehen …«

»Kann ich mir vorstellen, dass diese Filmleute von *mir* wissen wollen, was bei *ihnen* passiert ist«, brach es aus Laurent hervor, er sprach jetzt laut und bestimmend. »Kein Wunder, dass da Gegenstände und sogar Leute verschwinden, so wie dieser Petrow den Laden führt. Völlig unfähig, der Mann. Er hat sogar *mich* vor diesem Horrorhaus warten lassen. Ganze *fünfzehn Minuten*, nur weil er im Flur noch etwas mit der Beleuchtung ausprobieren wollte. Als ob die ihre Arbeiten nicht für ein paar Minuten unterbrechen könnten, damit ich ins Haus kann, um meine Frau abzuholen. Oder damit sie rauskommen kann. Dieser Petrow glaubt, dass alle so ein faules und nichtsnutziges Leben führen wie ein Filmschaffender. Er hält sich für wichtig und will in seinem bunten, sorglosen Künstler-Elfenbeinturm nicht sehen, dass es Leute gibt, die einer wichtigen, systemrelevanten Arbeit nachgehen und eben keine fünfzehn Minuten warten können! Außerdem hatte ich an dem Abend eine Einladung zu einem Privatempfang bei Gräfin Dörthe von Hagendorn-Beckstein, bei der einige wichtige Politiker zugegen sein wollten. Aber anstatt, dass ich Mona mitnehmen und sie sich zu Hause ein bisschen hübsch machen kann, stehe ich mir wegen Petrow die Beine in den Bauch. Und als der Mann dann endlich fertig war, war meine Frau auch noch *weg*. Ich musste am Ende *ohne Begleitung* zu Gräfin Hagendorn-Beckstein, obwohl ich mit Gemahlin angekündigt war. Peinlich war das.« Laurents Gesicht hatte sich im Laufe seiner Tirade vor Wut gerötet.

Suzanne deutete ein Nicken an. Eines war sicher: Sorgen, wo seine Frau sein könnte, machte sich dieser Mann nicht. Die Frage war nur, ob es ihm einfach egal war, wo sie steckte, oder ob er es wusste und es ihr nur nicht erzählte. »Ist Ihre Frau schon öfter verschwunden?«, fragte sie.

»Was ist denn das für eine schwachsinnige Frage? Natürlich nicht!« Er griff sich ein neues Stück Draht, drehte es zu einem Knoten und pfefferte es wieder in die Schale zurück.

»Und Sie haben sie am Fenster dieses Horrorhauses zum letzten Mal gesehen?«

Laurent nickte. »Sie hat mir zugewinkt.«

»Könnten Sie sich getäuscht haben?«

»Ich bin doch nicht bescheuert. Meine Frau erkenne ich noch. Außerdem wurde sie von irgendeinem grünen Scheinwerfer angeleuchtet. Sogar ihre Zähne sahen grün aus. Es war grauenhaft.«

»Hat Ihre Frau Feinde? Fühlte sie sich vielleicht in letzter Zeit bedroht?«

Dr. Laurent kniff die Lippen zusammen. Für einen Moment schien er nachzudenken, dann sagte er scharf: »Ich nehme an, Sie spielen auf ihre Vergangenheit an? Ganz ehrlich, das ist eine unverschämte und unsinnige Unterstellung! Mona hat vor Jahren damit abgeschlossen.«

»Was meinen Sie mit ›Vergangenheit‹?«, hakte Suzanne interessiert nach.

Laurent gab ein knurrendes Geräusch von sich. Wieder schien er ihren Wollpulli zu mustern. »Ich denke mir schon die ganze Zeit, dass es zu dieser Produktionsfirma passt, dass sie selbst bei der Auswahl des Privatermittlers spart. Aber offenbar sind Sie noch unfähiger, als ich vermutet habe. Wie wollen Sie denn jemanden aufspüren, wenn Sie nichts über ihn wissen?« Er lehnte sich zurück und sah auf die Uhr. »Gehen Sie woanders spielen. Ich muss jetzt wirklich weiterarbeiten, *Süsann.*«

Ohne auf seine Beleidigungen einzugehen, bemerkte sie: »Wenn Sie so eine harmonische Ehe führen und einander so sehr lieben, wie Sie behaupten, sollten Sie doch eigentlich ein Interesse daran haben, dass ich Ihre Frau finde, oder? Warum wollen Sie mir nicht helfen?«

Der Zahnarzt lachte herablassend auf. »Wenn ich eine Idee hätte, wo sie sein könnte, und Ihnen irgendwie *helfen* könnte, dann hätte ich Mona schon lange selbst gefunden. Dafür brauche ich keine übergewichtige ›Detektivin‹, die angezogen ist wie eine Öko-Pippi-Langstrumpf.«

Was für ein Arschloch. Suzanne verschränkte die Arme vor dem Körper. »Könnte es sein, dass Ihre Frau deshalb *verschwunden* ist, weil sie es mit Ihnen nicht mehr ausgehalten hat? Hatte sie vielleicht keine Lust, noch länger in Ihrem heimischen Nest zu sitzen und sich Ihr Geschwätz anzuhören, *Gerard*?«

Laurent schlug mit der Hand so auf den Tisch, dass Suzanne zusammenzuckte. Sein Gesicht war plötzlich kalkweiß. »Mona würde mich nie verlassen!« Er sprang auf und kam um den Schreibtisch herum bedrohlich auf sie zu. »Sie haben nicht die leiseste Ahnung. Verschwinden Sie, aber ganz schnell. Und lassen Sie sich hier bloß nie wieder blicken.« Er packte sie grob am Handgelenk, riss sie von ihrem Stuhl hoch und bugsierte sie Richtung Tür.

»Lassen Sie mich sofort los!«, fauchte sie.

Der Mann ließ sie los und hob die Hände beschwichtigend nach oben. Jetzt lächelte er wieder sein kaltes Lächeln.

Nach ihrem Zusammentreffen mit Dr. Laurent dauerte es eine Weile, bis Suzanne sich wieder beruhigt hatte. Übergewichtige Öko-Pippi-Langstrumpf, der hatte sie ja nicht mehr alle! Bestimmt hatte er irgendeinen Dreck am Stecken, weil er ihr nicht helfen wollte, seine Frau zu finden. Hielt sich Mona Laurent im Moment tatsächlich versteckt, weil sie wütend auf ihren Mann war? Oder gar Angst vor ihm hatte? Der Typ war ja ziemlich aggressiv. Hatte er sie vielleicht bedroht?

Sie beobachtete die Praxis noch eine gute halbe Stunde vom Auto aus. Niemand betrat oder verließ das Haus. Offenbar kamen überhaupt keine Patienten. Der Wartebereich war ja auch vollkommen leer gewesen.

Sie durchsuchte das Internet auf dem Handy nach dem Zahnarzt. Neben vielen positiven Bewertungen hatte Dr. Laurent auch einige ziemlich schlechte. Eine Aliza Z. schrieb, er habe sie zu einer Behandlung regelrecht genötigt, eine Nele K., er habe sie angekeift, sie solle ihre Wurzelbehandlung privat bezahlen, denn für den Kassensatz mache er ihr »einen Scheiß in den Mund«, und ein Peter D. beklagte, Laurent habe ihm grundlos zwei völlig gesunde Zähne gezogen, wie sein neuer Zahnarzt festgestellt habe. Suzanne grub noch ein wenig tiefer und fand heraus, dass der Zahnarzt eine Vorstrafe wegen Körperverletzung hatte, die allerdings eine Weile zurücklag. Anscheinend hatte er bei einer jungen Frau eine schmerzhafte Operation im Mund, die zudem vollkommen unnötig gewesen war, ohne ausreichende Betäubung durchgeführt, wie ein Gutachter bescheinigt hatte.

Das passte zu dem Widerling. Brachte sie aber nicht weiter im Fall der verschwundenen Kamerafrau. Sie trommelte mit den Fingern aufs Lenkrad. Sie würde sich umhören. Und mit den Finanzen der Eheleute Laurent konnte sie sich auch einmal befassen. Denn was, wenn die sicherlich unvorstellbar teure Praxis wirklich nicht lief und Mona Laurent deswegen »verschwunden« war? Weil sie möglicherweise Geld hatte, an das der Zahnarzt gelangen wollte? Vielleicht, indem er sie getötet …? Unsinn, wies sie sich zurecht, für Mord gab es nun überhaupt keinen Hinweis. Sie durfte jetzt auch nicht überreagieren, nur weil der Typ sie Öko-Pippi-Langstrumpf genannt hatte. Sie schaltete laut »Leasing a Bomb« von *Dieselskandal* ein und startete ihr Auto.

Kapitel 3

Gegen elf traf Suzanne sich mit dem Hauptdarsteller von »Dunkle Gemäuer« vor dem *Willstätter Horrorhaus.* Am Tag wirkte das Gebäude mit seinem abgeblätterten Putz, dem verblichenen Fachwerk und den vertrockneten Weinreben ein wenig trist. Eine Menge Leute wuselten vor der Eingangstür herum, einige waren verkleidet, andere trugen Kabel und Scheinwerfer. Immer noch war es kalt und windig, aber die Sonne schien, und das Wasser der Kinzig glitzerte silbrig.

Benni Koch war ein freundlich aussehender Mann um die vierzig, der ein Mittelalterkostüm aus grobem Leinen unter einer übergeworfenen Daunenjacke trug. Seine lockigen Haare standen wirr vom Kopf ab, und sein rundliches, perfekt rasiertes Gesicht glänzte, als sei es mit einer ziemlich öligen Schminke überzogen worden. Er holte Suzanne, nachdem Petrow sie kurz vorgestellt hatte und dann schnell wieder zu seiner Arbeit zurückgekehrt war, eine Tasse pechschwarzen Kaffee und ein Schokotörtchen mit Smarties vom Cateringtisch und lief dann schweigend mit ihr ein Stück Richtung Parkplatz, da der Regisseur sie gebeten hatte, alles »topsecret und nicht am Set« zu besprechen. Bei einem beinahe kahlen Birnbaum blieben sie stehen. Braune Blätter tanzten im Wind um ihre Füße.

»Ich habe nicht viel Zeit«, sagte Koch schließlich, »aber wegen Mona will ich natürlich gern mit Ihnen sprechen. Hoffentlich finden Sie sie bald, wir brauchen sie unbedingt. Sie hat das perfekte Auge für Bildausschnitte, wissen Sie? Einzigartig. Wenn sie eine Szene aufnimmt, sieht sie lebendiger, bedrohlicher, echter aus, als wenn ein anderer Kameramann das macht.« Er lächelte melancholisch. »Ich bin mir sicher, Mona wird es, sobald sie zurück ist, gelingen, selbst meiner Figur etwas Geheimnisvolles und Würdiges mitzugeben, allein durch die Macht ihrer Bilder.

Und ich spiele den Horrorhaus-Hausmeister, diesen Hildebrandt, und der ist weder sonderlich geheimnisvoll noch würdevoll. Er ist ein Psychopath, wie es im Buche steht, zu Lebzeiten, und als Untoter erst recht.« Er schüttelte sich.

»Haben Sie eine Idee, wo Frau Laurent im Moment sein könnte?« Sie nippte an ihrem Kaffee.

»Nein«, sagte er düster. »Am Donnerstag habe ich sie das letzte Mal gesehen. Im Horrorhaus. Kurz vor ihrem Verschwinden. Aber das wissen Sie ja vermutlich schon. Sie war im oberen Stockwerk, wo diese Siechenmutter ihr Schlafzimmer hatte. Wir haben über die komische Minestrone gescherzt, die es an dem Tag im Cateringzelt zu essen gab. Es hört sich jetzt seltsam an, aber als ich das Zimmer verlassen habe, habe ich nochmal zurückgeschaut, und da war so ein grünes Licht um sie herum. Als ob sie von einem sehr schwachen Scheinwerfer angeleuchtet würde. Ich habe dem erst keine Bedeutung beigemessen. Nur als sie dann weg war, haben wir nachgeschaut, und da war kein Scheinwerfer und auch keine sonstige Lampe in dem Raum und … Ich weiß nicht, ob Sie die Geschichte des Horrorhauses kennen, aber dieses Licht, wenn jemand stirbt …« Er sah bedrückt aus. »Nicht, dass ich glaube, dass Mona tot ist, nur … Es war einfach gespenstisch. Mein Opa kommt aus Willstätt, wissen Sie, er hat mir früher manchmal vom Hildebrandtslicht erzählt. Normalerweise leuchtet es, wenn im Haus ein Gewaltverbrechen geschieht. Im Krieg hat es anscheinend auch gelegentlich geleuchtet. Kurz danach kam dann immer die Nachricht, dass wieder einer der jungen Männer aus dem Dorf oder der näheren Umgebung gefallen ist.«

»Halten Sie es nicht für möglich, dass Frau Laurent selbst verantwortlich war für das Licht? Denn wenn Sie keine Lichtquelle im Zimmer gefunden haben, kann das ja eigentlich nur bedeuten, dass Frau Laurent sie mitgenommen haben muss, oder? Eine grüne Taschenlampe vielleicht?«

»Nein, nein, das war das Hildebrandtslicht«, sagte er dumpf und kickte mit dem Fuß ein Steinchen weg. »Wieso hätte sie sich anleuchten sollen? Das ergibt nicht den geringsten Sinn. Sie haben ja eine ganz schön schräge Fantasie.«

»Ich versuche nur, Erklärungen zu finden. Gibt es irgendeinen Grund, wieso Frau Laurent hätte verschwinden wollen? Hat sie sich vielleicht mit Herrn Petrow nicht verstanden? Oder mit ihrem Mann?«

»Keine Ahnung. Aber wenn sie mit Petrow ein Problem gehabt hätte, hätte sie ihn einfach darauf angesprochen. Sie war sehr direkt in solchen Dingen.«

»Sonst irgendeine Idee, die mir weiterhelfen könnte, sie zu finden?«

Der Schauspieler schien eine Weile nachzudenken, dann schüttelte er den Kopf. »Ich bin mir nur hundertprozentig sicher, dass sie nie im Leben freiwillig weggegangen ist.« Sein Tonfall klang angespannt.

»Warum?«

»Das wäre ihr beruflicher Ruin. Und ihre Arbeit geht ihr über alles. Das schätze ich ja so an ihr. Immer zweihundert Prozent. Einen cooleren Job als beim Film gibt es nirgends, und sie hätte es mit Sicherheit nicht riskiert, zukünftig als unzuverlässig oder psychisch labil zu gelten, weil sie mitten in irgendwelchen Dreharbeiten mit einer grünen Taschenlampe ›untergetaucht‹ ist.« Er strich sich über sein öliges Gesicht.

Das war natürlich ein gutes Argument. Wenn Mona Laurent dennoch freiwillig gegangen sein sollte und damit vielleicht ihre Karriere ruiniert hatte, musste sie einen verteufelt guten Grund dafür gehabt haben. Suzanne trank nachdenklich noch einen Schluck Kaffee. Das Schokotörtchen in ihrer Hand war halb geschmolzen, aber sie wollte keine Fragen mit vollem Mund stellen. »Wie, glauben Sie, ist Frau Laurent verschwunden?«

Koch knetete seine Hände. Er sah ihr jetzt direkt in die Augen und wirkte zutiefst beunruhigt. »Es ist unerklärlich. Verstörend. Im Haus war sie jedenfalls definitiv nicht mehr. Wir haben alles durchsucht, mehrfach, sogar die Schränke, Kommoden und den abgesperrten Teil des Kellers und die Bühne. Aber sie war … einfach weg. Und das Haus konnte sie auch nicht ungesehen verlassen haben, auch wenn ich manchmal denke, dass sie das getan haben muss. Denn Herr Petrow und zwei meiner Kollegen standen im Flur und ihr Mann direkt vor dem Gebäude, und es gibt nur diese eine Tür. Ich war im Nebenzimmer, als sie … Ich habe nicht das leiseste Geräusch gehört. Nichts. Und dann war sie weg. Die Wände in diesem baufälligen Gemäuer sind nicht isoliert, und wenn man über den Boden geht, dann knarzt es an vielen Stellen. Ich hätte es hören müssen, wenn sie das Zimmer der Siechenmutter verlassen hätte.«

»War das Anbringen der Fensterläden nicht laut und hätte ein mögliches Knarzen übertönt?«

»Nicht so laut. Abgesehen davon hätte irgendjemand sie im Flur oder auf der Treppe sehen müssen.«

»Dann muss sie einen Helfer gehabt haben. Jemanden, der sie gesehen hat, aber nichts sagt.«

»Das kann ich mir nicht vorstellen. Sie war mit niemandem so eng.«

»Wer war denn außer Ihnen noch alles im oberen Stock?«

»Keine Ahnung.«

»Herr Petrow meinte, Sie seien derjenige, mit dem sich Frau Laurent hier am besten versteht. Kennen Sie sie gut? Ich meine, auch privat?«, hakte sie nach.

»Ich mag sie, das stimmt. Aber richtig kennen wäre zu viel gesagt«, antwortete er. »Und ich habe ihr sicher nicht beim Verschwinden geholfen, falls es das ist, worauf Sie hinauswollen. Ich könnte es mir im Moment nicht erlauben, meine Arbeit zu verlieren, ich muss einen ziemlich fiesen Kredit abzahlen und brauche jeden Cent. Ich muss dann auch mal wieder.« Er grüßte mit der Hand und ging zügig Richtung Horrorhaus zurück.

Nach dem Gespräch wartete Suzanne am Parkplatz auf Petrow. Sie aß ihr Schokotörtchen und grübelte über Benni Kochs und Dr. Gerard Laurents Aussagen nach und darüber, dass sie noch keinen Schritt weitergekommen war. Aber dann schweiften ihre

Gedanken zu Liam und wie süß er immer seine langen Haare nach hinten strich. Sie genoss die Novembersonne auf ihrem Gesicht und den Blick über die silbrig glänzende Kinzig und die angrenzenden Felder und Wiesen. Selbst im Spätherbst war es in der Ortenau einfach wunderschön. Vielleicht konnte sie den Sänger in den nächsten Tagen zu einem kleinen Ausflug überreden? Ein Spaziergang auf dem Auen-Wildnispfad in Neuried vertrieb jedenfalls bei ihr immer jeden Anflug von schlechter Laune. Das würde Liam bestimmt auch wieder aufbauen.

Sie zuckte zusammen, als ihr jemand von hinten auf den Rücken tippte. Es war Petrow, und er machte einen sehr gehetzten Eindruck. »Ich muss eigentlich den Ersatzkameramann einweisen«, sagte er. Er hatte Schweißperlen auf der Stirn. »Die Notlösung, bis Mona zurück ist. Finden Sie sie bloß schnell! Das Ganze ist eine Riesenkatastrophe. Wir werden Stunden brauchen, bis wir mit dem Neuen halbwegs anständige Bilder bekommen. Wenn wir die überhaupt bekommen, da habe ich erhebliche Zweifel. Lassen Sie uns zügig das Haus anschauen. Ich wäre so froh, wenn Sie danach im Gegensatz zu uns erklären könnten, was mit Mona passiert ist.«

Obwohl er offenbar kurz vor dem Kollaps stand, stieg der Regisseur mit Suzanne unter den neugierigen Blicken einiger Crewmitglieder, denen er sie als »eine gute Bekannte« vorstellte, auf die Bühne. Bis auf die Köttel eines Tieres war das tatsächlich nur ein vollkommen leerer, ziemlich kalter Dachstuhl ohne eine einzige Versteckmöglichkeit. Danach ging es in den Keller. Nach wie vor dachte Suzanne, dass die Kamerafrau am ehesten dorthin gegangen sein musste. Unten an der Treppe konnte sie zumindest klären, was es mit der Skelettfratze auf sich hatte, die sie am Vorabend zu sehen geglaubt hatte: Es war eine am Geländer aufgehängte Maske. Sie schüttelte den Kopf.

Drei Techniker und der neue Kameramann waren damit beschäftigt, in dem düsteren, stickigen Kellerflur, an dessen Wänden Regale mit Requisiten und sonstigem, teilweise verpacktem Filmzubehör standen, Kabel zu verlegen. Am einen Ende des Flurs war eine große, viereckige Öffnung im Boden zu erkennen. Eine aufgeklappte Falltür. »Das ist das ›Loch‹«, erläuterte Petrow. »Dort haben sie Hildebrandt damals zu Tode gestürzt. In meinem Drehbuch zerlegt er da unten auch einige seiner Opfer.«

Vorsichtig näherte sich Suzanne dem Einstieg. Eine lange, beinahe senkrechte Stiege führte in einen zweiten, noch tieferen Keller.

Über herumliegende Kabel kletterten sie die schmalen, wackeligen Stufen hinunter in einen runden Raum von etwa dreißig Metern Durchmesser mit einem Boden aus gestampfter Erde, in dem es nach Moder, Schminke und Kaffee roch und der von zwei grellen Scheinwerfern ausgeleuchtet wurde.

»Wir drehen hier gleich eine Szene«, erläuterte Petrow knapp und rief dem Kameramann, der gerade herunterkam und totenblass aussah, einige harsche Befehle zu. Dann fügte er an Suzanne gewandt hinzu: »Dass es sowas wie dieses Loch gibt, einen mehrstöckigen Keller weit unter der Erde, ist sehr ungewöhnlich, vor allem für ein so altes Haus.«

Suzanne nickte und schaute sich gründlich in dem gruftartigen Raum um. Auch hier nirgends eine Versteckmöglichkeit. Petrow wurde sichtlich immer angespannter und herrschte zwei Filmleute, die im Loch an etwas arbeiteten, das wie eine altmodische, blutige Schlachtbank aussah, ständig an. Die von den Kameras aufgeheizte Luft war hier unten so stickig, dass das Atmen schwerfiel.

Schließlich stiegen sie wieder aus dem Loch heraus. »Da hinten ist der gesperrte Teil des Kellers«, bemerkte der Regisseur, während sie den Kellerflur in die andere Richtung entlanggingen. An der Stelle, an der der Flur an einem mit Flatterband abgesperrten Durchgang endete, lagen einige Holzlatten. In dem Raum hinter dem Durchgang war es trotz der hellen Beleuchtung drüben beim Loch dunkel. Soweit Suzanne sehen konnte, befanden sich nichts als Schutt und altes, rostiges Metall darin und ein ausgedehntes Gewirr aus vielen dünnen Drähten, deren

Enden wie spitze Grashalme nach oben ragten. Die Drahtwiese, die recht hügelig war, ließ den vorderen rechten Teil des Raums aussehen wie die Kulisse eines Blechplaneten in einem billigen Science-Fiction-Film. Als Suzanne unter der Absperrung hindurchschlüpfen wollte, hielt Petrow sie zurück. »Hier darf nur der Hausmeister Erwin Winkler rein«, sagte er. »Und auch nur mit Schutzhelm. Ist ein Versicherungsding. Abgesehen davon ist es wirklich gefährlich da drin.«

»Als Ihre Kamerafrau verschwunden ist …«

»Hat der Hausmeister natürlich dort nach ihr geschaut. Er war übergründlich, wie bei allen Dingen, die er tut«, unterbrach Petrow sie. »Und ich war ausnahmsweise auch dabei, auch wenn Winkler sich mit Händen und Füßen dagegen gesträubt hat, weil es gegen die Vorschriften ist.« Er schüttelte den Kopf. »Außerdem hat sich einer der Polizisten, die an dem Tag hier waren, ebenfalls im gesperrten Teil des Kellers umgesehen. Dort gibt es fünf Räume, allesamt baufällig. Außer Metallschrott, einem Haufen Schutt und Sperrmüll, den man vermutlich irgendwann mal aus dem Haus geräumt hat, gibt es da nichts Interessantes zu finden. Mona war jedenfalls nicht dort. Und wir haben wirklich jeden Stein umgedreht. Hier, ich habe Fotos gemacht.« Er zückte sein Handy und zeigte ihr einige Bilder von baufällig aussehenden Kellerräumen.

Bevor sie ging, überprüfte Suzanne im Eildurchlauf noch sämtliche Räume im Unter- und Obergeschoss des Horrorhauses. Ein paar alte Möbel und Requisiten waren die einzige Einrichtung. Keine Möglichkeit, sich irgendwo im Gebäude so zu verstecken, dass man nicht gefunden wurde, wenn jemand nach einem suchte. Und der Flur zur Haustür war wirklich so eng, dass Mona Laurent sich, wenn hier Leute gestanden hatten, unmöglich unbemerkt hätte vorbeizwängen können. Die Pappfensterläden waren überall fest an den Fenstern angebracht, und es wirkte nicht so, als sei einer vor Kurzem gelöst und wieder befestigt worden. Keller und Bühne hatten gar keine Fenster.

Suzanne schüttelte ungläubig den Kopf. Die Kamerafrau hatte offenbar tatsächlich weder unbemerkt das Haus verlassen noch sich so im Inneren verstecken können, dass sie nicht gefunden worden wäre. Sie konnte sich aber auch nicht in Luft aufgelöst haben.

Was also war hier passiert?

Kapitel 4

Eine gute halbe Stunde später bog Suzanne immer noch grübelnd in die hübsche Straße in Neuried-Altenheim ein, in der ihr Hof lag. Als sie aus dem Auto stieg, wehte ein eisiger Wind. Er zerzauste ihre schulterlangen blonden Haare und verbog die fast vollständig kahlen Bäume, letzte Blätter wirbelten über den Boden. Die Luft roch bereits nach Winter, und es war in den letzten Tagen ungewöhnlich kalt für Ortenauer Verhältnisse.

Ihre Ziegen hatten sich in den Unterstand hinten auf der großen Weide zurückgezogen, hin und wieder war ein leises »Määh« zu hören. Wie jedes Mal, wenn sie über ihren gepflasterten Innenhof auf das Haus zuging, freute sie sich darüber, was für ein riesiges Glück sie hatte, so wunderschön zu wohnen. Ein Bauernhaus mit riesigem Garten, an den sich die Ziegenweide anschloss, und einen eigenen Pool. Und heute war sogar Liam bei ihr zu Besuch, wundervoller ging es ja gar nicht! Hoffentlich fühlte der Ärmste sich nicht mehr ganz so niedergeschlagen.

Rasch schlüpfte sie hinein ins Warme. Im Flur roch es angenehm würzig nach Mittagessen, und voller Vorfreude ging sie hinüber in die Küche. Dort herrschte allerdings eine ziemlich traurige Stimmung. Achim war, wie es aussah, dabei, Linsen mit veganen Spätzle und Soja-Saiten zuzubereiten, eins von Liams Lieblingsgerichten, während der Sänger schweigend und mit starrem Blick am Tisch saß und ein Papiertaschentuch zerpflückte. Seine langen Haare hingen ungekämmt von seinem Kopf und verdeckten das Spinnennetztattoo auf seiner Stirn.

»Liam«, sagte Achim gerade. »Ich verstehe, dass du enttäuscht bisch, aber so ein unwichtiger Wettbewerb isch doch nicht aller Tage Abend. Du hasch eine große Fangemeinde, die deine Musik liebt, das isch doch viel wichtiger.«

Liam schwieg und zerriss weiter sein Taschentuch. Auch als

Suzanne die beiden freudig begrüßte und dem Sänger kurz mit der Hand über die Schultern streichelte und »Lass dich doch von solchen Banausen-Juroren nicht unterkriegen« sagte, sah er nicht einmal hoch. Seine gedrückte Stimmung schlug ihr aufs Gemüt. Während sie den Tisch deckte, schaute sie immer wieder zu ihm hinüber. Er sah blass und krank aus. Am liebsten hätte sie ihn einfach in den Arm genommen, aber das getraute sie sich nicht, denn der Sänger war seit der Wettbewerbsniederlage ziemlich abweisend. Eigentlich war er schon das ganze Wochenende so gewesen. Vielleicht, dachte sie traurig, hatte sie sich sowieso nur eingebildet, dass da etwas Besonderes zwischen ihnen war. Weil sie es sich so sehr wünschte. Ihr wurde ganz heiß im Gesicht, und sie ging schnell zum Fenster hinüber und schaute hinaus auf die Natursteinterrasse und den winterlich leeren Pool, bis sie sich wieder gefangen hatte. Unsinn. Liam war enttäuscht wegen dieser idiotischen Juroren, das hatte nichts mit ihr zu tun.

Als sie sich zum Essen an den Tisch gesetzt hatten, hielt sie das Schweigen nicht mehr aus. »Liam«, sagte sie, »ich kann gut verstehen, dass du geknickt bist. Wenn ich irgendetwas tun …«

»Ich werde aufhören«, unterbrach Liam, der bisher auf seinen Teller gestarrt hatte, sie plötzlich. Der englische Akzent, mit dem er sonst sprach, war verschwunden. »Ich habe keine Lust mehr.«

Mit einem lauten Klirren fiel Achim die Gabel aus der Hand. »Das kannsch du nicht.«

Suzanne fühlte Panik in sich aufsteigen und sagte beinahe zeitgleich: »Das darfst du nicht.«

Eine unvorstellbare Katastrophe für die Musikwelt, wenn das geplante Album *The Liquidation of Hell* nicht zustande kommen würde! »Bloody fucking Shotgun« und »Fear in February« zum Beispiel, zwei der großartigsten Songs, die jemals …

»Ach echt?«, fragte Liam. »Und warum nicht? Ich produziere offenbar nur Müll.«

»Das ist doch Quatsch«, sagte Suzanne. »Du bist mehr als genial, du musst an dich glauben!«

Liams Gesicht verzog sich zu einem traurigen Lächeln. »Weißt du, Sweetheart, ich glaube seit Jahren mit einem fast schon übermenschlichen Glauben an mich und an mein Ziel. Zum Glück hat man als Künstler viel Fantasie und kann sich Dinge ausmalen, die eigentlich unmöglich sind. Ich bin so oft hingefallen und wieder aufgestanden, dass ich es gar nicht mehr zählen kann. Aber jetzt habe ich einfach keine Kraft mehr. Du hast keine Vorstellung, wie das ist, wenn du deine ganze Energie, deine Leidenschaft und dein Herzblut in Songs steckst, und nachher schreibt irgendein Kritiker lapidar: *Das ›Konzert‹ war ein hässliches Gekreische mit ohrenbeleidigenden Texten, das es nicht verdient hat, Musik genannt zu werden.* Oder, wie hat es dieser eine Juror beim Wettbewerb in München ausgedrückt: ›Ich hatte bei Ihrer Performance die ganze Zeit das Gefühl, ich muss gleich aufstehen und hinausrennen.‹« Er zuckte scheinbar ungerührt mit den Schultern. »Man sollte mit Würde abtreten, wenn einen niemand will.«

Achim tätschelte dem Sänger freundschaftlich den Arm. »All deine Fans wollen dich! Ich stehe zum Beispiel gerade mit einer riesigen Bühne in Frankfurt in Kontakt, die ein Konzert mit *Dieselskandal* …«

»*Dieselskandal* kann sich ja einen neuen Sänger suchen.« Liam schlug beide Hände vors Gesicht.

»Unmöglich. Du bist *Dieselskandal!*«, entfuhr es Suzanne. »Ohne dich …« Ihr Handy, das hinter ihr auf der Ablage lag, klingelte, und sie drückte das Klingeln weg. »Ich könnte ohne deine Songs nicht …« Ihr Handy klingelte erneut. Ein Videocall.

»Geh ruhig dran«, sagte Liam dumpf durch seine Finger hindurch. Dann nahm er seinen Teller, stand auf und schlurfte zur Spüle, wo er ihn samt Linsen und Spätzle ins Waschbecken pfefferte, dass es nur so klirrte und spritzte. Danach blieb er zusammengekrümmt an die Arbeitsplatte gelehnt stehen.

Suzanne nahm den Anruf an, während sie Liam beobachtete, der jetzt vor sich hin murmelte: »Am Ende wird alles gut, und wenn es nicht gut ist, dann ist es nicht das Ende. An so eine Scheiße habe ich geglaubt.« Dabei fing er an, die *Dieselskandal*-Sticker, die er bei seinem letzten Besuch angebracht hatte, von ihrem Küchenschrank abzukratzen. Sie wandte sich dem Handy zu, vor Sorge um Liam und die Band war sie ganz zittrig.

Auf dem Bildschirm war Petrow mit vor Aufregung knallrotem Gesicht zu sehen, dessen Stimme laut durch den Raum schallte. »Zum Glück erreiche ich Sie, Frau Griesbaum. Es ist schon wieder etwas passiert. Diesmal wurde der Film ins Mark getroffen. Die Kuckucksuhr ist weg! Und das Flammkuchenblech! Die Sachen waren im Horrorhaus eingeschlossen. Wie kann das sein? Wer tut sowas?«

Sie fragte: »Wann sind die Sachen verschwunden?«, obwohl sie das im Moment nicht wirklich interessierte.

»Wahrscheinlich gestern Nacht. Die Polizei meint, es sei möglich, dass sich jemand mit einem Dietrich Zugang verschafft haben könnte. Oder mit einem Nachschlüssel. Wir haben den Diebstahl erst vor einer halben Stunde bemerkt.«

Wenn Fiona gesund gewesen wäre und das Haus hätte observieren können, hätten sie den Dieb vielleicht jetzt schon, dachte sie.

»Bitte schnappen Sie diesen Mistkerl endlich, sonst bin ich ruiniert«, fuhr der Regisseur fort. Er wirkte so verzweifelt, dass ihr ihre Idee vom Vorabend, dass Petrow selbst seinen Film sabotieren könnte, absurd vorkam. »Die Kuckucksuhr und das Blech waren *elementar* für die Szenen, die wir heute Nachmittag und morgen drehen wollten. Abgesehen davon war die Uhr auch nicht ganz billig. Echt antik. Wir werden mindestens zwei Tage brauchen, um einen geeigneten Ersatz zu finden. Sie haben keine Ahnung, was zwei Tage Verzögerung kosten.«

Kurz war es still. Nur das kratzende Geräusch von Liams Fingernägeln, der Sticker von ihrem Küchenschrank entfernte, und das leises Knistern, als Achim seine Serviette zurück auf den Tisch legte, waren zu hören. Sie brauchte weitere Anhaltspunkte, wenn sie den Requisitendieb finden wollte. Denn auf gut Glück konnten sie schlecht die Alibis aller Crewmitglieder und Schauspieler für die letzte Nacht überprüfen, das würde ewig dauern.

»Es sieht für mich wie gesagt eindeutig so aus, als wolle jemand die Dreharbeiten stören«, sagte sie. »Ein Insider. Halten Sie es für möglich, dass Frau Laurent selbst hinter dem Ganzen steckt? Dass sie dem Film schaden will und deswegen vielleicht auch verschwunden ist?«

Petrow zog die Stirn in Falten. »Mona? Niemals! Sie liebt jedes Filmprojekt, an dem sie mitarbeitet. Abgesehen davon würde sie sich selbst mit so einer Aktion ja am meisten schad…« Er stockte. »Wobei, wenn ich jetzt so darüber nachdenke, war es allerdings ziemlich komisch, wie Mona in diese Dreharbeiten hineingerutscht ist.« Er strich sich über den Bart. Suzanne wartete gespannt. »Wir hatten gerade die ersten Schauspieler gecastet und so, und da ist sie von sich aus auf mich zugekommen und hat regelrecht darum gebettelt, dass sie bei ›Dunkle Gemäuer‹ die Kamera machen darf«, fuhr der Regisseur fort. »Sie hat angeboten, fast zum Nulltarif zu arbeiten. Hat behauptet, sie würde es nur wegen des Renommees tun, das es mit sich bringt, mit einem preisgekrönten Filmemacher wie mir einen Film zu drehen.« Er wirkte geschmeichelt. »Ich habe schon öfter mit ihr gedreht, sie ist fachlich brillant, und sie wäre mit Sicherheit sowieso in meine engere Auswahl …« Er schluckte. »Ich habe ehrlich gesagt nicht weiter darüber nachgedacht, sondern sofort zugeschlagen, weil es ein unwiderstehliches Angebot war. Auch wenn ich das mit dem Geld natürlich schon ein bisschen merkwürdig fand, weil Mona bereits ein sehr gutes Renommee hat und normalerweise knallhart verhandelt, wenn es um die Bezahlung geht. Irgendwann hat sie mir aber im Vertrauen erzählt, sie habe ein Riesenangebot aus Hollywood, und dafür bräuchte sie noch einen hochwertigen Film im Portfolio. Das hat mir eingeleuchtet.« Petrow brach ab, dann fügte er hinzu: »Ich muss gestehen, ich war neugierig und habe ein wenig recherchiert, ich kenne da ein paar Leute und … Was Hollywood angeht, hat Mona gelogen. Niemand kannte sie da, und den Film, bei dem sie angeblich die Kamera machen sollte, gibt es überhaupt nicht.«

»Und das hat Sie nicht misstrauisch gemacht?«

»Dass man sich ein bisschen wichtigmacht, gehört bei uns zum Geschäft. Ich … also ich bin bisher einfach davon ausgegangen, dass sie irgendein anderes riesiges Projekt in Aussicht hat. Vielleicht nicht ganz so groß wie Hollywood, aber doch groß, und das wollte sie noch nicht verraten. Jedenfalls hat es sich für mich so angehört, als sei es etwas, das ihre Karriere extrem pushen würde.« Er schien nachzudenken, schließlich schüttelte er den Kopf. »Das Ganze ergibt keinen Sinn. Mona hat nicht den geringsten Grund, mein Filmprojekt zu sabotieren und dann auch noch abzuhauen. Wirklich nicht. Wir haben uns super verstanden. Und sie hätte auch nie im Leben ihr berufliches Fortkommen mit so einer unsinnigen Aktion zerstört. Nein, da muss etwas anderes passiert sein. Jemand muss sie zum Fortgehen gezwungen haben.«

Suzanne runzelte die Stirn. Diese Geschichte, wie die Kamerafrau zu ihrem Job gekommen war, klang eindeutig seltsam. Ob sie allerdings ein Indiz dafür war, dass Mona Laurent die Saboteurin war, stand auf einem anderen Blatt. Zumal Petrow ihr vollkommen zu vertrauen schien.

»Angenommen, Frau Laurent hat nichts mit dem Requisitendiebstahl zu tun, wer könnte es dann gewesen sein?«, fragte sie.

»Keine Ahnung. Hildebrandt?« Petrow sah irgendwie schuldbewusst aus.

Suzanne lehnte sich zurück, den Blick abwechselnd auf Liam, den ihr mit verschränkten Armen gegenübersitzenden Achim und auf den Handybildschirm gerichtet. »Wenn ich ganz ehrlich bin, hatte ich schon bei unserem Gespräch gestern Abend das Gefühl, dass Sie vielleicht doch eine Idee haben, wer Ihrem Film schaden will, Herr Petrow. Und zwar abgesehen von diesem Geist«, wandte sie ein. »Es ist wirklich wichtig, dass Sie mir vertrauen. Denn solange ich nicht alle Hintergründe kenne, wird es sehr schwierig werden, den Saboteur zu schnappen.«

Zuerst blieb es am anderen Ende still. Nach einer Weile tönte die Stimme des Regisseurs erneut durch die Küche. »Ich war … vielleicht tatsächlich nicht ganz aufrichtig.« Er räusperte sich.

»Meine Projekte rufen viele Neider auf den Plan, wissen Sie? Vor allem dieses Projekt. ›Dunkle Gemäuer‹ ist etwas Besonderes. Es wird den Horrorfilm in eine neue Dimension katapultieren.«

»Was genau ist denn so besonders an dem Film?«

»Das Genre, das ich erfunden habe«, antwortete der Regisseur nach einer Weile. »Horror mit regionalen Tendenzen oder kurz: *Regionalhorror*. Das wird einschlagen wie ein Blitz. Und es gibt natürlich Leute, die mir das nicht gönnen.«

Drüben an der Spüle zuckte Liam so zusammen, als sei tatsächlich ein Blitz in ihn gefahren, und rief: »I've been so stupid, Alter.« Sie erschrak, aber Achim machte ein Zeichen mit der Hand, das wohl so viel wie »Mach dir keine Sorgen, ich kümmere mich um ihn« bedeuten sollte.

Sie stand auf und verließ schnell die Küche, da Liam nun lautstark mit den Fäusten gegen den Schrank hämmerte. »Haben Sie jemand Konkretes im Sinn? Oder einfach grundsätzlich ›Leute‹?«, fragte sie Petrow, während sie die Treppen zu ihrem Arbeitszimmer hochstieg.

Der zupfte nur an seinem Bart herum, antwortete aber nicht. Sie beobachtete seine nervös hin und her huschenden Augen und die vor Aufregung roten Wangen auf dem Bildschirm. Er war offensichtlich aufgewühlt.

»Was ist Regionalhorror?«, fragte sie, um ihm ein wenig Zeit zu geben.

»Sowas wie ein Regionalkrimi, nur genialer. Raumschiffe mit blutrünstigen Aliens und aztekische Pyramiden voller schleimiger Kreaturen waren gestern. Die Leute wollen es konkreter. Sie wollen den Horror direkt vor ihrer Tür. Killerhaie vor der Hochwasserschutzanlage an der Kinzig statt Killerhaie im Bermudadreieck sozusagen, verstehen Sie? Und die Morde finden ausschließlich mit regionalen und handwerklich produzierten Gegenständen statt. Im ersten Akt von ›Dunkle Gemäuer‹ zum Beispiel wird einer Frau mit einer Schwarzwälder Kuckucksuhr das Genick gebrochen, und ein Mann fährt auf einem riesigen Flammkuchenblech ins Feuer. Ich gebe zu, da haben wir kleine

Abstriche gemacht, was die Authentizität angeht, aber das mit dem Blech war deutlich spektakulärer, als den Typen direkt in einen Steinbackofen zu werfen. Oder die Szene mit dem Galgenstrick aus echtem Ortenauer Bio-Hanf ... Deswegen brauchen wir die verschwundenen Gegenstände auch so dringend.«

»Das hört sich großartig an«, behauptete sie. »Und wie viele Leute kennen die Details ihrer neuen Idee?«

»Die Details?« Petrow runzelte die Stirn und meinte zögerlich: »Die Filmwelt ist ein kleiner Kosmos, in dem eine Menge Leute ...«

»Wenn Sie vielleicht ein wenig konkreter werden könnten?«

Der Regisseur wand sich sichtlich. Schließlich meinte er: »Also gut, Sie werden es ja doch herausfinden. Wenn der Requisitendieb also ein Insider sein muss, der wütend auf mich ist, dann ... Also mir ist da gerade tatsächlich jemand eingefallen. Das muss aber unter uns bleiben. Es gibt ... na ja, es gibt da einen Drehbuchautor, der ... der mir vorwirft, mein Drehbuch ... sei ein Plagiat. Vollkommener Unsinn natürlich. Ich hatte den Mann komplett aus meinem Gedächtnis gelöscht, deshalb bin ich auch nicht gleich auf ihn gekommen!«

Es war offensichtlich, dass Petrow schon die ganze Zeit gewusst hatte, dass dieser Drehbuchautor existierte, dass es ihm aber äußerst unangenehm war, darüber zu sprechen.

»Ich denke, er wäre besessen genug, unsere Produktion zu beobachten und die entsprechenden Gegenstände zu entwenden.« Er verzog angespannt den Mund.

»Wie heißt der Drehbuchautor?«, fragte sie.

»Maximilian Bräcker.«

»Wie kommt dieser Bräcker darauf, Ihnen ein Plagiat vorzuwerfen?« Suzanne ließ sich, in ihrem Arbeitszimmer angekommen, auf ihren Schreibtischstuhl fallen.

Petrow druckste herum. Schließlich bekannte er: »Meine beiden letzten Filme sind bei den Kritikern zwar sehr gut angekommen, aber sie haben, wenn ich ganz ehrlich bin, nun ... also eben nicht viel eingespielt. Jedenfalls musste irgendwie mal wieder

Geld reinkommen und … Man hat mir angeboten, einen Horrorfilm zu machen, und das Drehbuch sollte ich bitte auch gleich noch dazu liefern. Ich bin ja auch Drehbuchautor. Die Zeit war knapp und mir ist einfach … Himmel, mir ist eben einfach nichts Gutes eingefallen.« Er sah sie verständnissuchend an. »Bräcker war in einem der Drehbuchseminare, die ich unterrichte.« Er zupfte an seinem Bart herum. »Jedenfalls hat er mich nach dem Seminar angesprochen und mir eine Idee vorgestellt, die *seeeehr* weit weg ist von dem Drehbuch, das wir gerade verfilmen. Aber ich will nicht ausschließen, dass er bei unserem Gespräch das *Willstätter Horrorhaus* und vielleicht auch das eine oder andere Detail der Geschichte erwähnt hat. Und es ist ganz vielleicht möglich, dass ich bei *einigen* Szenen *ein wenig* … Nun, sagen wir mal, *inspiriert* wurde von dem, was er mir gesagt hat.« Er räusperte sich. »Das darf die Produktionsfirma aber nie erfahren!«

Suzanne setzte sich gerade hin. »Was meinen Sie mit ›inspiriert‹?«, fragte sie.

»Ideen sind nicht geschützt, schon gar nicht so unfertige«, verteidigte sich Petrow. »Ich habe mir *nichts* vorzuwerfen! Das war kein Plagiat! Aber manchmal werden Produktionsfirmen *unsachlich*, wenn das P-Wort im Raum steht.«

»Die Produktionsfirma ist mein Auftraggeber.«

»Die Produktionsfirma hat Sie auf meinen Vorschlag und durch mich engagiert. Ich bin Ihr Ansprechpartner. Sie sind mir gegenüber genauso zur Verschwiegenheit verpflichtet wie Ihren anderen Klienten. Und ich bitte Sie ja nur darum, die Sache diskret zu behandeln«, warf Petrow ein. »Und *falls* es Bräcker war, könnte ich mir vorstellen, ihm Geld … Wenn dann diese Sabotage aufhören würde … Damit wäre doch allen gedient, finden Sie nicht? Wir können dann ja immer noch überlegen, was wir der Produktionsfirma erzählen.«

Sie lehnte sich wieder in ihren Stuhl zurück. Ob Plagiat oder nicht: Petrows Verhalten hörte sich mies an, und sie durfte sich gar nicht ausmalen, wie sauer sie werden würde, wenn jemand eine Song-Idee von Liam klauen würde. Falls Bräcker allerdings tatsächlich der Saboteur war, war sein Verhalten wenig besser. Sie dachte kurz nach, dann sagte sie: »Versprechen Sie mir, dass Sie die Sache klären und den Autor zumindest entschädigen? Vor allem dann, wenn er *nicht* der Saboteur ist?«

»Das werde ich tun, versprochen«, stimmte Petrow sichtlich erleichtert zu.

»Requisiten zu stehlen und Dinge zu beschädigen ist das eine. Aber halten Sie Bräcker auch für in der Lage, mit dem Verschwinden Ihrer Kamerafrau etwas zu tun zu haben?«, fragte sie.

»Ich halte Autoren, die ihre Geschichten bedroht sehen, zu allem in der Lage«, bemerkte Petrow. »Vielleicht hat er Mona aus dem Horrorhaus entführt?«

»Wie hätte er das denn anstellen sollen? Vor all den Leuten, die dort waren?«

»Keine Ahnung.«

Suzanne lehnte sich zurück. »Dann werde ich mal mit diesem Bräcker reden.«

»Das wäre großartig. Nur, wie gesagt, behandeln Sie das Plagiatsthema bitte wie ein rohes Ei. Ich will nicht, dass Bräcker noch wütender wird.«

Sie nickte knapp. Bräcker war die erste heiße Spur, die sie in Bezug auf den Requisitendieb hatte. Dass er allerdings eine Kamerafrau wegen einer geklauten Drehbuchidee entführt haben sollte, überzeugte sie weniger. Und selbst wenn Bräcker den Drehbuchentwurf gekannt haben sollte, woher hätte er wissen können, welche Szene an welchem Tag gedreht werden würde? »Wissen Sie, ob Bräcker jemanden am Set kennt? Ob er da einen Helfer haben könnte, der ihm sagt, welche Requisiten er an welchem Tag wegnehmen müsste?«

»Keine Ahnung, aber sowas wird Ihr Undercoverdetektiv doch diskret herausfinden können, oder?« Petrow klang wieder verzweifelt. »Haben Sie eigentlich einen männlichen Mitarbeiter? Einer unserer Kleindarsteller ist vor ein paar Tagen abgesprungen, diese Rolle könnte Ihr Detektiv übernehmen.«

Suzanne klopfte mit ihren Fingern auf die Schreibtischplatte. Der einzige männliche Detektiv, der im Moment für sie arbeitete, war Bernd, und der war bereits 67 und hatte sich vor Kurzem einer schweren Hüft-OP unterziehen müssen. Da war Schauspielerei vermutlich nicht das Richtige. Plötzlich hatte sie einen genialen Einfall. »Ich arbeite gelegentlich mit einem Stuttgarter Detektiv zusammen«, sagte sie. »Henry Marbach. Ehemaliger Polizist. Ich frage ihn, ob er Zeit hat.« Sie war sich ziemlich sicher, dass Henry zusagen würde.

»Fantastisch. Ein ehemaliger Polizist klingt fantastisch.« Petrow schien ein riesiger Stein vom Herzen zu fallen. »Dieser Marbach soll sich bei der *L'Agence d'Artistes* in Karlsruhe melden. Ich werde Gigi entsprechend briefen. So bringen wir Ihren Detektiv unauffällig in die Produktion. Ich bräuchte ihn schon morgen, wenn es irgend möglich ist. Dann können wir den Dreh der Splatterszene mit dem Eselkarren und dem Hirnpfännle vorziehen.«

»Hirnpfännle? Das passt ja in einen Horrorfilm.« Suzanne erschauderte. Einer ihrer Großonkel hatte das mal aufgetischt, als sie ein Kind gewesen war, und sie konnte sich immer noch sehr gut an die widerliche Konsistenz der Kalbshirnstücke erinnern.

Petrow kicherte. »Es ist herrlich ekelhaft, da haben Sie wohl recht. Deshalb wird die Figur, die Ihr Detektiv verkörpern wird, nach ihrem Genickbruch in so einem Pfännle enden. Also nur in der Geschichte natürlich.«

Das hörte sich ja nach einer großartigen Rolle an, dachte Suzanne und verspürte fast ein bisschen Mitleid mit Henry.

Kapitel 5

Privatermittler Henry Marbach lag auf einer Hantelbank in einem großen Fitnesscenter im Stuttgarter Westen. Er war schweißgebadet, was weniger an den schweren Hanteln lag, die er stemmte, als an dem Jobangebot, das Suzanne Griesbaum ihm vor zwei Stunden gemacht hatte. Er hatte es angenommen, gezwungenermaßen, weil er im Moment weder eine feste Arbeit noch eine eigene Wohnung hatte und vollkommen pleite war, aber »Undercoverschauspieler« klang noch viel schlimmer als alle anderen Jobs, die er in den letzten Monaten hatte annehmen müssen, und da waren einige hässliche dabei gewesen.

Hinzu kam, dass er Suzanne nicht ganz traute. Sie hatte mit so einem komischen Tonfall »ich weiß es noch gar nicht genau« gesagt, als er sie gefragt hatte, in was für einem Film er denn mitspielen würde. Bestimmt irgend so ein schnulziger Liebesfilm. Oder, noch viel schlimmer, irgendeine typisch deutsche Komödie, bei der die Zuschauer den halben Film lang heulten, weil der alleinerziehende Hauptdarsteller eine unheilbare Krankheit hatte oder vor den Augen seiner Kinder im Meer ertrank. Oder beides.

Eigentlich hatte Henry gehofft, sich in den nächsten Tagen erholen zu können, er hatte ein paar albtraumhafte Wochen hinter sich. Zuerst war er zum Hauptverdächtigen in einem Mordfall avanciert, nur weil er einer Klientin hatte helfen wollen. Er war gerade noch so am Knast vorbeigeschrammt. Das hatte dazu geführt, dass er endgültig die Miete für sein erfolgloses Stuttgarter Detektivbüro und seine damit verbundene Wohnung nicht mehr hatte zahlen können und auf der Straße gelandet war. Kurz danach hatte dann auch noch der verdammte Musikwettbewerb in München stattgefunden, und trotz Ohropax während der gesamten Veranstaltung hatte er mit Sicherheit einen Teil seiner Hörfähigkeit endgültig eingebüßt. *Von Death Metal bis Psychedelic*

Trance. Der verdammte Titel dieser verdammten Veranstaltung sagte schon alles. Ein Inferno. Er wäre nie im Leben freiwillig mitgefahren, aber bei *Dieselskandal*-Konzerten auszuhelfen war bedauerlicherweise auch einer seiner bitter benötigten Nebenjobs.

Er war ja froh, dass sein bester Freund Achim, der Manager der Band, ihm diese Gelegenheit zum Geldverdienen gab. Und dass *Dieselskandal* so schlecht abgeschnitten hatte, tat Henry auch von Herzen leid, denn mittlerweile konnte er die Jungs gut leiden. Trotzdem musste man ehrlicherweise sagen, dass die sieben Punkte, die die Band von möglichen hundert bekommen hatten, vermutlich nur ein Mitleidsgeschenk der Jury gewesen waren. »Scotch and Skeletons« war ein selbst für *Dieselkandal*-Verhältnisse ungewöhnlich mieser Song, und auch »My Bitch drives an old Banger«, den Liam als »softe Liebesballade« bezeichnet hatte, war wenig besser. In dem Lied ging es, soweit Henry den ins Mikro gebrüllten Text verstanden hatte, um irgendwelche Frauen, die nackt mit schrottreifen Autos über Stoppelfelder fuhren und von Zombies mit Schnellfeuerwaffen verfolgt wurden.

Perverserweise war der Wettbewerb nicht einmal das Schlimmste am Münchenaufenthalt gewesen. Am Abend des zweiten Tages hatte Henry zu allem Überfluss noch in einen dieser schicken In-Clubs gehen müssen, in dem er sich kaum ein verdammtes Glas Mineralwasser hatte leisten können, und das Bier, das er getrunken hatte, schon gar nicht. Dort hatte er an der Bar Michelle kennengelernt, eine verdammt attraktive Hochschullehrerin aus Passau. Weil aber der *Erdbeerdaiquiri extra*, den sie getrunken hatte, so sündhaft teuer gewesen war, dass er sie nie im Leben hätte einladen können, hatte er nach zehn Minuten einen Geschäftstermin vorgeschützt und war geflüchtet.

Er legte die Hantelstange in die Halterung und setzte sich wütend auf. Er durfte jetzt nicht auch noch darüber nachdenken, verdammt nochmal. Es war gut, dass es mit Michelle zu einem

Ende gekommen war, bevor es angefangen hatte, denn in seinem Leben war es nicht aufgeräumt genug für eine Frau. Da gab es nur Baustellen. Es sah dort aus »wia d'Sau«, wie seine Oma gesagt hätte. Im Moment pennte er gerade in Achims Gästezimmer in Stuttgart oder machte »Urlaub« bei Suzanne auf dem Hof, und möglicherweise ahnte sie inzwischen, dass seine Geschichte von seiner erfolgreichen Stuttgarter Detektei erstunken und erlogen war, sonst hätte sie ihm ja kaum diesen Job beim Film angeboten. Er war ein Verlierer durch und durch, der es mittlerweile nicht einmal mehr schaffte, sein Versagen vor anderen zu verbergen. Mit einem Handtuch wischte er sich wütend den Schweiß von der Stirn und ging duschen.

Als er wenig später mit Achims Tesla, den dieser ihm in München geliehen hatte, weil er bei Suzanne mitgefahren war, Richtung Rheintal fuhr, wurde seine Laune wieder besser. Was für ein geiles Auto! Außerdem: Lamentieren hatte noch nie geholfen, und wer konnte schon wissen, was sich für Chancen für ihn bei diesem Filmdreh boten. Immerhin hatte Suzanne von einer »Sprechrolle« geredet, das war etwas deutlich Besseres als nur Statist. Er musste ja nicht bis ans Lebensende Detektiv bleiben. Womöglich wurde er als Schauspieler entdeckt und wurde reich und berühmt. Actionfilme konnte er sich zum Beispiel gut vorstellen, die mochte er sehr. Heiße Autos zu Schrott fahren, herumzuballern und Sätze wie »Hey, Baby, es könnte ein wenig heiß werden« zu sagen, während sich sieben Raketenwerfer auf den Wohnwagen richteten, in dem er mit einer vollbusigen Blondine eingeschlossen war, das würde er sicherlich hinkriegen. Und er war ein erfahrener Boxer, hatte den schwarzen Gürtel in Ju-Jutsu, und die zwei Gesichtsausdrücke, die man für so eine Rolle als Actionheld brauchte, konnte er lernen. Er warf einen Blick in den Innenspiegel. »Grimmig-wütend« bekam er schon ganz gut hin, und »stinksauer« konnte er ja noch üben. Erneut sah er in den Spiegel. Es gab immer wieder Leute, die erst in der Lebensmitte ihre wahre Berufung fanden. Für sechsundvierzig sah er ziemlich knackig aus, das konnte man nicht anders sagen. Kein

Gramm zu viel, muskulös, groß und immer trendig gekleidet, und die grau melierten Haare gaben ihm etwas Aristokratisches. Na ja, vielleicht nicht aristokratisch, aber die Frauen standen da auf jeden Fall drauf.

Gegen neunzehn Uhr parkte Henry in der kleinen Straße in Neuried-Altenheim, in der Suzanne wohnte. Es war verdammt windig, und er ging zügig den Gehweg entlang. Aus dem Stall drang friedliches Ziegenmeckern. Die Fenster von Suzannes hübschem Bauernhaus leuchteten in der Novemberdunkelheit golden und einladend. Schon beim Überqueren des Hofs stieg ihm ein unvorstellbar köstlicher Duft nach selbstgebackenem Zwiebelkuchen in die Nase. Ihm lief das Wasser im Mund zusammen. Eine geniale Köchin war Suzanne, so viel stand fest, und er war ausgehungert. In seinem verdammten Budget der letzten Tage war nicht viel mehr als Brot mit Butter drin gewesen, denn er sparte auf eine wärmere Winterjacke.

Er klingelte an der Tür. Schlurfende Schritte ertönten, und Liam ließ ihn mit den Worten »Hey, Mate« und einem kumpelhaften Schlag auf den Rücken ins Haus. Offensichtlich hatte er sich von der Wettbewerbsniederlage erholt, was Henry sehr freute. Gemeinsam gingen sie in die Küche. Dort werkelte Achim mit einem Rührgerät in einer Schüssel herum, in der sich vermutlich Nachtisch befand, hoffentlich Suzannes Orangen-Quarkspeise mit Fäden aus karamellisiertem Zucker, etwas Besseres hatte Henry selten gegessen. Achim grinste, als er Henry sah, stellte das Rührgerät ab und umarmte ihn kurz. Auch Suzanne, die gerade aus der Speisekammer kam, begrüßte ihn mit einem breiten Lächeln und zog dann mit grellbunten Topflappenhandschuhen ein großes Blech Zwiebelkuchen aus dem Ofen. »Du kommst genau richtig«, sagte sie.

»Super.« Henry nickte erfreut, während er sich die Hände im Küchenwaschbecken wusch und nebenher das Hin-und-her-Gewusel von Suzanne, Liam und Achim in der Küche beobachtete. Liam hüpfte plötzlich in die Höhe, durchquerte dann mit

Michael-Jackson-artigen Tanzbewegungen und wildem Hüftkreisen die Küche.

»Hast du eigentlich herausgefunden, was für ein Film das ist, bei dem ich morgen mitspielen soll?«, fragte er Suzanne, nachdem er den Wasserhahn zugedreht hatte und der Sänger mit seiner kurzen Vorführung fertig war.

Suzanne zog zögerlich ihre Ofenhandschuhe aus. »Petrow dreht einen …«

»Aber hoffentlich nicht *der* Petrow, oder?«, unterbrach Henry sie entsetzt. »Von dem ›Uschi legt den Richter flach‹ ist, den Achim früher immer …? Ich werde mit Sicherheit nicht in einem Porno mitspielen!« Auch wenn er den Körper dafür selbstverständlich hatte, nur irgendwo war eine Grenze.

»Keine Sorge, es ist ein Horrorfilm«, beschwichtigte Suzanne.

»Ah, dann ist gut, dann passt das!«, sagte Henry erleichtert. Ein Horrorfilm hörte sich fast so gut an wie Action. »Werde ich ein Bösewicht sein?«

Suzanne dachte kurz darüber nach, Henry die Wahrheit über seine Rolle zu erzählen, aber dann zuckte sie nur Unwissenheit mimend mit den Schultern und schnitt den knusprigen Zwiebelkuchen in Stücke. Sie hatte ein schlechtes Gewissen, aber sie wollte diesen Auftrag nicht verlieren, und wenn Henry den Job doch noch ablehnen würde, bevor er den Vertrag mit ihr unterschrieben hätte, wäre das ein Desaster.

Henry deckte den Tisch, während Achim den Nachtisch fertigstellte und Liam in der offenen Speisekammer Apfelmost aus einem Kanister in einen Glaskrug füllte und »Come on, Baby, drink my Cider« vor sich hin summte und dann, mit starkem englischem Akzent murmelte: »Nein, das erinnert mich too much an die Doors, auch wenn es ein geiler Song wäre. Vielleicht eher ›Appel Cider is my fuel‹ oder ›My car runs on Cider‹. Nein, jetzt weiß ich es: ›Moonlight Mostgirl‹.« Kurz war es still, nur das Plätschern des Mosts war zu hören. Dann fügte Liam hinzu: »Alter, wie geil ist das denn.«

Suzanne fühlte ein tiefes Glücksgefühl in sich aufsteigen. Liam machte wirklich, wirklich weiter als Sänger, erschuf in ihrer Speisekammer sogar schon wieder neue Songs. Erst jetzt drang diese Erkenntnis richtig zu ihr durch, sie hatte es zunächst nicht glauben können, als sie nach ihrem Telefonat mit Petrow wieder in die Küche hinuntergekommen war. »Regionale Tendenzen sind niemals wrong«, hatte Liam verkündet. Er wolle jetzt die »schmeichelhaften Besonderheiten der Ortenau und der hier lebenden Menschen« in seine Songs aufnehmen, dieser Petrow habe ihn da auf geniale Gedanken gebracht. Die Ära des regionalen Death Metal sei soeben eingeleitet worden! Er habe schon den Titel für das erste Album vor Augen: »Rheintaltrasse«. Suzanne musste erneut lächeln. Eine Hammeridee. Ein regionaler Horrorfilm war vielleicht ganz nett, aber regionaler Death Metal, das hörte sich übernatürlich gut an.

Nachdem Henry, Suzanne, Liam und Achim das ganze Blech Zwiebelkuchen und die Nachspeise, eine Zitronen-Sahne-Creme mit Cantuccini-Stücken, die Henry fast noch besser fand als das Orangendessert, aufgegessen hatten, unterschrieb Henry den Vertrag, in dem er sich verpflichtete, in nächster Zeit für Suzanne zu arbeiten und vor allem den Undercoverauftrag beim Film anzunehmen. Er hatte kurz überlegt, ob er Suzanne vorher noch eine erfundene Geschichte erzählen sollte, warum er trotz seines »erfolgreichen Stuttgarter Büros« die Zeit für so einen Auftrag hatte. Aber er war vom Abendessen so satt, dass er sich kaum noch bewegen, geschweige denn nachdenken konnte, und so schwieg er einfach.

Henrys neuer Job begann bereits wenig später. Mit Achims Tesla fuhr er durch die Dunkelheit nach Freiburg, um den Drehbuchautor Maximilian Bräcker zu treffen und zu den Plagiatsvorwürfen und der Filmsabotage zu befragen. In der Nähe des Hauptbahnhofs fand er einen Parkplatz mit Ladesäule und ging zu Fuß zu Bräckers Adresse. Der Autor wohnte in der Nähe der Justizvollzugsanstalt an einer größeren Straße. Henry hatte sich nicht angekündigt, denn Suzanne hielt es für besser, den Mann zu überraschen. »An diesem kalten Abend ist er sicherlich daheim«, hatte sie gesagt. »Und dann nimmst du ihn dir vor.«

Henry war eigentlich der Ansicht, dass er sich nicht einfach so einen Verdächtigen »vornehmen« konnte, schon gar nicht so spät am Abend. Abgesehen davon sollte er ja morgen undercover ermitteln, und da war es vielleicht nicht so gut, wenn einer der Hauptverdächtigen sein Gesicht kannte. Aber Suzanne hatte gemeint, Bräcker würde ja nicht beim Film arbeiten und sie habe im Moment niemand anders und müsse selbst zu einer Teambesprechung. Da sie in diesem Fall die Chefin war und ihn nach Stunden bezahlte, hatte er keinen Grund gesehen zu diskutieren und war einfach gefahren.

Die Nacht war sternklar und eisig. Es dauerte eine Weile, bis er den grauen Häuserblock fand, in dem der Autor wohnte, und seine verdammten Füße in den trendigen, aber zu dünnen Turnschuhen wurden fast taub vor Kälte. Er klingelte, und wenig später ertönte das Summen des Türöffners, ohne dass jemand nach Henrys Anliegen oder nur seinem Namen gefragt hätte. Er stieg eine schmutzige Treppe nach oben, bis er zu einer angelehnten Tür kam. Zigarettenrauch waberte durch den Spalt. Er klopfte, als nichts geschah, drückte er die Tür auf. »Hallo? Herr Bräcker?«, fragte er und machte einen Schritt in die Wohnung, in einen grellgelb gestrichenen Flur, an dessen Wänden an unregelmäßig angebrachten Haken bunte Jacken und Mäntel hingen.

Eine sympathisch aussehende Frau mit kurzen pinken Haaren, diversen Holzperlenketten und einem weiten Wollkleid schaute nun aus einem der Zimmer zu ihm in den Flur. »Kommese rei«, sagte sie und machte eine einladende Bewegung mit einer Hand, die vor lauter Ringen kaum noch zu erkennen war. Ihre Ketten klackerten leise. Henry trat ein.

»Ich suche Herrn Bräcker«, sagte er.

»Do driwwe. Wissawie«, sagte die Frau und zeigte auf eine weitere Tür, die ihr gegenüber vom Flur abging. Dann rief sie hinüber: »Maxi, do isch ebber für dich!«

Henry klopfte an. Es dauerte eine Weile, bis ein etwa fünfundzwanzigjähriger Mann mit kurzen blonden Haaren, einem Dreitagebart und einer Zigarette im Mundwinkel die Tür öffnete. Er trug einen weißen Rollkragenpulli mit hochgekrempelten Ärmeln, schlabbrige Jeans und am Handgelenk einige geflochtene Freundschaftsbändchen. Er fragte: »Wie kann ich Ihnen helfen?«

»Mein Name ist Henry Marbach. Ich bin Privatdetektiv. Könnten wir uns kurz unterhalten?«

Der Drehbuchautor runzelte die Stirn, bedeutete Henry aber mit einer Handbewegung einzutreten. Beide nahmen Platz, Henry auf einer weichen Couch, die offensichtlich auch das Bett des Drehbuchautors war, und Bräcker auf einem klapprigen Schreibtischstuhl. Der Raum war eng, und es zog durchs geschlossene Fenster. Der Lärm vorbeifahrender Autos war zu hören. Auf dem Schreibtisch neben der Tür lag ein halbgeöffneter Koffer, aus dem zerknitterte Kleidung und zerlesene Bücher quollen.

»Ich untersuche einen Fall von Sabotage«, erklärte Henry. »Bei den Filmarbeiten zu ›Dunkle Gemäuer‹ verschwinden Requisiten und andere Gegenstände.«

Der Drehbuchautor lehnte sich mit einer Bewegung zurück, die zu locker aussah, um locker zu sein, und rieb sich mit der rechten Hand über den Nasenrücken. »Und was habe ich damit zu tun?«

»Ich habe gehört, dass Sie Schwierigkeiten mit dem Regisseur des Films haben sollen, mit Herrn Petrow.«

Bräcker lachte, es klang nicht echt. »Und jetzt glauben Sie, dass ich …? Weil ich ihn einmal angerufen und ihm die Meinung gegeigt habe? Das ist eine Unverschämtheit! Ich fasse es nicht. Wann soll diese Sabotage denn passiert sein?«

»Vor allem in den letzten Tagen. Gestern Nacht das letzte Mal. Da sind ein Flammkuchenblech und eine Kuckucksuhr abhandengekommen.«

»Ich war bis vorgestern gar nicht hier, sondern in Aix en Provence. Jeden einzelnen Tag seit Mai.« Er zeigte auf den Koffer, strich dann wieder über seinen Nasenrücken. »Ich habe da ein

Semester studiert. Kulturwirtschaft. Es gibt eine Menge Leute, die das bezeugen können. Ich bin mir sicher, Sie dürfen als Privatdetektiv nicht einfach so in meine Wohnung kommen und mich beschuldigen. Daher würde ich vorschlagen, Sie gehen jetzt wieder.«

Henry machte eine beschwichtigende Bewegung mit den Händen, rührte sich aber nicht. »Ich will Sie nicht beschuldigen, und wenn Sie in Aix en Provence waren, dann ist ja alles gut«, sagte er freundlich. »Ich möchte diese Sabotage nur einfach gerne aufklären. Und dafür wäre es wichtig, dass ich alle Hintergründe des Falls ...«

Bräcker schnaubte. »Hören Sie doch mit dem Unfug auf. Hintergründe, ich lache mich tot. Sie arbeiten für Petrow. Und der verfilmt gerade meine Idee. Ohne meine Erlaubnis!«

»Ich verstehe, dass Sie sauer auf Herrn Petrow sind. Und ich arbeite nicht für ihn, sondern für die Produktionsfirma. Ich bin Ihnen wirklich für jeden Hinweis dankbar.« Henry lehnte sich entspannt zurück.

Der Autor schwieg für einen Augenblick. Er musterte Henry und schien zu dem Schluss zu kommen, dass der entschlossen war, nicht zu gehen, bevor er etwas erfahren hatte. Seltsamerweise drohte er nicht damit, die Polizei zu rufen.

Bräckers Stimme klang schicksalsergeben, als er schließlich sagte: »Ich weiß zwar nicht, was das bringen soll, aber von mir aus. Es geht um mein Drehbuch *Obskures Kastell der Diabolie.* Genauer gesagt um die erste Version davon, über die ich mit Petrow damals in einem Drehbuchkurs geredet habe. Heute ist mir die Fassung fast ein bisschen peinlich.« Er zuckte mit den Schultern. »Keine Ahnung, was da beim Schreiben in mich gefahren ist, aber ein Werk, in dem die Figuren Wörter wie ›Adjazent‹ oder ›Sollizitation‹ in den Mund nehmen, wenn sie sich auf der Straße über ein Horrorhaus unterhalten, fällt wohl unter die Kategorie der Jugendsünden.« Er lachte.

Henry musste auch lächeln. Keine Ahnung, was »Adjazent« oder »Sollizitation« bedeuteten, aber dass das ein abgefahrenes

Drehbuch für einen Horrorfilm gewesen sein musste, das war klar. Die einzigen Fremdwörter, die in einem Horrorfilm vorkommen durften, waren höchstens »Shit« und »Fuck«, was die Figuren nämlich dann schreien konnten, wenn sie bemerkten, dass das Monster sie gepackt hatte und die Zeit nicht mehr für ein »Scheiße« ausreichte, weil das Monster sie bei der zweiten Silbe schon zerkaut hatte. »Um was ging es denn genau in dem Drehbuch, das Sie Herrn Petrow angeboten haben?«, fragte er.

»Damals war es noch eine Art Dithyrambus in jambischen Trimetern.«

Henry musste sich zwingen, nicht »Hä?« zu sagen, denn er kapierte kein verdammtes Wort.

»Ich habe es damals nicht geschafft, diese Geschichte zu Ende zu schreiben«, fuhr der Drehbuchautor fort. »Ständig habe ich wieder vorne angefangen, denn es sollte ja etwas ganz Besonderes werden, etwas Großes, etwas, für das ich Preise gewinne. Erst in dem Kurs bei Petrow ist mir dann klar geworden, dass es nicht auf die Form ankommt, sondern auf den Inhalt. Das *Willstätter Horrorhaus* als Allegorie für Phrenesie, verstehen Sie? Ich habe Petrow am Ende meine wenigen fertigen Seiten als Leseprobe dagelassen, weil er ganz begeistert war von meiner Allegorie-Idee. Dann habe ich eineinhalb Jahre nichts mehr von ihm gehört. Bis ich vor Kurzem erfahren musste, dass er meine Geschichte nun verfilmt.« Er schlug die Hände vors Gesicht.

Allegorie? Das wurde ja immer härter. Henry wollte gar nicht wissen, was das für ein Film war, in dem er morgen mitspielen musste. Hoffentlich verstand er die verdammte Story überhaupt. Er würde zur Sicherheit nachher im Internet nachlesen, was eine Allegorie nochmal genau war. Vielleicht hätte er im Deutschunterricht in der Schule doch nicht so häufig *Schiffe versenken* spielen sollen. Er unterdrückte ein Grinsen, als er sich die Hauptfigur seiner Lieblings-Actionfilmreihe, Jack Jackson, vorstellte, wie der im Lexikon »Allegorie« nachschlug und währenddessen »Fuck, was auch immer das ist, aber hoffentlich kann es keine Knarre bedienen« in den Orbit posaunte.

Eine Zeit lang sprachen sie nicht. Schließlich bekannte der Drehbuchautor: »Ich *war* sauer auf Petrow. Ja, das war ich.« Er nahm die Hände vom Gesicht. »Sogar beim Titel hat er abgeschaut. *Dunkle Gemäuer*, das ist ziemlich ähnlich wie *Obskures Kastell*, finden Sie nicht?« Er schaute auf den Boden. »Aber jetzt bin ich nicht mehr wütend. Ich dachte immer, Petrow sei ein großer Filmemacher, und er war mal mein Idol. Aber ich hatte mir bis auf die grandiosen Kunstfilme nie etwas von ihm angeschaut. Das habe ich jetzt nachgeholt, oh ja. Vor allem sein Frühwerk habe ich mir reingezogen. Er hat sogar Pornos gemacht, billiger geht es kaum. Ich habe schließlich kapiert, dass sein Film über das Horrorhaus nichts, aber wirklich gar nichts mit dem Film gemein haben kann, den ich mir vorstelle.«

Bräckers Tonfall klang bemüht gleichgültig. Es war offensichtlich, dass er immer noch stinksauer auf den Regisseur war. Erneut rieb er über seinen Nasenrücken. Dann fuhr er fort: »Petrow denkt ja sogar, dass der arme Hildebrandt ein genickbrechender Mörder war! Dabei war der Mann das unschuldige Opfer eines hasserfüllten Mobs. Und diese Verleumdung geht bis heute weiter: Morgen jährt sich der Tag, an dem sie ihn gelyncht haben, in einem sogenannten *siebzigsten Jahr*. War neulich sogar ein Artikel drüber in der Zeitung. Peinlich. Viele Leute glauben anscheinend bis heute, dass jedes siebzigste Jahr an seinem Todestag ein *grausiges, todeswürdiges Verbrechen* in diesem Haus geschieht. Unfassbar. Was für ein trauriges Zeugnis einer durch und durch ignoranten Gesellschaft.«

Ein grausiges Verbrechen. Morgen. Die Aussichten für seinen ersten Tag beim Film wurden ja immer rosiger. Henry schlug die Beine übereinander. »Ich denke, Sie sollten versuchen, sich mit Herrn Petrow zu einigen. Er hat angeboten, Ihnen Geld für Ihre Ideen zu bezahlen«, sagte er in vermittelndem Tonfall. Falls der wütende Bräcker der Saboteur sein sollte, was Henry im Moment noch nicht sagen konnte, bestanden im Fall einer Zahlung bestimmt gute Chancen, dass die Vorfälle aufhörten. Und falls er unschuldig war, war es einfach gerecht. »Eine Art Wiedergutmachung oder späte Gegenleistung, wie auch immer Sie …«

»Er soll sein Geld behalten. Ich will es nicht«, unterbrach der Drehbuchautor ihn. Henry merkte, dass es Bräcker schwerfiel, das Geld abzulehnen, dass er aber fest entschlossen zu sein schien. »Es geht nicht nur um Kohle. Ich will, dass man mir als Schriftsteller Respekt entgegenbringt. Und ich fürchte, jetzt sein Angebot anzunehmen wäre das falsche Signal. Ich würde sein Plagiat damit ja irgendwie legitimieren, finden Sie nicht?«

Das stimmte auf eine Art, aber das Geld nicht anzunehmen war ja auch keine Lösung. »Denken Sie einfach nochmal darüber nach.« Henry faltete die Hände um eins seiner Knie. »Wann haben Sie denn erfahren, dass Petrow Ihre Idee verfilmt?«

»Vor einer Weile. Keine Ahnung.«

»Und von wem?«

Bräcker fuhr sich wieder über den Nasenrücken, gleich mehrere Male. Er wirkte seltsam aufgebracht, als er hervorstieß: »Von einer … Freundin, ist das nicht egal?«

»Dürfte ich den Namen dieser Freundin …«

»Nein. Und ich finde, wir haben jetzt wirklich genug geredet.«

»Heißt sie vielleicht Mona Laurent?«, fragte Henry einer plötzlichen Eingebung folgend.

Bräcker erstarrte. Es war sonnenklar, dass der Name ihm etwas sagte. »Raus hier!« Seine Stimme zitterte. Er schien auf einmal völlig außer sich. »Gehen Sie! Sofort!«

»Natürlich.« Henry erhob sich langsam. Aus seiner Zeit als Polizist wusste er, dass auch Unschuldige oft sehr aufgeregt wurden, wenn man sie befragte. Aber dieser Drehbuchautor war mehr als aufgeregt, zumal er doch anscheinend ein gutes Alibi hatte, sowohl für die Sabotage als auch für das Verschwinden der Kamerafrau. An der Tür blieb Henry stehen. »Sie kennen Mona Laurent, so viel steht fest«, bemerkte er. »Haben Sie mit ihrem Verschwinden zu tun? Waren Sie vielleicht doch nicht die ganze Zeit in Aix, sondern auch mal am Filmset? Sind Sie deshalb so nervös?«

Der Drehbuchautor wurde totenblass. »Mit ihrem *Verschwinden*? Was …? Natürlich nicht! Ich kenne die Frau überhaupt nicht. Raus, sofort raus aus meiner Wohnung.«

Henry tat wie geheißen, und Bräcker knallte die Eingangstür hinter ihm zu.

Als er wieder in der Kälte stand, dachte Henry lange nach. Er war sich nicht sicher, ob Bräcker totenblass geworden war, weil er mit dem Verschwinden der Kamerafrau zu tun gehabt hatte, oder aber, weil er, ganz im Gegenteil, überhaupt nichts davon gewusst, ihn das aber aus irgendwelchen Gründen bis ins Mark erschreckt hatte. So oder so, an Bräcker musste man auf jeden Fall dranbleiben.

Kapitel 6

Am nächsten Morgen stand Henry pünktlich um 6.15 Uhr mit einer Gruppe anderer Schauspieler und Komparsen frierend vor einem Filmlaster in der Nähe des Horrorhauses, in dem die Kostüme untergebracht waren. Sein Auftrag für den heutigen Tag bestand darin, jemanden zu finden, der etwas gegen Petrow oder den Film »Dunkle Gemäuer« hatte und als Saboteur der Dreharbeiten in Frage kam. Außerdem sollte er so viel wie möglich über das Verschwinden der Kamerafrau herausfinden.

Gegen halb acht war er schließlich dran und durfte seine Undercover-Arbeitskleidung anprobieren, einen Lendenschurz aus grober Baumwolle, der kaum seine Unterhose bedeckte, und ein zerfetztes Oberhemd mit Mehlflecken, dessen kurze Ärmel über seinem verdammten Bizeps spannten wie die Pelle auf einer Wurst. Abgesehen davon nicht gerade das richtige Outfit für einen ungewöhnlich eisigen Novembertag. Henry begann bereits im Inneren des Lasters zu zittern.

Er hatte eigentlich gedacht, nach der Anprobe wieder in seine Jeans und die Jacke schlüpfen zu können, aber ihm wurde gesagt, er müsse im Kostüm bleiben, damit die Farben seines Make-ups darauf abgestimmt werden konnten. Obwohl man ihm eine weite, grünlich schimmernde Trainingsanzughose borgte, die er über dem Lendenschurz tragen konnte, und er seine Jacke über das Hemd anzog, war ihm doch immer noch unangenehm kalt.

Immerhin wusste er seit der Anprobe, dass er einen »namenlosen Müller« spielen würde, was seine Hoffnung ein wenig dämpfte, mit der Rolle eines Tages ganz groß rauszukommen. Während er darauf wartete, in die Maske zu gehen, wärmte er sich mit einer Tasse heißen Holunder in dem geräumigen Zelt, in dem der Cateringtisch stand, die Hände auf und begann, erste Kontakte zu knüpfen. Trotz der Kälte fand er es verdammt spannend, so beim Film. Die Leute, denen er begegnete, waren alle sehr nett, und eine der Schauspielerinnen, Carlotta, eine Mittdreißigerin mit langen, glänzenden Haaren, war mehr als sexy. Er hoffte, dass sich noch weitere Gelegenheiten ergeben würden, mit ihr zu reden.

Um neun bekam Henry von Petrow persönlich einen Drehbuchauszug, damit er seinen Text lernen konnte, und musste wenig später feststellen, dass seine »Sprechrolle« darin bestand, dass er in der Dämmerung mit einem Eselkarren einen Sack Mehl zum Siechenhaus bringen sollte. Im *gespenstisch-düsteren Inneren* traf er auf die Tochter des mordlustigen Horrorhaus-Hausmeisters Hildebrandt, die junge Gunhilde. Er musste ihr zuzwinkern und mit den Worten »Seid gegrüßt, holde Maid« den Sack Mehl auf den Boden stellen, *dass es so richtig stäubte*. Der Horrorhaus-Hausmeister, der seine Tochter *vor der bösen Welt weggesperrt* hatte, bekam diese *aufblühende romantische Begegnung* unglücklicherweise mit, und damit nahm das Grauen seinen Lauf.

Der namenlose Müller kam nicht einmal mehr dazu, seinen Sack Mehl in der Küche abzuliefern, da war ihm auch schon das Genick gebrochen. Seine Leiche wurde sodann in einem als *Loch* bezeichneten Keller *zerlegt* und *bereicherte die Küche des Horrorhauses für mehrere Tage*.

Was für eine bescheuerte Rolle, dachte Henry. Und auch verdammt unrealistisch, denn mit einem harten linken Haken hätte er Hildebrandt in echt doch einfach umgehauen. Egal, ob dieser Hausmeister übernatürliche Kräfte besaß oder nicht. Ein bisschen wütend war er auch auf Suzanne, die hatte das bestimmt gewusst und sich gedacht, dass er nie den Vertrag mit ihr unterschrieben hätte, wenn er die verdammte Wahrheit gekannt hätte. Auf der anderen Seite bekam er einen grandiosen Stundenlohn von ihr. Daher, Schwamm drüber, er würde diesen Job schon wuppen.

Schließlich war er mit Make-up dran. Während sein Körper eingeölt und mit künstlichem Mehl bestäubt wurde (»Petrow hat früher viel Porno gemacht«, bemerkte der Maskenbildner grinsend dazu, »anders kann ich mir diese Leidenschaft für Öl nicht erklären«) und sein Gesicht dem Drehbuch entsprechend *von mittelalterlichen Krankheiten gezeichnet* wurde, sagte Henry beiläufig: »Ich habe gerade gehört, dass hier in diesem Horrorhaus ständig Sachen verschwinden, sogar eine Kamerafrau.«

Der Maskenbildner schminkte ungerührt weiter Henrys Gesicht. »Stimmt«, sagte er. »Ich war zwar an dem Tag nicht da, aber Mona war einfach weg, wie man hört, paff, als ob sie sich weggebeamt hätte. Und es ist tatsächlich auffällig, dass so viele wichtige Requisiten verschwinden. Und heute Morgen war anscheinend auch noch Petrows Notizbuch weg. Als ob einer den Film kaputtmachen will. Ich meine, wir hatten eine Zeit lang sogar einen Wachdienst, und trotzdem ist der Requisitendieb einfach ins Haus marschiert. Echt kaltschnäuzig, oder? Das muss jemand sein, der wirklich einen Hass auf Petrow hat.«

»Gibt es da Leute?«

Der Maskenbildner wedelte mit dem Schminkstift, mit dem er gerade den *blutigen Flohbissen* an Henrys Hals dunklere Konturen verlieh, durch die Luft. »Aber hallo, da gibt es einige. Die Frage müsste eher lauten: Wer hat *keinen* Hass auf Petrow?« Er lachte laut und ansteckend. »Niemand würde es zugeben, er ist schließlich ein preisgekrönter Regisseur. Aber ganz unter uns: Ich bin mir sicher, einige Schauspieler und Crewmitglieder können ihn nicht leiden, weil er ziemlich unfair und aufbrausend sein kann. Aber ich glaube, am meisten hasst ihn dieser Winkler.«

»Wer ist Winkler?«

»Na, der Hausmeister von diesem Schuppen. Hängt den ganzen Tag hier herum und nervt. Ein Sicherheitsvorschriftenfanatiker. Und Petrow ist nicht der Typ, der sich willenlos an Regeln hält.« Der Maskenbildner verzog belustigt die Lippen. »Ich will ja nicht unken, aber mit den Hausmeistern von diesem Haus sollte man sich nicht anlegen. Das war schon im Mittelalter keine gute Idee.« Er machte eine Bewegung mit dem Kopf, als breche sein Genick durch, lachte wieder, legte den Schminkstift auf den Tisch und suchte offensichtlich nach einem anderen. »Wo hast du eigentlich schon überall mitgespielt?«

Henry, der viel lieber mehr über Winkler erfahren hätte, erzählte die Geschichte, die Petrow für ihn zurechtgelegt hatte: »Ich habe vor allem Werbung gemacht.«

Der Maskenbildner lächelte wissend. »Ist auch ein ehrbarer Job«, merkte er an, und den Rest seiner Schminkzeit fand Henry keine Gelegenheit mehr, das Gespräch unauffällig zurück zu seinem Fall zu bringen.

Als der Maskenbildner mit ihm fertig war, konnte Henry seine Jacke wegen des ganzen Mehls und Öls auf seinem Körper nicht mehr anziehen, und die Decke, die er stattdessen über seinen Hemdfetzen geworfen hatte, wärmte nicht sonderlich, wie er schon bei dem kurzen Weg zurück ins Cateringzelt schmerzlich feststellen musste. Abgesehen davon sah er darin mit seinem auf ausgezehrt geschminkten Gesicht und den öligen Knöcheln, die aus seinen Turnschuhen herausragten, schlimmer aus als der Outlaw in einem verdammten Billigstwesternfilm. Fehlten nur noch die Pistolen, die er mit einem knarzigen »Wir sehen uns bei Sonnenuntergang, Amigo« in die Holster schob, um dann auf einem Pferd in einer Staubwolke durch die Wüste davonzudonnern.

Nach der Maske musste Henry stundenlang warten, was, wie ein Komparse ihm erklärte, beim Film »auf Anschluss sein« hieß. Wichtig war vor allem, das kapierte Henry sehr schnell, nicht im Weg herumzustehen. Die nächste Zeit verbrachte er daher vor allem damit, in dem Zelt beim Cateringtisch heißen Kaffee zu trinken, die Filmarbeiten zu beobachten und mit so vielen Leuten wie möglich zu reden.

Er schaffte es problemlos, zahlreiche Filmmitarbeiter in Gespräche zu verwickeln, bei denen er »zufällig« auf das Verschwinden der Kamerafrau und auf die Sabotage des Films zu sprechen kam. Niemand konnte sich allerdings anscheinend das plötzliche Verschwinden der Frau aus dem Schlafzimmer der Siechenmutter erklären oder wusste, wo sie jetzt war. Kein Mensch schien sie näher zu kennen. Was den Requisitendieb anging, gab es auch weder Gerücht noch Theorie, wer das sein könnte. Die meisten glaubten, dass Mona Laurents Verschwinden und der Verlust der Gegenstände nichts miteinander zu tun hatten. Auch von einem Drehbuchautor namens Bräcker hatte anscheinend noch nie jemand etwas gehört.

Es gelang Henry schließlich sogar, mit den Darstellern und Crewmitgliedern zu reden, die beim Verschwinden der Kamerafrau vor Ort gewesen waren, insbesondere mit den zwei Technikern, die sich gemeinsam mit dem Hauptdarsteller Benni Koch im oberen Stockwerk aufgehalten hatten. Aber auch sie schienen nichts bemerkt und keine Erklärung für die Vorkommnisse zu haben. Henry hatte nicht das Gefühl, dass einer seiner Gesprächspartner log. Wem er allerdings noch nicht begegnet war, das war Benni Koch selbst. Auch mit dem Hausmeister, diesem Winkler, hatte er noch nicht sprechen können. Der war zwar, wie er gehört hatte, vor Ort, schien aber ständig irgendwo beschäftigt zu sein.

In einem unbeobachteten Moment schaute sich Henry das Türschloss des Horrorhauses an. Es war für einen einigermaßen geschickten Requisitendieb mit Sicherheit problemlos zu öffnen.

Vom Parkplatz aus rief er mit dem Handy wenig später den Wachmann an, der Dienst gehabt hatte, als die ersten Requisiten abhandengekommen waren. Es stellte sich heraus, dass der Wachmann von Petrow nach zwei Nächten gefeuert worden war, obwohl er sich, wie er ins Telefon bellte, »vollkommen vertragsgemäß« verhalten habe.

»Junge, ich bin alle zwei Stunden durch den alten Kasten patrouilliert, genauso, wie es vereinbart war. Mir ist nichts aufgefallen, und da war auch nichts Auffälliges. Den Rest der Zeit war ich in diesem Container, den die mir zur Verfügung gestellt haben. So war es ausgemacht! Junge, wenn du meine ehrliche Meinung hören willst: Kein Wunder, dass jemand da was klaut und dass in dieses Haus eingebrochen wird. Wo doch die Schlüssel den ganzen Tag für alle frei zugänglich rumhängen. Junge, jeder könnte sich da einen nachmachen lassen. Ist nämlich nicht mal ein Sicherheitsschloss.«

Henry bedankte sich, legte auf und spurtete bibbernd und zähneklappernd zum Cateringzelt zurück. Unbemerkt Requisiten verschwinden zu lassen, sogar trotz Wachdienst, schien hier aus technischer Sicht nicht sonderlich schwierig zu sein.

Am Nachmittag begegnete Henry an der Gulaschkanone schließlich doch noch dem Hauptdarsteller Benni Koch. Er sah ein wenig älter aus als auf den Fotos, die Henry gegoogelt hatte, aber die wirren Locken waren unverkennbar.

Der Schauspieler schüttelte ihm mit den Worten »Bist du auch einer von denen, denen ich das Genick brechen werde?« die Hand.

Henry grinste. »Genau. Der Müller ohne Namen.«

»Ach du Schande. Der Typ, den ich auch zerlegen muss.« Er sah an Henrys kräftigem, muskulösem Körper herunter, dem beim Händeschütteln die Decke hinuntergerutscht war. »Immerhin haben Gunhilde und ich dann eine Weile was zwischen den Kiemen. Hirnpfännchen und deine Oberschenkel vom Grill nach Willstätter Art und so.« Er füllte sich eine Schale mit Suppe und nahm ein Brötchen. »Ich bin übrigens der Benni.«

»Ich heiße Henry. Wann … wann werden wir die Stelle denn drehen?« Henry hatte auf einmal ein unerklärliches, flaues Gefühl im Magen. Bisher hatte ihn seine Undercover-Detektivtätigkeit voll in Beschlag genommen, aber jetzt rückte die Tatsache, dass er ja tatsächlich würde schauspielern müssen, mit einem Schlag in den Vordergrund. Er schlang die Decke wieder um sich und füllte sich betont cool ebenfalls eine Schale. Gemeinsam gingen sie an einen Stehtisch.

»In der Abenddämmerung vermutlich, denn das mit der Morgendämmerung hat ja nun nicht geklappt«, antwortete der Schauspieler und rollte mit den Augen. »Vorausgesetzt, die schaffen es, den Esel bis dahin herzubringen.«

Henrys Finger verkrampfte sich um den Löffel. »Muss ich da auf einem *echten* Eselkarren fahren?«

»Klar«, sagte Benni Koch und rührte in seiner heißen Suppe. »Ist eine ziemlich lustige Szene. Für uns andere.« Er grinste wieder.

»Warum?«

»Die Fahrt ist kurz, aber gefährlich. Wirst du nachher merken.«

»Hat mein Vorgänger etwa deshalb aufgehört?«, fragte Henry alarmiert.

Koch pustete auf einen Löffel Gulasch. »Nee, Niklas wurde rausgeschmissen. War aber nicht schade drum. Mona hat immer gesagt, er fährt den Eselkarren wie ein Ben Hur auf Crack. Und dabei hatte Niklas anscheinend Erfahrung im Kutschenlenken.«

Oh verdammt. Henry wollte gar nicht wissen, was die nachher über ihn sagen würden. Er war in seinem ganzen verdammten Leben noch nie auf einem Eselkarren gefahren. Wenn er ganz ehrlich war, fand er Esel furchterregend. Fast noch schlimmer als Igel, und Igel waren der letzte Horror. Er wurde noch viel aufgeregter und zwang sich zu fragen: »Und weshalb wurde dieser Niklas rausgeschmissen?« Obwohl ihn viel mehr interessiert hätte, was es bedeutete, wie ein Ben Hur auf Crack zu fahren und vor allem, wie man das vermeiden konnte.

Koch schlürfte die Suppe. Dann antwortete er: »Der hatte eine Vorstrafe wegen irgendwas. Hat überall damit rumgeprahlt, dass er schon mal im Knast war. Komischer Typ. Er hat sich einfach nichts sagen lassen. War mit seinem Kostüm nicht einverstanden. Ist nicht erschienen, wenn seine Szenen dran waren. Und als er rausgeflogen ist, da hat er dann auch noch Terz gemacht.«

Henry wurde ganz aufmerksam. Das hörte sich nach einem weiteren Kandidaten an, der etwas gegen Petrow und den Film haben konnte und als Saboteur in Frage kam. »Wie hieß er denn mit vollem Namen? Kennt man den als Schauspieler?«

»Nee, ich hatte davor noch nie was von dem gehört. Niklas Schwarzer hieß er. Hat ständig erzählt, dass er eigentlich lieber am Theater spielen würde.«

Henry aß einen Löffel Suppe. »Diese Mona, von der du gerade gesprochen hast, ist das die Kamerafrau, die verschwunden ist?«

Kochs entspannte Haltung änderte sich kaum merklich, er wirkte plötzlich misstrauisch. »Warum willst du das wissen?«

Henry machte eine wegwerfende Handbewegung. »Reine Neugierde«, log er. »Du hast den Namen erwähnt. Und ich habe vorhin von irgendjemand gehört, dass eine Kamerafrau verschwunden ist, daher ... Ist ja schon eine komische Geschichte.«

»Das kann man sagen.«

»Was, glaubst du, könnte mit ihr passiert sein? Wo könnte sie jetzt sein?«

»Woher soll ich das wissen? Warum fragen das eigentlich alle mich?« Koch tauchte den Löffel in die Suppe und verschüttete beim Herausheben dessen Inhalt über den Stehtisch. »Mist«, fluchte er. Er wischte mit einer herumliegenden Serviette den Gulasch zurück in sein Schälchen, legte den Löffel mit einer fahrigen Bewegung dazu, nahm das beinahe volle Schälchen und brachte es zu einem fahrbaren Regal mit gebrauchtem Geschirr. »Ich habe keine Lust mehr, ständig über Mona zu quatschen«, sagte er, als er das Schälchen abstellte. »Ihr Mann hat mich richtiggehend verhört an dem Abend, es war schon eine Privatdetektivin hier, und Petrow labert mich auch die ganze Zeit mit seinen Überlegungen voll. Nur weil ich Mona vor ihrem Verschwinden gesehen habe. Soll sie doch sein, wo sie will, und machen, was sie will. Ich muss dann auch mal wieder. Wir sehen uns. Hals- und Genickbruch, wie ich zu sagen pflege.« Er drehte sich um und schritt zügig aus dem Zelt.

Henry versuchte, darüber nachzudenken, ob Benni Koch nur deshalb am Ende des Gesprächs so angespannt gewesen war, weil es ihn genervt hatte, oder ob ein anderer Grund dafür denkbar war. Aber mittlerweile war er so aufgeregt wegen seines Filmauftritts, dass er sich nicht mehr konzentrieren konnte und kaum noch den Rest seiner Gulaschsuppe hinunterbrachte. Sein Magen fühlte sich an, als kröchen Spinnen mit langen, spitzigen Füßen darin herum. Die Leute hier würden sich bestimmt gleich über ihn totlachen. Wahrscheinlich konnte er froh sein, wenn sie ihn *nur* einen »Ben Hur auf Crack« nannten. Vielleicht fuhr er den Karren zu Schrott und vergaß dann auch noch seinen Text? Hieß die Tochter von diesem Hildebrandt eigentlich Gunhilde oder Gudrun? Er blätterte nervös noch einmal in seinem Drehbuchauszug. Egal, er musste ja eh nur »Seid gegrüßt, holde Maid« sagen. Aber was, wenn es gar nicht erst dazu kam, wenn der verdammte Esel auf dem Weg zum Horrorhaus mit ihm durchging und ihn bei laufender Kamera zu Tode schleifte oder …?

»Bist du der Müller?« Eine drahtige schwarzhaarige Frau mit einem Klemmbrett kam mit energischen Schritten zu ihm an den Tisch. »Ich bin Emilie. Es geht los. Ich zeige dir noch kurz, wie das mit dem Eselkarren funktioniert, dann drehen wir den ersten Teil der Szene ab. Ist ein wenig ungewöhnlich, weil der Karren keinen Kutschbock hat. Aber du stehst einfach ganz vorne. Wie in einem römischen Streitwagen.«

Henry hatte für eine Sekunde das Gefühl, seine Gulaschsuppe und die vielen Kaffees, die er im Lauf des Tages getrunken hatte, kämen ihm wieder hoch. Er schluckte mehrfach und nickte dann. Gemeinsam gingen sie zu einem kleinen Weg hinüber, der ein wenig unterhalb des Horrorhauses am Ufer der Kinzig entlangführte. Dort stand ein altmodischer Karren aus Holz, auf dem mehrere Mehlsäcke lagen. Daneben graste ein zerzauster Esel an einem langen Strick. Oh Gott, dachte Henry. Eisiger Wind heulte, und er zog seine Decke enger um sich. Seine Beine waren ganz wacklig. Das musste die Kälte sein.

Irgendjemand legte ihm eine zweite Decke über, er bekam es kaum mit. Er schob es auch auf die Kälte, dass seine Hand zitterte, als er probeweise auf den Karren kletterte, der unter seinem Gewicht ächzte, sich wie von Emilie gewünscht ganz nach vorne hinstellte und danach sofort wieder abstieg.

»Die Säcke hinten sind alle befestigt, damit sie bei der holprigen Fahrt nicht runterfallen, bis auf den hier«, erklärte Emilie gut gelaunt und hob einen der Säcke ein wenig an. »Den wirfst du dir später über die Schulter und bringst ihn zum Haus.« Sie ließ den Sack wieder los. »Fahren wir mal eine Runde zur Probe. Ich schirre kurz Nikita an.«

Henry brach der kalte Schweiß aus. Nikita. Oh verdammt. Warum hatte er nicht auf seinen Vater gehört und war Profiboxer geworden? Er könnte jetzt so gemütlich in seinem eigenen warmen Boxstudio einen Proteindrink zu sich nehmen und dabei zuschauen, wie sich seine Kunden mit ihren Trainern kloppten.

»Du kannst dich schon mal bereitmachen«, lächelte Emilie. »Die Decken und so ablegen, meine ich.«

Henry holte tief Luft, zog seine Turnschuhe und die Trainingshose aus, warf die Decken mit einer hoffentlich lässig aussehenden Bewegung ab und stieg erneut auf den Karren. Der Wind auf seiner nackten, eingeölten Haut war so kalt, dass er das Gefühl hatte, sterben zu müssen. Waren die im Mittelalter wirklich bei solchen Temperaturen im Lendenschurz herumgefahren? Oder hing das hier auch damit zusammen, dass dieser gottverdammte Petrow bisher Pornos gedreht hatte? Er biss die Zähne zusammen. Innere Mitte. Er würde das schaffen, verdammt.

Er durfte diesen Auftrag auf keinen Fall vermasseln. Er brauchte das Geld. Der Esel bewegte sich ein wenig, der Karren ruckelte ein Stück, und Henry kippte vor Schreck beinahe über die Brüstung. Er richtete sich wieder auf. Innere Mitte. Gleichgewicht. Das war nicht schwerer als ein Boxkampf. Es klappte im Grunde doch gut, er fror nur ein bisschen und hatte nicht mit diesem verdammten Ruckeln gerechnet. Jetzt war er darauf vorbereitet. Er stand doch wie eine Eins auf diesem Karren. Aber noch hielt diese Emilie das verdammte Vieh fest, das recht wild aussah, wenn er ehrlich war, und bisher war auch noch keine Kamera auf ihn gerichtet. Was, wenn die Scheinwerfer und die vielen Leute, die sicherlich beim Dreh hier sein würden, den Esel nervös … Er spürte Magensäure brennend seinen Hals nach oben steigen. Hoffentlich musste er sich nicht mitten in der Szene vor lauter Aufregung im Schwall über die Brüstung des Karrens übergeben.

»Lächeln«, rief Emilie beschwingt. »Aufrecht und locker dastehen und den Brustkorb nach vorne drücken. Wie es im Drehbuch steht. Hier, nimm die Zügel. Versuch mal, eine Verbindung zwischen dir und Nikita herzustellen. Zeig ihr, dass du der Chef bist.«

Henry wurde beinahe schwarz vor Augen, als er die Zügel übernahm. Nikita drehte kurz den zotteligen Kopf und schien ihn anzugrinsen, dann graste sie ungerührt weiter. Als ob sie ihm mitteilen wollte, dass er eines mit Sicherheit nicht war: der Chef.

»Bring deine Muskeln zur Geltung, das ist deine Stärke«, fuhr Emilie fort. »Und du musst dich tief in die Rolle hineinversetzen. Du kommst von der Mühle. Du bist gut gelaunt, euphorisch geradezu, weil du gleich deine Gunhilde sehen und einen Sack Mehl verkauf…«

Ein schriller Hilfeschrei gellte durch die Luft. Nikita machte einen Satz nach vorne, und Henry flog rücklings vom Karren.

Kapitel 7

Instinktiv rollte Henry sich nach seinem Sturz vom Karren wie im Ju-Jutsu rückwärts ab, kam wieder auf die Beine und rannte auf nackten, ölig-glitschigen Sohlen auf das Horrorhaus zu. Dort musste er feststellen, dass der Hilfeschrei offenbar zu einer Szene gehörte, die gerade im Eingangsbereich des Hauses gedreht wurde: Eine kunstblutüberströmte junge Frau stolperte mit einer merkwürdig geformten Axt, die aus ihrem Genick ragte, aus dem Haus und brach im Scheinwerferlicht zusammen, während ein öliger Benni Koch mit einer grünlich leuchtenden Laterne in der Hand diabolisch lachend im Eingangsbereich stand.

Fluchend drehte Henry sich um, stieß sich den großen Zeh an einem Stein, fluchte erneut und sprintete zum Weg an der Kinzig zurück, wo Emilie, die die Zügel der nun wieder friedlich grasenden Nikita übernommen hatte, lachend auf ihn wartete. Henry warf ihr einen bösen Blick zu. Er zitterte unkontrolliert vor Kälte. Und seine verdammten Füße spürte er mit Ausnahme des großen Zehs kaum noch. Er musste sich anziehen. Sofort. Er hatte immer gedacht, der Schauspieler, der den Jack Jackson spielte, würde übertreiben, wenn er Dinge sagte wie: »Dem Geschosshagel aus Maschinengewehren kannst du entkommen, wenn du rennen kannst, aber beim Film überlebst du nur, wenn du hart bist.« Jetzt wusste er, wie verdammt recht der Mann hatte! Er schlüpfte bibbernd in seine Trainingshose und seine Schuhe und warf seine zwei Decken über. »Ich muss mich aufwärmen«, knurrte er in Emilies Richtung. Er wartete ihre Antwort nicht ab und lief hinüber ins Cateringzelt, holte sich eine Tasse Früchtetee und stellte sich an einen leeren Tisch. Bei seinem Sturz vom Karren hatte er sich auch noch den verdammten halben Unterschenkel aufgeschürft. Wenn das so weiterging, würde er wirklich bald von mittelalterlichen Krankheiten gezeichnet sein. Verdammte Schauspielerei.

Er war gerade mit der halben Tasse Tee fertig und dabei, sich wieder zu beruhigen, als der Türvorhang des Zelts aufgestoßen wurde und Benni Koch laut in den Raum rief: »Wo ist der namenlose Müller?«

»Hier«, sagte irgendjemand, und in Henry krampfte sich alles zusammen.

»Warum bist du nicht drüben am Haus? Hat dir Emilie nicht gesagt, dass wir die Szene im Loch vorziehen?«, fragte Koch und zog mit öliger Hand eine Taschenuhr, die an einer goldenen Kette in der Tasche seiner mittelalterlichen Weste gesteckt hatte, heraus und wedelte damit in Henrys Richtung. »In zwanzig Minuten machen wir den ersten Probedurchgang im Keller. Und ich muss mich immer erst ein bisschen in Stimmung bringen, bevor ich so richtig Lust habe, einen Menschen zu zerlegen.« Er lächelte gemein.

Na toll, dachte Henry. Keine Ahnung, was ihn im Loch erwartete, aber schlimmer als der Part auf dem verdammten Eselkarren konnte es ja wohl kaum werden.

»Wir müssen nur noch auf diesen Hausmeister warten.« Koch schüttelte den Kopf. »Wegen der Sicherheitseinweisung. Jedes Mal. Als ob wir nicht schon oft genug in diesem vermaledeiten Keller gewesen wären.« Er senkte die Stimme. »Wenn ihr mich fragt, dann hat Hildebrandts Geist Besitz von Erwin Winkler ergriffen. Von Hausmeister zu Hausmeister geht so eine In-Besitznahme bestimmt leicht.« Im Zelt waren einige Lacher zu hören. »Keine Ahnung, warum Petrow das mitmacht.«

»Weil die Eigentümerin des Hauses uns sonst nicht drehen lässt«, schnarrte die Stimme des Regisseurs vom Eingang her. »Sie ist Amerikanerin und hat Panik vor Schadenersatzklagen.«

Koch zuckte mit den Schultern.

»Kommt jetzt, Winkler ist da.« Petrow drehte sich weg, und Koch, Henry und ein Techniker folgten ihm nach draußen und hinüber zum Horrorhaus.

Die Sicherheitseinweisung fand im Flur des Horrorhauses statt, in dem es zumindest warm war. Erwin Winkler war ein blasser, etwa vierzigjähriger Mann mit einer Halbglatze, der einen Blaumann und in der linken Hand ein Klemmbrett trug. Seine Statur erinnerte entfernt an eine unförmige Birne mit Insektenbeinen, und ein leichter Geruch nach Schmieröl ging von ihm aus. Seine Stimme hatte einen plattdeutschen Einschlag. Er sortierte eine Weile ungeachtet Petrows unruhigem Murren akribisch Blätter auf seinem Klemmbrett, dann begann er sehr langsam zu sprechen, wobei er jedes Wort äußerst akkurat betonte: »Kleine Wiederholung der Hausregeln: Regel Nummer eins: Im durch Flatterband abgesperrten Teil des Kellers besteht akute Einsturzgefahr, das heißt Lebensgefahr. Niemand darf diesen Teil des Kellers betreten. Absolut tabu, verstanden?«

Er sah hoch, Henry und die anderen nickten. »Regel Nummer zwei: Das Loch muss, nachdem ihr fertig seid, immer mit der Falltür verschlossen werden. Immer. Es darf niemals offen stehen! Regeln Nummer drei bis acht: Wird das Loch geöffnet, muss als Erstes die Falltür mit den Sicherheitsriegeln an der Wand befestigt werden, da sie sonst zufallen und jemanden erschlagen kann. Oder, im besten Fall, könnte jemand unten eingesperrt werden. Vorsicht dabei! Die Falltür hat historischen Wert. Bei den Sicherheitsriegeln ist zu beachten …«

Henrys Gedanken schweiften ab, während Winkler weiter über die Befestigung der Falltür und später sogar über den Bodenbelag im Eingangsbereich und eine Starkstromdose in der Küche dozierte. Benni Koch, der neben Henry stand, gähnte hinter vorgehaltener Hand. Petrow tänzelte wie ein nervöser Vollblüter hin und her und sah aus, als würde er Winkler am liebsten umbringen. Immer wieder warf er einen Blick auf die Uhr, und erneut hatten sich Schweißperlen auf seiner Stirn gesammelt.

Der Hausmeister hingegen genoss es sichtlich, die Dreharbeiten ein wenig verzögern zu können. Es war nicht zu übersehen, dass er Petrow nicht leiden konnte. Auch fand er es offensichtlich vollkommen daneben, dass »in einem Haus von historischem Wert« ein »Film« gedreht wurde. Das Wort »Film« spuckte er aus, als handle es sich um etwas Anstößiges. Ein Grund mehr, dachte Henry, Winkler mal genauer unter die Lupe zu nehmen. Zumal der Typ nicht nur sichtlich sauer auf Petrow war, sondern auch die beste Gelegenheit für eine Sabotage hätte: Als Hausmeister hatte er sicher zu jeder Tages- und Nachtzeit ungehinderten Zugang zum Haus und wusste auch ganz bestimmt, ob und wie das Gelände in der Nacht überwacht wurde. Und wenn er, wie es schien, den ganzen Tag vor Ort war, bekam er zudem sicherlich mit, welche Requisiten am nächsten Tag gebraucht würden. Für ihn wäre es ein Leichtes, sie unbemerkt zu entfernen. Und nach dem Verschwinden der Kamerafrau, das hatte Suzanne ihm erzählt, war Winkler mit Petrow und einem Polizisten der Einzige gewesen, der in einem offenbar gesperrten Teil des Kellers nach der Frau gesucht hatte. Auch das konnte eine Bedeutung haben. Der Techniker, der bei Petrow stand, murmelte gerade kopfschüttelnd und kaum hörbar »der hat en Schparre«, während Winkler über Kabel und Stolpergefahr dozierte. Nach einer gefühlten Ewigkeit gingen sie hinter dem Hausmeister den Flur des Hauses entlang. Überall standen Kamerascheinwerfer, und in einigen offenen Räumen tummelten sich geschäftig Leute. Winkler blieb vor einer verschlossenen Tür stehen, die, anders als die anderen Türen, wurmstichig und uralt aussah. Seltsame Schnitzereien verzierten sie, Fratzen mit aufgerissenen Mäulern, fremdartige Symbole und Menschen, die offenbar Todesqualen erlitten, so wie sie sich krümmten. »Dann beeilen Sie sich. Und verschließen Sie nachher die Falltür bitte un-be-dingt wieder«, wiederholte Winkler noch einmal, bevor er gemeinsam mit Petrow endlich wieder in Richtung Haustür verschwand. Henry hätte ihn gerne noch ein wenig unauffällig befragt, aber dafür war nun leider nicht der richtige Zeitpunkt.

Benni Koch stieß pfeifend Luft aus und drückte die Klinke der Kellertür, die lautlos aufsprang. »Himmel, wie mir dieser Typ auf den Senkel geht«, knurrte er leise. »Als ob ihm das Haus gehören würde. Ein kleines Licht, das das bisschen Macht, das es hat, gnadenlos ausnützt. Der soll ja anscheinend Ingenieur sein. Ist wahrscheinlich aus jedem normalen Job rausgeflogen.«

Der Hauptdarsteller knipste kopfschüttelnd die schwache Kellerbeleuchtung an, und er, Henry und der Techniker stiegen eine verdammt steile Treppe hinunter. Unten war es düster, und die Wände waren vollgestellt mit Regalen, in denen Filmzubehör lagerte. Ein unangenehmer Modergeruch lag in der Luft. In die eine Richtung führte ein Gang zu einem mit Flatterband abgesperrten Bereich, in der anderen Richtung lag eine riesige Falltür verschlossen auf dem Boden. Gemeinsam mit Koch hievte Henry sie wenig später mühsam nach oben, sie war verdammt schwer. Die Falltür bewegte sich lautlos, als habe jemand sie frisch und sehr gründlich geölt. Was ein wenig merkwürdig war für einen mittelalterlichen Keller, aber bei dem peniblen Hausmeister vermutlich kein Wunder. Henry hätte es viel cooler gefunden, wenn die Tür gequietscht hätte. So musste es in einem Horrorfilm sein, wenn die bösen Geister und die Zombies aus ihren Verstecken krochen. Aber bestimmt konnte man das nachträglich noch in den Film einbauen. Immerhin war es in dem Raum unter der Falltür undurchsichtig dunkel, wie sich das gehörte. »Das Licht im Loch machen wir erst später an, ich kann mich sonst nicht konzentrieren«, befahl Benni und deutete auf eine Schnur, die seitlich neben der Falltür herunterhing und mit der man offenbar das Licht im Loch anschalten konnte. »Und die Kabel für die Scheinwerfer werden eh erst nachher da runterverlegt, oder?«

Der Techniker nickte.

Mit mehreren Riegeln sicherten Henry, Koch und der Techniker den Deckel der Falltür an der Wand, genau so, wie Winkler es ihnen gerade eingetrichtert hatte. Man musste dabei tatsächlich verdammt vorsichtig sein, ein unachtsamer Schritt, und man knallte hinunter in die Finsternis und wahrscheinlich in den Tod. Keine Ahnung, wie tief das war. Man konnte den Boden nicht erkennen, unten im Loch war es wahrlich stockfinster. Die beinahe senkrechte Treppe schien ins Nichts zu führen.

Koch blieb oben an der Treppe stehen und starrte eine Weile in die Schwärze. »Hier hat der Mob mich runtergestürzt, bevor ich ein Geist geworden bin«, sagte er dumpf. »Mein Körper hat tagelang dort unten gelegen und ist langsam verfault. Unangenehme Erinnerung. Kein Wunder, dass ich so einen Hass auf die Welt habe.«

»Werglich kai Wunner«, sagte der Techniker.

»Ich finde es gut, dass ich laut Drehbuch der Siechenmutter Christina ebenfalls unten im Loch das Genick breche und sie danach roh verzehre. Am Ende sterbe ich also am Ort meines ersten Mordes. Eine geniale Idee von Petrow.«

»Werglich subber«, stimmte der Techniker nickend zu. Er bückte sich nach einigen Kabeln, sortierte sie und schien zu prüfen, wie man sie am besten ins Loch hinunterlegen konnte.

Henry wartete geduldig. Solange er nicht schauspielern musste, sollte es ihm egal sein, was sie hier taten. Und da unten musste er ja nur einen Toten verkörpern, das würde er bestimmt problemlos hinkriegen.

»Dann wollen wir mal«, sagte Koch in diesem Augenblick und zog an der Schnur. Ein unerwartet helles Licht ging an. Im ersten Moment war Henry, der seitlich neben dem Loch stand und gebannt in die Finsternis gestarrt hatte, geblendet. Aber dann sah er am Fuße der langen Treppe etwas liegen. Es sah aus wie eine Leiche.

Kapitel 8

Etwa drei Stunden, bevor Henry schockiert in die Tiefen des Lochs hinunterschaute, parkte Suzanne ihr Auto in Kehl. Sie zog ihre dicke Daunenjacke und ihren bunt geringelten Wollschal an und klappte die Kapuze über den Kopf. Die Kapuze war ein bisschen groß und schlackerte ihr ins Gesicht, aber es war ziemlich frisch, und ihre Mütze hatte sie leider zu Hause vergessen. Sie ging die kleine Straße entlang, die direkt am wundervollen *Garten der zwei Ufer* entlangführte, einem Park, der sich sowohl auf der deutschen als auch auf der französischen Seite des Rheins erstreckte. Im Inneren des Parks bahnte sich der große Fluss majestätisch seinen Weg durch die Landschaft. Verbunden wurde das Ganze durch die Fußgängerbrücke *Passerelle des deux Rives*.

Suzanne hatte den bisherigen Tag damit verbracht, mit drei Klienten in anderen Fällen zu sprechen, einen Abschlussbericht in einer Diebstahlssache zu verfassen und später die sozialen Netzwerke nach Freunden der verschwundenen Kamerafrau zu durchforsten. Zwar hatte sie feststellen müssen, dass Mona Laurent offenbar keine Kontakte im Netz hatte, aber es war ihr zumindest gelungen, die Adresse der Schwester der Kamerafrau herauszufinden. Sie hieß Camille Roux und wohnte in Kehl/Kork. Ihr würde sie nachher einen Besuch abstatten, um sie zu fragen, ob sie eine Ahnung hatte, wo ihre Schwester stecken könnte und was für ein Motiv sie haben konnte, einfach zu verschwinden. Vielleicht kannte sie auch Namen von Freunden oder Bekannten der Kamerafrau. Da Camille Roux erst um 16.30 Uhr Schichtende hatte, wollte Suzanne vorher noch mit den Nachbarn der Laurents sprechen. Vielleicht war denen ja irgendetwas aufgefallen, das ihr half, die Frau wiederzufinden.

Das Haus der Eheleute Laurent war eine große Villa in der Nähe der Zahnarztpraxis, die von einem parkähnlichen Garten mit gepflegtem Rasen und hohen, alten Bäumen umgeben war. Suzanne ging zu dem Haus auf der linken Seite der Villa und klingelte. Eine ältere Dame öffnete die Tür. Sie sagte »So e Maleer«, als Suzanne ihr erzählte, dass sie eine Privatdetektivin sei und unbedingt mit Mona Laurent sprechen müsse, sie aber seit Tagen nicht erreiche. Die Frau konnte sich zwar nicht daran erinnern, wann sie die Kamerafrau das letzte Mal gesehen hatte, aber ihr war aufgefallen, dass seit einigen Tagen ziemlich viel altes Laub in der Garageneinfahrt der Laurents lag, was wohl untypisch für das Ehepaar war, da die beiden offenbar den Garten sonst pingelig sauber hielten. Ansonsten war sie der Meinung, dass die Laurents wundervolle Nachbarn seien. Freundlich, hilfsbereit und beide sehr gutaussehend.

Bei den anderen Nachbarn im Haus zur Rechten waren Suzannes ganze Überredungskünste gefragt, um den schlanken, etwa fünfzigjährigen Mann dazu zu bringen, etwas über Mona Laurent zu erzählen. Erst nachdem es Suzanne gelungen war, ihn in eine Fachsimpelei über den perfekten Rosenschnitt und die besten Biogarten-Methoden zur Bekämpfung von Mehltau zu verwickeln, sah er sich nach allen Seiten um und meinte dann in verschwörerischem Tonfall: »Kommen Sie doch kurz mit rein. Da sind wir unbeobachtet. Ich bin übrigens der Carsten.«

Suzanne trat ein wenig verwundert in einen breiten, mit dunklem Holz ausgebauten Flur. Direkt am Eingang, neben einem Tischchen, auf dem einige Rosenquarze und ein Potpourri lagen, blieben sie stehen. Die Luft roch nach Zitrone und selbstgebackenem Brot. An der Wand hingen das eingerahmte Bild eines ausgezehrten, uralten Mannes mit einem langen Bart, der einen Blumenkranz auf den Haaren trug, und ein großes Foto des Offenburger Bahnhofs.

»Wenn ich ehrlich bin, dann wundere ich mich auch, wo Mona steckt«, meinte Carsten. »Ich habe sie seit bestimmt einer

Woche nicht mehr gesehen. Wir sind nicht so eng, aber natürlich bekommt man auch so einiges mit.« Er beugte sich vor und sagte in vertraulichem Ton: »Ich hoffe, sie hat ihren Mann endlich verlassen. Eine toxische Beziehung, wenn Sie mich fragen.«

»Inwiefern?«, fragte Suzanne.

»Ich habe ein gutes Gespür für zwischenmenschliche Schwingungen, wissen Sie? Wenn man Mona und Gerard zusammen sieht, dann merkt man deutlich, dass ihre Körperhaltung angespannt ist und sie einander nicht zugewandt sind. Und Gerard kann seiner Frau gegenüber manchmal sehr harsch werden. Bestimmend, wissen Sie?« Er beugte sich noch etwas näher zu Suzanne herüber. »Kehl ist klein, und ich kenne eine Zahnarzthelferin aus Gerards Praxis vom Yoga. Es ist sicherlich auch Klatsch und Tratsch dabei, aber … Es ist kein Geheimnis, dass Gerard krankhaft eifersüchtig ist und Mona ständig nachspioniert, weil er glaubt, sie hätte Affären.«

»Und? Denken Sie, dass an der Sache mit den Affären etwas dran ist?«, fragte Suzanne interessiert.

»Über sowas haben Mona und ich nie gesprochen, wir sind ja nicht so eng, wie gesagt. Aber ich könnte es wirklich gut verstehen, wissen Sie? Gerards Aura ist … Er kann sich sehr gut verstellen, aber jemanden wie mich kann er nicht täuschen. Seine Aura ist irgendwie dunkel und bösartig. Keine Ahnung, warum eine so gutaussehende, erfolgreiche Frau wie Mona mit so einem Menschen zusammenbleibt und wahrscheinlich auch noch seine Praxis finanziert. Denn die Praxis läuft bestimmt nicht toll. Ich meine, so wie Gerard seine Patienten behandelt …« Mit gerunzelter Stirn bemerkte er: »Er soll vor ein paar Jahren eine junge Frau betäubt haben, und als sie dann aufgewacht ist, war sie an den Stuhl gefesselt, und er hat sie gefoltert. Hat anscheinend ihre Zähne angebohrt, können Sie sich das vorstellen? Und ein junger Mann, der einen Termin wegen einer Zahnspange bei Gerard hatte, ist verschwunden.«

Das klang jetzt ziemlich abgedreht. »Wissen Sie zufällig, wie die junge Frau und der junge Mann hießen?«, fragte sie trotzdem.

»Nein, nein, das natürlich nicht. Es gab ja nicht mal eine polizeiliche Untersuchung. Da sorgen die schon dafür, dass sowas nie rauskommt.«

»Wer sorgt dafür?«

Carsten lächelte grimmig. »Na die Pharmaindustrie. Die machen doch heimliche Menschenversuche, das weiß man doch. Und die Ärzte, die Polizei und die ganzen Politiker, die hängen da alle mit drin, wissen Sie? Ganz zu schweigen von den Journalisten. Alles Lügen, was die erzählen. Aber mich können die nicht täuschen, wissen Sie? Und Gerard ist Zahnarzt … Was glauben Sie, warum er die Zähne der jungen Frau angebohrt hat? Na? Da muss man doch nur eins und eins zusammenzählen!«

»Aha«, machte Suzanne.

»Gerard macht diese Versuche auch mit Mona, wissen Sie? Ich höre sie manchmal drüben wimmern. Wer weiß, was für Medikamente der an ihr ausprobiert. Deswegen halte ich auch Abstand, wann immer ich mit ihr rede. Vielleicht hat er sie verstrahlt, wissen Sie?«

»Gut, vielen Dank, das war sehr hilfreich«, lächelte Suzanne. Schnell raus hier, dachte sie. Menschenversuche durch die Pharmaindustrie, so ein bodenloser Unsinn. Das Einzige, was man sich vielleicht fragen musste, war, ob Mona Laurent tatsächlich manchmal ›wimmerte‹ und warum.

»Sie halten mich für verrückt, stimmt's?«, fuhr der Mann fort. »Aber sie werden schon sehen! Sie werden sehen! Eines Tages verschwindet Mona spurlos! Dann sollten Sie an meine Worte denken.«

Suzanne erstarrte für einen Moment. Dann fragte sie: »Wo könnte sie denn in dem Fall sein? Was glauben Sie?«

»Ha! Ist es schon so weit? Haben die sie entführt?« Er gestikulierte wild mit den Händen. »Es soll da unterirdische Labore geben …« Seine Stimme war zu einem Flüstern herabgesunken. »Die sind auch für die Chemtrails verantwortlich, wissen Sie?« Er nickte grimmig.

Eine Entführung durch die Pharmaindustrie, unterirdische

Labore und Chemtrails, klar, dachte Suzanne. »Kennen Sie vielleicht jemanden, der Ihre Nachbarin gut kennt? Eine Freundin oder einen Freund?«, fragte sie, um das Gespräch wieder auf eine normale Bahn zurückzulenken.

Der Nachbar schien eine Weile nachzudenken, dann meinte er: »Mona und ich haben eine gemeinsame Bekannte. Also von mir ist es eine sehr entfernte Bekannte, aber ich weiß, dass Mona sie seit der Grundschule kennt. Und die zwei scheinen sich immer noch gut zu verstehen. Jedenfalls wirkt es so, wenn sie im Garten zusammen Caipirinha trinken, wissen Sie? Ich will gar nicht wissen, was da in Wirklichkeit in den Gläsern ist. Ich habe leider die Nummer nicht. Aber die Bekannte heißt Leila Hofreiter und arbeitet in Straßburg in einem Käsegeschäft. *Chez Fabian*, vielleicht kennen Sie es?«

Suzanne bedankte sich und notierte den Namen. Carsten kam in der Zeit wieder auf seinen Garten zu sprechen, und nachdem Suzanne ihm noch einen Tipp gegeben hatte, wie und wann man am besten winterharte Stauden teilte, verabschiedete sie sich schnell.

Kopfschüttelnd ging sie zurück zur Straße. Immerhin hatte sie jetzt den Namen einer möglichen Freundin. Wenn Leila Hofreiter die Kamerafrau seit der Grundschule kannte, wusste sie bestimmt auch alles über deren »Vergangenheit«.

Suzanne ging zum Auto zurück und suchte als Erstes auf dem Handy die Adresse und Telefonnummer des *Chez Fabian* heraus, das wegen eines Betriebsausflugs an diesem Tag allerdings geschlossen war, was ihr einen leisen Fluch entlockte.

Schließlich fuhr sie nach Kehl/Kork, um mit der Schwester der Kamerafrau zu sprechen. Da es erst kurz nach vier und die Frau daher vermutlich noch bei der Arbeit war, stellte Suzanne das Auto am Bahnhof ab, überquerte die Schienen und machte einen kleinen Spaziergang querfeldein, über Felder mit Erdschollen, aus denen Stoppelreste ragten, und über spätherbstliche Wiesen. Einige kleine Obstbäume streckten ihre kahlen Äste in den Himmel. Das Sausen des Windes und das Krächzen einiger Raben waren die einzigen Geräusche, und einmal fuhr in der Ferne surrend eine Ortenau-S-Bahn vorbei. Es roch nach Erde und abgefallenen Blättern.

Suzanne dachte ein wenig an Liam und wurde vor Glück ganz kribbelig, weil sie wieder das Leuchten in seinen Augen vor sich sah, als er heute Morgen angekündigt hatte, er wolle einen Song über ihre Ziegen komponieren. Wie wundervoll war das denn! Sie hatte sich so gefreut, dass sie sich sogar getraut hatte, ihm einfach einen Kuss auf die Wange zu geben. Er hatte zwar nicht zurückgeküsst, aber auch nicht so gewirkt, als habe ihm der Kuss nicht gefallen. Sie lächelte und stapfte weiter über die Felder. Weiße Atemwölkchen stiegen vor ihrem Mund auf und wurden sofort davongeweht, und auch ihre Kapuze wurde ihr immer wieder vom Kopf geblasen. Trotzdem hatte sie das Gefühl, dass der Wind ihre Lebensgeister tanzen ließ. Vielleicht waren es auch ihre nun nicht mehr ganz so jugendfreien Gedanken an Liam, wie er gestern mit nacktem Oberkörper vor ihrer Waschmaschine gestanden hatte, um seine T-Shirts zu waschen. Schlank, groß, nicht zu muskulös, die langen Haare leicht zerzaust, ein Mann zum Anbeißen. Sie schüttelte den Kopf. So weit war sie leider noch lange nicht, dass sie es hätte wagen können, von hinten an den halbnackten Liam heranzutreten und … Nein, daran war im Moment nicht zu denken. Sie ging noch etwas schneller, rannte fast. Konzentrierte sich nur auf die spätherbstliche Landschaft und ihren mittlerweile keuchenden Atem.

Um kurz vor fünf stand sie mit erfrorenem Gesicht vor einem kleinen Einfamilienhaus mit einem verwilderten Garten und klingelte. Eine ältere, verlebt aussehende Frau mit grauen Haaren, die eine farbverspritzte Jeans und einen Malerkittel trug, öffnete ihr die Tür. »Ich würde sehr gerne mit Frau Roux sprechen«, sagte Suzanne und zückte ihren Detektivausweis.

Das Gesicht der Frau wurde misstrauisch. »Das bin ich. Um was geht es denn?« Sie hatte die tiefe Stimme einer langjährigen Raucherin. Ihre Hände waren geschwollen und zitterten, als sie den Detektivausweis ergriff und genauer betrachtete. Schließlich gab sie ihn zurück.

»Ich suche Ihre Schwester«, sagte Suzanne, während sie ihren Ausweis wieder im Geldbeutel verstaute.

Das Zittern in Camille Roux' Händen wurde stärker, als sie eine Schachtel Kippen aus der Brusttasche ihres Kittels pfriemelte. »Mona? Woher soll ich wissen, wo die ist?« Sie röchelte ein wenig beim Atmen.

»Sie haben doch bestimmt mitbekommen, dass Ihre Schwester verschwunden …«

Die Kippenschachtel fiel auf den Boden. »Mona? Verschwunden?« Camille Roux lachte schrill und unecht, als sie sich mühsam bückte und die Zigaretten aufhob. »Wie meinen Sie das?«

»Sie wurde zum letzten Mal bei Dreharbeiten im *Willstätter Horrorhaus* gesehen, am letzten Donnerstag. Seither ist sie wie vom Erdboden verschluckt.«

»Davon weiß ich nichts. Und es interessiert mich auch nicht. Ich habe sie seit Jahren nicht gesehen, und ich möchte nicht mit Ihnen sprechen.« Sie machte einen Schritt ins Haus und knallte die Tür zu.

Suzanne runzelte die Stirn. Die Schwester der Kamerafrau wirkte ziemlich nervös. Wusste sie etwa, wo Mona Laurent steckte? Und falls das so war: Warum machte sie das so unruhig? Die Verschwundene war eine erwachsene Frau, sie konnte hingehen, wohin sie wollte, und untertauchen, wann sie wollte, und es gab eigentlich keinen Grund für ihre Schwester, deshalb nervös zu werden.

Kapitel 9

Henry starrte auf die Leiche. Ihm war ganz schwummrig, und er trat schnell einen Schritt zurück, um nicht durch die offene Falltür ins Loch zu fallen. Für eine Sekunde war er wie gelähmt. Neben ihm fing Benni Koch panisch an, um Hilfe zu schreien, und der Techniker zückte sein Handy und murmelte etwas auf Badisch, das so ähnlich wie »Krankenwagen« und »kein Empfang« klang.

Dann löste sich Henrys Lähmung, er schob Koch und den Techniker ein wenig zur Seite und kletterte, so schnell er konnte, die steile Stiege in das verdammt tiefe Kellerloch hinunter. Unten angekommen, ging er in die Knie. Der Mensch, der dort lag, war eine Frau. Sie starrte ihn mit glasigen Augen an, ohne zu blinzeln. Er fühlte ihren Puls, berührte die kalte, feuchte Haut und den steifen Arm, obwohl er längst wusste, dass sie tatsächlich tot war. Trotzdem tastete er wie besessen nach den Arterien am Hals, nach einem Zeichen von Leben. Nichts.

Der Kopf der Frau war unnatürlich verdreht. Genickbruch, dachte er, das sah aus wie Genickbruch. Starben die hier drin wirklich alle auf diese Weise? Und hatte das etwa tatsächlich mit Hildebrandts Todestag zu tun?

Henry keuchte. Tief durchatmen. Innere Mitte. Er war viele Jahre ein verdammter Polizist gewesen, er musste sich mal wieder einkriegen. Sofort.

Es sah ganz so aus, als sei die Tote Mona Laurent, er hatte mehrere Bilder von ihr im Internet gesehen. Er stand auf, trat ein Stück von der Leiche weg und betrachtete sie genauer. Die Tote war etwa fünfzig Jahre alt und zu Lebzeiten sicherlich eine echte Schönheit gewesen mit ihren vollen Lippen und den klassischen Gesichtszügen einer griechischen Statue. Allerdings war sie ungesund dünn, mager fast, und zu stark geschminkt. Ihre Augenbrauen waren so extrem gezupft, dass sie kaum noch vorhanden waren. Sie trug einen schicken Blazer, eine dunkle Bluse, jede Menge Schmuck, eine eng anliegende graue Hose und Stiefeletten mit recht hohen Absätzen, alles sichtlich teuer.

Neben ihr lag ein zerfleddertes Notizbuch. Da er keine Handschuhe dabeihatte, wollte Henry es nicht berühren, um keine Spuren zu verwischen, auch wenn ihn dessen Inhalt sehr interessiert hätte.

Die weißblonden Haare der Frau, so bemerkte er nun, waren an der Seite mit einer dunklen Flüssigkeit verklebt, wahrscheinlich Blut. Er schluckte schwer und ging um die Tote herum. In der Nähe ihrer Hand lag eine völlig zerbrochene, altmodische Laterne, ähnlich der, die Benni Koch in der Szene vorhin in der Hand gehalten hatte, nur deutlich größer.

Henry sah sich im Raum um. An der hinteren Wand war eine blutbeschmierte Schlachtbank aufgebaut, und für eine Sekunde fragte er sich, ob er den Arbeitsplatz eines psychopathischen Killers entdeckt hatte, bis ihm wieder einfiel, dass hier ja ein Horrorfilm gedreht wurde. Bis auf die Schlachtbank, zwei noch nicht eingeschaltete Scheinwerfer, ihn und die Tote war der Raum leer. Er sah nach oben, wo ein leichenblasser Benni Koch nun endlich aufgehört hatte zu schreien und stumm neben der Öffnung saß und zu ihm hinunterstarrte.

Henry stieg langsam die Stiege wieder hoch, betrachtete jede Stufe genau. An einigen Stellen vermeinte er, ein wenig Blut zu erkennen. Offenbar war die Frau von oben die Treppe hinuntergestürzt. Oder gestoßen worden. Denn es war doch ziemlich merkwürdig, dass die Falltür über ihr verschlossen gewesen war. Sie selbst hatte sie ja wohl kaum noch schließen können, nachdem sie dort unten aufgeschlagen war. Möglich war höchstens, dass die schwere Tür nicht ordnungsgemäß mit den Riegeln befestigt worden war und die Frau beim Hinuntersteigen von ihr getroffen worden war. Oder dass jemand, der gar nicht gewusst hatte, was da unten in der Dunkelheit lag, die Klappe später geschlossen hatte. Henry ballte seine Hand zur Faust und ging weiter die Treppe hoch.

Oben angekommen, blieb er neben Koch stehen, der auf dem Boden kniete und keuchend Luft holte. Der Techniker war nicht mehr da. »Weißt du, wer die Frau da unten ist?«, fragte Henry.

Koch rieb sich übers Gesicht. »Ist sie tot?«, stammelte er.

Henry nickte.

»Eine Scheißidee, ich hätte es wissen müssen«, murmelte Koch.

»Was ist eine Scheißidee?«, fragte Henry und ging in die Knie, um sich auf eine Höhe mit dem Schauspieler zu begeben.

Der antwortete nicht, saß einfach nur zitternd da. Plötzlich drehte er sich weg, würgte und übergab sich auf den Boden. Henry legte Koch beruhigend eine Hand auf die Schulter. Von oben kam nun Petrow in den Keller hinuntergelaufen.

»Was ist hier los?«, murmelte er aufgelöst und warf einen ängstlichen Blick hinunter ins Loch. »Oh großer Gott, bitte nicht! Bitte nicht Mona«, flüsterte er panisch. »Hildebrandt … Sie ist gestorben wie er. Das muss Hildebrandt gewesen sein. Weil er nicht will, dass wir in seinem Haus drehen. Ich hätte die Anzeichen nicht ignorieren …«

»Eines ist sicher: Hildebrandt war das nicht«, unterbrach Henry ihn leise und richtete sich wieder auf. »Niemand mehr darf in diesen Keller. Wir müssen die Polizei und einen Krankenwagen rufen und dürfen nichts anfassen oder verändern, da wir nicht wissen, wie sie zu Tode gekommen ist. Vermutlich habe ich schon genug Schaden angerichtet. Aber ich musste hinunter, um zu schauen, ob sie noch lebt.« Mit einem unguten Gefühl dachte er plötzlich daran, dass er erst vor Kurzem Hauptverdächtiger in einem Mordfall gewesen war und nun schon wieder Spuren an einem Tatort … Unsinn, diesmal war vollkommen klar, woher seine Fingerabdrücke und seine DNA kamen. Und diesmal kannte er die Tote nicht einmal. Es war zudem noch gar nicht sicher, ob es sich überhaupt um einen Tatort handelte oder einfach nur um eine Stelle, an der ein tragischer Unfall passiert war.

Petrow nickte knapp und rief zum Eingang des Kellers hinauf, von dem lautes Stimmengewirr kam: »Bleibt bitte alle oben! Ruft die Polizei und einen Krankenwagen!« Petrow bedeutete Henry, ein paar Schritte von Koch wegzutreten. »Mona. Oh Himmel, wie lange ist sie wohl schon da unten?« Er schlug sich die Hand vor den Mund. »Was, wenn sie sich schon *seit* ihrem Verschwinden irgendwo hier im Haus befindet? Und wir haben gedreht, während ihre Leiche … Oder wenn sie noch gelebt hat … Bitte sagen Sie mir, dass Hildebrandt sie nicht die ganzen letzten Tage irgendwo hier eingesperrt hat.« Er sah Henry flehentlich an.

Benni Koch würgte wieder.

»Das ganze Haus wurde doch nach ihrem Verschwinden mehrfach durchsucht«, wandte Henry ein. »Sie war nicht mehr hier, das haben Sie selbst gesagt. Abgesehen davon halte ich es für unmöglich, dass sie hier tagelang eingesperrt oder versteckt gewesen sein kann, ohne dass Sie oder Ihre Leute irgendetwas mitbekommen hätten.«

»Das ist rational nicht zu erklären. Aber hier geht es nicht mit rechten Dingen zu«, flüsterte Petrow. »Dieses Haus ist *verflucht.*«

»Das glaube ich nicht«, sagte Henry bestimmt. »Wann war das letzte Mal jemand in diesem Loch? Wissen Sie das?«

»Also im Kellerflur, da waren vorhin einige Leute, ich auch. Wir haben dort ein paar Sachen aus einem Regal geholt. Aber im Loch …«, brachte Petrow kaum hörbar hervor, »da war heute bestimmt noch niemand. Die Falltür ist immer zu, wenn wir nicht … Wir brauchen schließlich jedes Mal diese Sicherheitseinweisung, bevor wir …« Er brach ab, schien um Fassung zu ringen. Schließlich fuhr er fort. »Ich glaube, das letzte Mal waren wir gestern am späten Nachmittag da unten, als wir die Schlachtbank fertig aufgebaut … Ach so, und dann sind wir natürlich gestern Abend noch einmal in den Keller runter, aber nur Winkler, ein Techniker und ich. Kurz bevor wir hier fertig waren für den Tag«, fuhr Petrow flüsternd fort. »Wir mussten noch was besprechen für die Dreharbeiten. Da haben wir auch ins Loch runtergeschaut, und da hat Mona noch nicht dort gelegen.«

»Wann genau waren Sie gestern Abend fertig?«

»So gegen neunzehn Uhr dreißig, schätze ich.«

»Das bedeutet, Frau Laurent muss irgendwann nach dem Schluss der Dreharbeiten in den Keller gegangen sein.« Was, wenn er jetzt so darüber nachdachte, vermutlich dafür sprach, dass die Kamerafrau tatsächlich selbst die Saboteurin gewesen sein musste. Denn es war eigentlich kein Grund vorstellbar, was sie sonst am Abend in diesem Horrorhaus gemacht haben sollte. Sabotage konnte auch die »Scheißidee« gewesen sein, von der Benni Koch geredet hatte.

Der Hauptdarsteller saß etwas entfernt immer noch regungslos am Boden.

»Wie könnte sie ins Haus gekommen sein?«, fragte Henry.

»Keine Ahnung. Mit einem Dietrich? Und der Schlüssel hängt hier auch für alle zugänglich herum.«

»Ich würde vorschlagen, wir gehen nach oben«, sagte Henry. »Komm, Benni.« Koch regte sich nicht. Gemeinsam gingen sie hinüber und packten den Schauspieler, der vollkommen neben sich zu stehen schien, unter den Armen und halfen ihm auf die Beine. Er ließ sich willenlos zur Treppe führen.

Sie stiegen nach oben, das Stimmengewirr wurde lauter. »Isch des die Mona do unne?«, »Stimmt es, dass Mona tot ist?«, »Genickbruch? Ich mache hier nicht mehr weiter mit!«, »Es hadd khaiße, dass …« »… ein Wiedergänger! Die sind aus Fleisch und Blut, wie du und ich, nur tot halt. Wenn die dich angreifen …«, »… bestimmt nur ein Unfall«.

»Verlasst bitte alle das Haus«, übernahm Petrow das Kommando. »Niemand geht hinunter in den Keller. Thomas, hast du den Notruf angerufen?«

Der Techniker, der ebenfalls oben an der Tür stand, sagte: »Ha joo.«

Der Regisseur scheuchte die aufgeregte Menge nach draußen. Gemeinsam mit Henry führten sie Benni Koch zum Ausgang, der ständig »fuck, fuck« vor sich hin flüsterte. Eine Träne lief dem Hauptdarsteller jetzt über die Wange. Sie übergaben ihn der Sanitäterin, die die Dreharbeiten begleitete und die ihnen nun entgegenkam. Petrow zischte mit zittriger, kaum hörbarer

Stimme noch in Henrys Ohr: »Finden Sie heraus, wer das getan hat, Sie und Ihre Kollegin. Und zwar schnell. Ich drehe langsam durch.«

Henry beschloss, sich unter die anderen Filmleute zu mischen, die sich nun in und um das Cateringzelt drängten, und sich ein wenig umzuhören. Sobald sich die Möglichkeit bot, musste er auch noch einmal mit Benni Koch sprechen. Aber zuerst brauchte er einen Moment für sich alleine. Egal, wie kalt es draußen war in seinem Müller-Outfit.

Er schritt langsam durch die immer dunkler werdende Dämmerung in Richtung Parkplatz. Auch wenn es nicht das erste Mal war, dass er von Berufs wegen mit toten Menschen konfrontiert war, ging ihm der Fall nahe. Er zwang sich, nicht an die starren Augen der Frau mit dem gebrochenen Genick oder an ihre kalte Haut zu denken. Sie war höchstens ein paar Jahre älter als er gewesen, und es war kein schönes Gefühl, sich vorzustellen, so früh aus dem Leben gerissen zu werden. Er schlang die zwei Decken enger um sich. Zum Glück hatte die Kamerafrau, das wusste er von Suzanne, keine Kinder gehabt.

Der Wind wurde stärker, je weiter Henry aufs freie Feld kam, und seine eingeölte Haut schmerzte vor Kälte. Es half alles nichts, er musste zurück zu den anderen und irgendwohin ins Innere. Als er sich gerade umdrehen wollte, sah er Blaulicht auf der Landstraße, eine Sirene heulte auf, wenig später kamen zwei Polizeiautos auf dem Parkplatz zum Stehen. Mehrere Polizisten stiegen aus und schritten zügig auf das Horrorhaus zu, ein Krankenwagen hielt auf der Wiese.

Als Henry das Cateringzelt beinahe erreicht hatte, brauste ein Cabrio mit geschlossenem Verdeck heran und stoppte mit quietschenden Reifen mitten auf dem Vorplatz des Horrorhauses. Ein schlanker Mann Ende dreißig in einem hellbeigen Anzug und einem dunkelroten Hemd stieg aus. Henrys Puls beschleunigte sich. Das war Paul Conrad, ein Staatsanwalt. Er war es gewesen, der vor Kurzem gegen Henry selbst wegen Mordes ermittelt hatte. Zwar hatte Paul die Ermittlungen schließlich eingestellt, aber verdammt spät, musste man sagen. Er drehte sich so, dass der Jurist sein Gesicht nicht sehen konnte. Nicht auszudenken, wenn der Staatsanwalt ihn erkannte und vielleicht enttarnte. Er hatte bestimmt nicht unter Einsatz seines Lebens auf einem Eselkarren gestanden, nur um jetzt aufzufliegen!

»Was ist das hier denn für eine Schlamperei?«, hörte er Paul, der nun auf das Haus zumarschierte, einen Polizisten anbellen. »Herrgott nochmal, warum ist hier noch nicht …?« Die Worte des Staatsanwalts gingen in weiteren lauten Sirenen unter.

Henry versuchte, einen Platz im Inneren des Cateringzeltes zu ergattern, aber dort war es zu voll, und so ging er schließlich entschlossen hinüber zum Kostümwagen, um seine richtigen Kleider zurückzuholen. Es war ihm mittlerweile egal, ob seine Jacke, sein Pulli und seine Jeans eingeölt wurden, er hielt dieses Frieren einfach nicht mehr aus.

Nach seiner erfolgreichen Kleidermission gesellte er sich zu einer Gruppe Schauspieler, die wild darüber spekulierten, ob das Strichmännchen mit dem gebrochenen Genick auf dem Pappfensterladen Monas Tod angedroht hatte oder nicht. Suzanne hatte ihm von der Kritzelei erzählt. Ein junger Mann mit strubbeligen Haaren, einer modisch zerfetzten Jeans und ganz leicht badischem Einschlag merkte gerade an: »Das Männchen wurde am Sonntag gezeichnet. Aber am Sonntag war keiner von uns hier. Außer Petrow.«

»Glaubst du etwa, Petrow hat es selbst hingemalt?«, fragte ein älterer Mann mit Halbglatze.

»Aber das ergibt doch keinen Sinn«, warf eine Frau mit einer blonden Kurzhaarfrisur ein.

Auch Henry konnte sich eigentlich nicht vorstellen, dass der Regisseur ein Strichmännchen malen und danach vollkommen panisch Suzanne hätte anrufen sollen. Was für ein Motiv für so einen Unsinn hätte Petrow haben sollen?

»Ich habe eher den Hausmeister im Verdacht. Diesen Winkler«, fuhr die Blonde leise fort. »Der war bestimmt am Sonntag auch da. Der ist doch jeden Tag hier, um nach ›seinem‹ Haus zu schauen. Und Mona hat sich doch ein paar Mal ganz schön mit dem Typen gefetzt. Wahrscheinlich hat er das Strichmännchen gemalt. Als Warnung. Aber Mona hat die Warnung ignoriert. Und dann hat der Typ sie die Treppe runtergestoßen. Weil sie ohne Sicherheitseinweisung in den Keller wollte.« Die Schauspielerin zog eine Monsterfratze.

Der Mann mit der zerrissenen Jeans meinte ungläubig: »Nie im Leben. Winkler plustert sich vielleicht auf, aber da ist nichts dahinter. Der hat nicht den Mumm, jemanden umzubringen. Ich habe auch gehört, dass die Produktionsfirma ihn extrem gut dafür bezahlt, dass er hier während der Filmarbeiten auf die Einhaltung der Sicherheitsvorschriften schaut. Der will sich doch nur profilieren, deshalb ist er immer so ätzend. Ich denke, Monas Tod muss ein Unfall gewesen sein.«

»Ein Unfall? Das würde ich vielleicht glauben, wenn sie davor nicht so komisch ›verschwunden‹ wäre.« Eine junge Frau in einer mittelalterlichen Tracht mit einem sehr weiten Ausschnitt, in dessen Tiefen eingeölte Haut glänzte, wandte sich nun an Henry: »Warst du nicht gerade mit unten im Keller?«, fragte sie. »Stimmt es, dass man Mona durch Genickbruch ermordet hat?«

»Ich kann nicht sagen, ob sie ein gebrochenes Genick hatte, und schon gar nicht, ob man sie ermordet hat«, sagte Henry.

»Und Benni war bei dir, als du sie gefunden hast?«, fragte die Frau.

Henry nickte.

»Schon irgendwie komisch, dass ausgerechnet Benni sie gefunden hat, findet ihr nicht?«, bemerkte sie.

Henry wollte gerade »Warum das denn?« fragen, als Petrow in Begleitung von zwei Polizisten zu ihnen trat. »Dieser Herr hier ist der Schauspieler, der Mona entdeckt hat«, sagte Petrow zu einem der Polizisten und zeigte auf Henry.

»Würden Sie bitte kurz mit uns kommen?«, fragte der, und Henry nickte.

Nachdem er der Polizei ausführlich Rede und Antwort gestanden hatte, konnte Henry schließlich heim zu Suzanne fahren. Er war todmüde, als er wenig später ihre gemütliche Küche betrat. Suzanne saß mit einer Tasse Tee am Küchentisch und wippte im Takt zu Liams E-Gitarrenklängen, die aus dem umgebauten Weinkeller drangen, auf ihrem Stuhl hin und her und surfte im Internet.

»Mona Laurent ist tot«, sagte er ohne Einleitung und ließ sich zu ihr an den Küchentisch fallen. »Ich habe sie gefunden.«

»Was?« Sie fuhr hoch und kippte fast ihre Tasse über der Tastatur aus.

»Es sah aus wie ein Genickbruch. Sie ist in dieses Loch im Keller hinuntergestürzt.«

»Das ist ja grauenhaft.« Suzanne umklammerte ihre Tasse und sah plötzlich gequält aus. »Ich hätte das Strichmännchen ernster nehmen müssen. Es war ein Fehler zu denken, dass ein Kind das gemalt hat. Die arme Frau.«

»Niemand konnte ahnen, dass sie sterben würde. Und ich denke, dass es verdammt wahrscheinlich ist, dass sie selbst die Saboteurin des Films und das Ganze ein tragischer Unfall war. Neben ihr lag ein zerfleddertes Notizbuch und so eine altmodische Laterne. Vielleicht wollte sie das Zeug gerade entwenden, und dabei ist sie dann abgestürzt. So sah das Ganze für mich auf den ersten Blick jedenfalls aus.« Er fuhr sich übers Gesicht. Danach war seine Hand ölig-glitschig. »Ein bisschen seltsam fand ich nur, dass die Falltür über ihr geschlossen war. Und wie hat sie die überhaupt aufbekommen? Das Ding ist verdammt schwer. Es sei denn, sie war schon off…«

Suzannes Handy klingelte wild, und mit einem entschuldigenden Blick in seine Richtung nahm sie ab. Der Anrufer war ein vollkommen hysterischer Petrow, der sogar für Henry noch deutlich vernehmbar stöhnte, er könne sich nicht erklären, was seine Kamerafrau letzte Nacht im Keller des Horrorhauses getrieben habe, das könne nicht mit rechten Dingen zugegangen sein, und der Suzanne dann anflehte, den ganzen Fall »so schnell wie möglich« aufzuklären. »Ich habe nämlich nicht das Gefühl, dass die Polizei damit klarkommen wird«, ergänzte er. »Die sind nicht offen für übernatürliche Schwingungen. Anders als Sie, Sie haben die Anwesenheit des Bösen auch gespürt! Ich habe die nur ständig Leute beschwichtigen hören, dass Monas Tod vermutlich ein tragischer Unfall war und dass es keine Wiedergänger gibt.« Seine Stimme überschlug sich. »Aber das war nie im Leben ein normaler Unfall. Nicht in diesem Haus. Nicht an einem siebzigsten Todestag von Hildebrandt! Ich habe Ihnen doch gesagt, dass dieses Strichmännchen Monas Tod ankündigt! Das habe ich doch, richtig? Und jetzt wurde sie tatsächlich umgebracht.« Er holte mit einem rasselnden Geräusch Luft. »Die Produktionsfirma wird mit Sicherheit darauf bestehen, dass ich sobald wie möglich weiterdrehe, auch wenn ich ... Aber was, wenn das erst der Anfang war? Wenn weitere Leute sterben? Ich selbst vielleicht? Weil Hildebrandt oder sonst jemand etwas gegen meinen Film hat?«

Kapitel 10

Solange noch nicht klar war, ob Mona Laurent bei einem Unfall oder einem Tötungsdelikt gestorben war, musste der Fall zunächst so behandelt werden, als sei er ein Tötungsdelikt. Nur so war gewährleistet, dass man nichts übersah. Suzanne und Henry überlegten daher wenig später zu den leisen Klängen von »Leasing a Bomb« und »My Bitch drives an old Banger«, die Suzanne aufgelegt hatte, nachdem die Musik aus dem Keller verstummt war, wer ein Motiv gehabt haben könnte, die Kamerafrau umzubringen und welchen Spuren sie als Erstes nachgehen mussten.

»Ich denke, solange wir keine weiteren Anhaltspunkte haben, sollten wir zunächst die engsten Angehörigen überprüfen. Ganz häufig sind das nämlich die Mörder«, sagte Henry, während er sich ebenfalls eine Tasse Tee einschenkte.

Suzanne nickte. »Das ist richtig. Und der Ehemann ist ein ziemlich aggressiver Typ. Ich habe heute mit den Nachbarn der Laurents gesprochen, und einer meinte, er habe Mona Laurent manchmal drüben wimmern gehört. Wobei ich mir nicht sicher bin, wie glaubwürdig der war, denn er denkt auch, dass es Chemtrails und sowas gibt.« Sie trank einen Schluck. »Vielleicht hat der Sturz auch mit der Vergangenheit der Kamerafrau zu tun. Ihr Ehemann hat da so eine unbedachte Bemerkung gemacht, dass früher wohl irgendetwas passiert sei. Dazu erklären wollte er sich dann aber nicht.« Sie räusperte sich. »Aber was auch immer in der Vergangenheit gewesen sein könnte, wir müssen in diesem Fall natürlich vor allem die Möglichkeit in Betracht ziehen, dass Mona Laurents Tod etwas mit dem Film oder dem Horrorhaus zu tun hat. Ich meine, die Art, wie sie gestorben ist, und auch der Ort sind schon sehr auffällig. Daher sollten wir nach wie vor noch herausbekommen, wie und wohin sie verschwunden ist und, falls sie in den Tagen zwischen ihrem Verschwinden und ihrem Tod noch gelebt hat, was sie da gemacht hat.«

»Auf jeden Fall«, bekräftigte Henry. »Ein Zusammenhang zu dem Film könnte zum Beispiel darin bestehen, dass sie zwar die Saboteurin war, dass sie aber keinen Unfall hatte. Es könnte doch sein, dass jemand sie beim Klauen der Requisiten erwischt und deshalb die Treppe hinuntergeworfen hat. Petrow vielleicht?«

Suzanne zog sich einen Collegeblock und einen Kuli heran, die auf der Ablage lagen. Sie schrieb: *Ggf. Unfall. Während Sabotageversuch?*

Falls Tötungsdelikt:

Nächste Angehörige: Gerard Laurent (Ehemann) und Camille Roux (Schwester).

Motive?

Verdächtige aus Vergangenheit der Kamerafrau?

Sonstige mögliche Verdächtige: Danilo Petrow (Regisseur des Horrorfilms). Motiv: Wut über Sabotage. Sie schaute hoch. »Petrow war gerade am Telefon so panisch und besorgt um sein eigenes Leben, dass ich eigentlich weniger glaube, dass er der Mörder ist«, überlegte sie.

Henry zuckte mit den Schultern. »Von der Liste streichen können wir ihn später immer noch.«

Sie nickte.

»Falls Mona Laurent *nicht* die Saboteurin war, müssen wir unbedingt herausfinden, wer es dann gewesen ist. Denn der Saboteur könnte auch der Mörder sein. Wenn er oder sie von der Kamerafrau erwischt wurde beispielsweise«, sagte Henry, und Suzanne notierte unter *Sonstige mögliche Verdächtige* noch *Saboteur*in.*

Sie ließ ihren Kuli klicken. »Wobei sich da natürlich die wirklich interessante Frage stellen würde, was Mona Laurent in der Nacht in dem Haus gemacht hat. Wenn sie nicht die Saboteurin war, meine ich.«

»Da hast du verdammt recht. Was zur Hölle hätte sie sonst in dem Schuppen tun sollen?«

»Meinst du, es besteht wirklich die Möglichkeit, dass sie das

Horrorhaus nach ihrem Verschwinden nie mehr verlassen hat?«, fragte Suzanne.

»Ich bin kein Rechtsmediziner, aber für mich sah die Kamerafrau nicht so aus, als sei sie schon seit ein paar Tagen tot. Und das hätte sie ja sein müssen, falls sie im Horrorhaus versteckt gewesen wäre, denke ich. Sonst hätte sie irgendjemand gehört«, überlegte Henry. »Abgesehen davon: Wo hätte sie denn versteckt sein sollen?«

Eine Weile war es still. Eigentlich, so dachte Suzanne nach einer Weile, sprach die Tatsache, dass die Kamerafrau im Horrorhaus gestorben war, insgesamt eher für einen Unfall. Denn wenn man die unwahrscheinliche Möglichkeit außer Betracht ließ, dass sie dem Saboteur begegnet und von ihm umgebracht worden war, war es ansonsten doch fast auszuschließen, dass sich ein Täter oder eine Täterin in der Nacht »zufällig« ebenfalls im Horrorhaus aufgehalten hatten. Was möglich war, war, dass der Täter oder die Täterin dort mit der Kamerafrau verabredet gewesen war. Wobei kaum ein Grund vorstellbar schien, warum sich jemand in diesem alten Kasten verabreden sollte. Da war es wohl eher denkbar, dass jemand der Kamerafrau heimlich gefolgt war. Nur wer? Der Ehemann vielleicht?

Wenig später lag Suzanne im Bett, konnte aber lange nicht einschlafen. Sie wälzte sich herum, grübelte über den Fall nach und darüber, ob sie irgendetwas hätte besser machen und den Tod der Frau vielleicht hätte verhindern können. Als ihr Wecker am nächsten Morgen gegen sieben klingelte, schlappte sie todmüde ins Bad, um zu duschen.

Bevor sie ihren gelben Nicki-Schlafanzug ausgezogen hatte, klingelte ihr Handy. Es war die Chefin der Produktionsfirma, die mit scharfer Stimme um einen »Sachstandsbericht« bat und darauf drängte, Suzanne möge doch alle ihre anderen Fälle hintanstellen, man vergüte sie schließlich fürstlich und viel sei ja leider trotzdem noch nicht herausgekommen bei den Recherchen. Nicht einmal den Diebstahl der Requisiten habe sie aufklären können. Ob ihre Detektei schon mit einem Diebstahl überfordert sei? Ob die Produktionsfirma eine andere Detektei engagieren solle, die bessere Arbeit leiste? Die Dreharbeiten müssten endlich ungestört weitergehen können!

Suzanne stieg ein wenig angespannt unter die Dusche. Die Waage hatte sie ausgelassen, da sie keine Lust hatte auf noch jemanden, der ihr einen Vorwurf ins Gesicht schleuderte.

»Du hast getan, was du konntest, um Mona Laurent aufzuspüren«, sagte sie zu sich selbst, als sie sich mit ihrem Duschbad mit Zimt-Orangen-Geruch einschäumte. »Du hast erst am Sonntagabend vom Verschwinden der Frau erfahren, und am Dienstag war sie schon tot. In der kurzen Zeit hättest du nie im Leben mehr herausfinden können. Und Henry auch nicht. Das wäre unmöglich gewesen.«

Sie duschte sich lange und heiß den Schaum vom Körper.

Beim Frühstück beauftragte Suzanne Henry mit einigen Hintergrundrecherchen über Dr. Laurent und fuhr in die Detektei. Von dort aus rief sie als Erstes ihren Ex-Freund Emil an und lud ihn für Freitagabend zum Essen ein. Sie hatte vor, den Rechtsmediziner, der bislang keine Ahnung davon hatte, dass sie im Fall der toten Kamerafrau ermittelte, und daher erfreut zusagte, in angenehmer Atmosphäre ein wenig auszuquetschen. Denn egal, ob er nun selbst die Autopsie durchgeführt hatte oder einer seiner Kollegen, er würde wie immer einiges über den Fall wissen. Sie hatte nur ein ganz leicht schlechtes Gewissen, dass sie Emil den wahren Grund ihrer Einladung verschwieg, denn als Gegenleistung würde sie ihm einen hervorragenden Wein und ein Bioschweinefilet in Sahne-Morchel-Soße mit selbstgemachten Kartoffelkroketten nach dem Rezept ihrer französischen Großmutter kredenzen. Und als Nachtisch ihren lauwarmen Gâteau au chocolat mit angetauten, gezuckerten Himbeeren, über den Emil einmal gesagt hatte, wenn es ein Paradies gäbe, dann befände sich das gerade auf seiner Zunge.

Nun waren es leider noch zwei Tage hin bis Freitagabend, aber

Suzanne wusste aus Erfahrung, dass es immer eine Weile dauerte, bis Ergebnisse, etwa von Laboruntersuchungen, vorlagen, und weil sie möglichst viele Informationen wollte, musste sie Emil und den Ermittlungsbehörden ein wenig Zeit lassen.

Sie öffnete das Fenster und ließ ihren Blick über den Offenburger Marktplatz schweifen. Das Wetter hatte umgeschlagen, es war nicht mehr ganz so kalt, dafür aber regnerisch, und der Platz mit den hübschen bunten Häusern lag nass und menschenverlassen da.

Auch wenn es unabdingbar war, zunächst von einem Tötungsdelikt auszugehen, um nichts zu übersehen, war es natürlich gleichermaßen wichtig zu wissen, von was die Ermittlungsbehörden, die ja viel mehr Untersuchungsmöglichkeiten hatten, ausgingen. Und auch wenn Ermittlungsergebnisse immer Zeit brauchten: Bei der Frage »Unfall oder Mord?« würde es bei der Staatsanwaltschaft und der Polizei bereits eine Tendenz geben. Emil wollte sie noch nicht fragen, nicht, dass er dann doch nicht zum Essen kam.

Sie zögerte lange, aber schließlich ging sie zum Schreibtisch zurück und wählte Paul Conrads Durchwahlnummer bei der Staatsanwaltschaft, obwohl sie wusste, dass Paul sich nicht besonders darüber freute, wenn Detektive anriefen und versuchten, Informationen über eine seiner Ermittlungen aus ihm herauszubekommen. Da kannte er nichts, auch wenn sie früher in Offenburg in der Goethestraße Nachbarn gewesen waren. Seit ihrem letzten »gemeinsamen« Fall um einen ermordeten Winzer stand sogar zu befürchten, dass Paul so etwas wie eine richtiggehende Detektivphobie entwickelt hatte, und Suzanne war ehrlich genug, sich einzugestehen, dass sie ihm das nicht einmal würde verdenken können.

»Suzanne«, sagte Paul in misstrauischem Tonfall. »Wie geht es dir?«

»Oh gut, und selbst?«

»Ich bin ziemlich beschäftigt. Warum rufst du an?« Pauls Stimme hatte schon wieder diesen knallharten Staatsanwaltsklang.

»Ich ermittle im Todesfall Mona Laur…«

»Himmel nochmal, ich hatte gehofft, du kehrst endlich wieder zu den untreuen Ehepartnern und den Ladendiebstählen zurück. Aber im Grunde war es ja klar, dass es dir keine Lehre sein würde, dass du vor Kurzem beinahe ermordet worden bist.«

»Paul, ich denke, dieser Fall ist nicht …«

»Nicht so gefährlich wie dein letzter? Woraus schließt du das?«

Das war eine gute Frage, und Suzanne fiel auf die Schnelle keine Antwort ein.

»Na, also«, sagte Paul, er klang zufrieden. »Dann haben wir das ein für alle Mal geklärt. Todesfallermittlungen sind eine Sache für die Polizei, nicht für Laien. Am besten, du schreibst das auf und hängst es dir über den Schreibtisch, damit es sich besser einprägt.«

»Ich bin kein Laie, ich bin Privatdetek…«

Aber Paul hatte bereits aufgelegt. Großer Gott, warum hatte sie es überhaupt bei ihm versucht? Und bedeutete Pauls Reaktion, dass Monas Tod *kein* Unfall gewesen war? Denn dass ein Fall *gefährlich* war, musste doch heißen, dass es sich um Mord oder Totschlag handelte. Oder hatte Paul nur *grundsätzlich* etwas klären wollen? Wie auch immer, dann würde sie den Fall eben weiterhin wie ein Tötungsdelikt behandeln. Und am Freitag hatte sie ja das Abendessen mit Emil, der sicherlich Licht ins Dunkel bringen konnte.

Wenig später beschloss Suzanne, noch einmal nach Kehl zu fahren und sich ein wenig über ihren persönlichen Hauptverdächtigen, den Ehemann der Kamerafrau, umzuhören. Sie hatte in der Praxis unter falschem Namen angerufen, und ihr war gesagt worden, dass Dr. Laurent wegen eines Todesfalls in der Familie nicht im Haus sei. Nun wartete sie lange vor der Praxis, bis eine der Zahnarzthelferinnen zum Rauchen auf die Straße kam. Leider war die Frau nicht bereit, mit ihr zu reden, sondern ging sofort wortlos wieder ins Innere. Bei den Nachbarn der Praxis, einem jungen Ehepaar, hatte sie zwar mehr Glück, aber mehr, als dass

Dr. Laurent ein ausgesprochen höflicher und ruhiger Nachbar sei, von dem man kaum etwas mitbekomme, erfuhr sie nichts. »Und so eine hübsche, modebewusste Frau hat der«, fügte die junge Nachbarin noch hinzu. »Manchmal sind sie abends noch zusammen in der Praxis. Wahrscheinlich hilft sie ihm ein bisschen aus. Muss ja viel Arbeit sein, so eine große Selbständigkeit. Sie ist eigentlich Kamerafrau, wussten Sie das?«

Schließlich ging Suzanne zu Fuß zu Dr. Laurents Villa hinüber. Bevor sie die Klingel drückte, warf sie einen Blick durch die Stäbe des schmiedeeisernen Gartentors. Und stockte. Zwei Polizisten traten gerade mit dem Zahnarzt aus der Tür der Villa. Einer der beiden trug einen kleinen Scheinwerfer, der andere drei riesige Plastikäxte, die verdächtig nach Requisiten aussahen. Laurent schaute genau in ihre Richtung.

Instinktiv wich sie schnell ein Stück zurück und verbarg sich hinter einer immergrünen Hecke am Eingang des Nachbargartens. Sie war sich nicht ganz sicher, ob der Zahnarzt sie gesehen hatte, und legte sich schon eine Erklärung parat, falls einer der Polizisten sie gleich aus dem Gebüsch zerren sollte, aber nichts geschah.

»Ich kann es immer noch nicht glauben«, hörte sie Dr. Laurents Stimme jetzt auf der anderen Seite der Hecke. »Mich hat fast der Schlag getroffen, als ich diese Äxte neben unserer Mülltonne gefunden habe. Und als ich dann noch erfahren habe, dass Mona das persönliche Notizbuch von diesem Regisseur und irgend so eine Laterne bei sich hatte, die sie wohl entwenden wollte … Ich dachte, ich kenne meine geliebte …« Seine Stimme brach, dann fuhr er fort: »… meine geliebte Frau, aber jetzt muss ich feststellen, dass ich sie nie … Ich mache mir Vorwürfe. Ich hätte es erkennen müssen. Ich hätte sie sicherlich davon abhalten können, dass sie Requisiten stiehlt. Nur woher hätte ich wissen sollen, dass sie so unglücklich war bei ihrem Film? Ich dachte, sie macht das gerne.« Er schluchzte. »Aufgrund ihrer Vergangenheit kann ich natürlich nicht hart über sie urteilen, und im Hinblick darauf, dass sie bei ihrer … ihrer Tätigkeit verunglückt ist, hoffe ich natürlich, dass auch Sie den Vorfall mit der gebotenen Diskretion …« Wieder schluchzte er.

Einer der Polizisten, ein grauhaariger, freundlich aussehender Mann, sagte: »Wenn sich herausstellt, dass es ein Unfall gewesen ist, und so scheint es derzeit, werden wir den Requisitendiebstahl mit Sicherheit nicht an die große Glocke hängen. Das versteht sich von selbst.«

Schritte knirschten auf das Tor zu. Suzanne verzog sich noch etwas weiter hinter die Nachbarhecke und spähte durch eine lichte Stelle. Laurent und die Polizisten waren nun an der Straße angekommen. Sie war nicht sonderlich gut verborgen, aber niemand sah zu ihr herüber. Der Zahnarzt schwankte, er schien sich vor Kummer kaum aufrecht halten zu können, und er tat Suzanne aufrichtig leid. Er mochte ein Ekel sein, aber wenn er nichts mit dem Tod seiner Frau tun hatte, sondern sie tatsächlich beim Requisitenklau verunglückt war, und danach sah es im Moment ja aus, dann hatte er einen furchtbaren Schicksalsschlag erlitten.

Der grauhaarige Polizist legte Laurent mitfühlend eine Hand auf die Schulter. »Können Sie sich eigentlich vorstellen, wo Ihre Frau den Rest der Requisiten versteckt haben könnte? Es ist ja viel mehr verschwunden als nur diese Äxte hier.«

Der Zahnarzt schüttelte den Kopf. Dann presste er sich die Hand auf die Augen. »Vielleicht … vielleicht hat sie sie … zerstört? Oder weggeworfen? Ich … ich dachte vorhin, sie hat sie vielleicht in die Kinzig … Hinter dem Horrorhaus, wissen Sie? Wie … wie konnte sie mir sowas antun? Sie weiß, wie wichtig mein guter Ruf für mich und die Praxis ist.« Er weinte nun hemmungslos.

Suzanne fand es ein wenig merkwürdig, dass Laurent sich in so einer Situation um seinen guten Ruf Gedanken machte. Andererseits äußerte Trauer sich ja nicht immer logisch.

»Warum könnte Ihre Frau die Gegenstände weggenommen haben, was meinen Sie?«, meldete sich nun der andere Polizist zu Wort. Er war jung und rothaarig und hatte einen Ziegenbart.

Laurent zuckte mit den Schultern. Es dauerte eine Weile, bis er sich wieder ein wenig beruhigt hatte. Erneut wischte er über seine Augen. »Keine Ahnung«, sagte er dann. »Ich denke, wie gesagt, dass sie einen Hass auf ihre Arbeit … oder auf diesen Regisseur … Petrow.« Er räusperte sich. »Verständlich. Ein grauenhafter Typ. Er hat mich mehr als einmal warten lassen, wenn ich meine Frau abholen … Einmal sogar über fünfzehn Minuten!« Er stockte, schien zu zögern. »Es gibt etwas, dass ich Ihnen noch nicht … Es ist einfach zu schmerzlich für mich.«

»Lassen Sie sich Zeit. Aber alles, was wir erfahren, kann wichtig sein«, sagte der grauhaarige Polizist wieder und schaute Laurent aufmunternd an. Suzanne purzelte fast aus dem Gebüsch bei dem Versuch, alles zu sehen und zu hören.

Der Zahnarzt schien sich zu winden. »Meine Frau … Also da beim Film …« Er brach ab. »Als ob die da eine Gehirnwäsche bei ihr durchgeführt hätten. Das war bestimmt dieser Petrow, der ihr eingeredet hat, dass es übernatürliche Wesen gibt! Sowas hat sie davor noch nie … Aber seit Kurzem erzählt sie ständig, dass es in diesem Haus spukt und dass dieser Hildebrandt … Also Hildebrandt ist laut diesem Regisseur ein Wiedergänger. Und Mona sagte, dass Hildebrandt Besitz von Leuten ergreifen kann und sie dann dazu zwingt, dass sie irgendwelche Dinge für ihn tun. Vollkommener Unsinn natürlich. Aber vielleicht meinte sie ja, sie müsse die Gegenstände klauen, weil dieser Hildebrandt es ihr befiehlt.«

Die beiden Polizisten fuhren wenig später, und Suzanne kam hinter ihrer Hecke hervor und ging zu ihrem Auto zurück. Es sah ganz so aus, als wäre dieser Fall schnell gelöst. Mona Laurent war verunglückt. Während sie den Motor anließ, musste sie plötzlich wieder an ihr Gespräch mit Henry vom Vorabend denken. Dass die Kamerafrau nämlich unter der *geschlossenen* Falltür gelegen hatte. Über die Freisprecheinrichtung rief sie Petrow an, während sie langsam durch Kehl Richtung Bundesstraße fuhr.

»Sagen Sie mal, diese Falltür, unter der Ihre Kamerafrau gefunden wurde, war die eigentlich am Abend ihres Todes zu? Weiß man das schon?«, fragte sie, nachdem der Regisseur abgenommen hatte.

Petrow schnaubte. »Die Polizei vermutet im Moment, dass die Falltür geöffnet gewesen sein muss, als Mona an ihrem Todesabend in den Keller gestiegen ist. Und nicht nur das. Die Tür war anscheinend auch nicht ordnungsgemäß an der Wand befestigt! Die ist wieder zugefallen und hat Mona getroffen, und so ist sie gestürzt. Dieser Winkler, das ist der vermaledeite Hausmeister von diesem Haus, hat also gar nichts kontrolliert! Aber *uns* ständig Sicherheitsvorträge halten!« Erneut schnaubte er wütend. »Es ist seine *von ihm selbst erwählte* Aufgabe zu kontrollieren, dass die Falltür am Abend immer geschlossen ist. Er ist ja der Ansicht, nur er sei dazu in der Lage.« Der Regisseur fauchte. »Ich habe ihm vertraut. Er war immer so verflucht gründlich. Wir waren am Montagabend noch kurz im Keller, um einige Dinge für die anstehenden Dreharbeiten im Loch zu besprechen, und Winkler und ein Techniker, Marc Busse, sollten danach die Falltür schließen. Da war ich schon wieder oben, weil ich noch etwas anderes nachschauen musste. Winkler und Busse behaupten steif und fest, die Tür sei ordnungsgemäß geschlossen gewesen. Aber das kann ja wohl kaum der Fall gewesen sein.«

»Hätte Frau Laurent die Falltür auch alleine öffnen können, falls Winkler und der Techniker die Wahrheit sagen?«, fragte Suzanne und hielt an einer Ampel.

»Eigentlich nicht, nein. Das Ding ist tonnenschwer. Aber es gibt hinten an der Wand eine Vorrichtung, so eine Art historischen Flaschenzug, mit dem man die Falltür mit einem Seil hochziehen kann. Man muss allerdings wissen, wie. Das ist aber lebensgefährlich, da die Seile leicht durchgescheuert werden können. Daher wurden wir vor dem Dreh angewiesen, um jeden Preis die Finger von diesem Flaschenzug zu lassen, wenn wir nicht erschlagen werden wollen. Keine Ahnung, ob Mona von dem Flaschenzug wusste und ob sie ihn benutzt hat. Die Polizei prüft das bestimmt, aber die sagen mir ja nichts Genaues.« Petrow wirkte empört. »Wenn Sie meine Meinung hören wollen, war die Falltür an dem Abend schon offen, und es ist

Winklers Schuld, dass meine Kamerafrau tot ist!« Er hustete. »Den sollte man wegen Totschlags ins Gefängnis stecken!«

Suzanne fuhr wieder an, als die Ampel auf Grün umsprang. »Ich war gerade in Kehl«, sagte sie und erzählte dem Regisseur von dem Gespräch zwischen Dr. Laurent und den Polizisten, das sie belauscht hatte.

»Ich kann mir nach wie vor nicht vorstellen, dass Mona etwas gegen mich oder gegen meinen Film gehabt haben soll.« Petrow wirkte nachdenklich. »Und die haben auch das Flammkuchenblech und die Kuckucksuhr und das ganze Zeug gefunden? Oder was meinen Sie mit *Requisiten*? Das Blech war so schwer, dass Mona das niemals alleine hätte transportieren können. Schon gar nicht die steilen Kellertreppen hoch. Wie erklären die sich das?«

Das war eine wirklich gute Frage! Suzanne atmete ein wenig schneller. »Das weiß ich leider nicht, aber ich finde es heraus. Und nein, wie gesagt, es waren nur drei Plastikäxte, die gefunden wurden. Jedenfalls, was ich gesehen haben. Und ein kleiner Scheinwerfer.«

»Wie sahen die Äxte denn aus?«

Suzanne versuchte, sich genau zu erinnern. »Hellgraues Plastik, schwarzer Griff. Ziemlich gewöhnlich, aber recht groß.«

»Das ist auch merkwürdig«, sagte Petrow.

»Warum?«

»Na ja, ich glaube, dass diese Äxte … Die haben ursprünglich zu der Schlachtbank im Loch gehört. Aber wir hatten sie aussortiert, weil sie so billig aussahen und nicht in mein Konzept vom Regionalhorror … Schon allein das ist seltsam, denn bislang sind immer für den nächsten Drehtag wichtige Gegenstände verschwunden. Und diese Dinger wollten wir gar nicht im Film haben.« Er schluckte. »Aber was ich richtig komisch finde, ist: Ich bin mir fast sicher, dass wir die Äxte erst am Montag ausgemustert haben. Ich glaube, das war am frühen Abend, nachdem wir die Szenen im Zimmer der Siechenmutter gedreht haben.«

Suzanne schlug mit der Hand aufs Lenkrad. »Sie meinen, die

Äxte müssen in der Nacht auf Dienstag verschwunden sein? In der Nacht, in der die Kamerafrau vermutlich auch gestorben ist?«

»Ich kann mich täuschen, aber ich denke schon«, sagte Petrow. »Damit ist es recht unwahrscheinlich, dass sie selbst sie weggenommen hat. Oder halten Sie es für vorstellbar, dass Mona in der Nacht zweimal im Horrorhaus war? Und zwischendrin nach Hause gefahren ist, um die Äxte dorthin zu bringen?«

»Auch wenn wir im Moment noch nichts ausschließen können: wohl eher nicht«, antwortete Suzanne. Bei der nächsten Gelegenheit wendete sie den Wagen und fuhr zu Dr. Laurents Villa zurück.

Kapitel 11

Suzanne ging zu Dr. Laurents Gartentor und klingelte. Sie wollte den Mann eigentlich nicht in seiner Trauer stören, aber die Sache mit den Requisiten musste sie klären.

Ein Hausmädchen, das in seinem schwarzen Kleid und der weißen Schürze aussah wie einem alten englischen Film entsprungen, öffnete ihr per Knopfdruck das elektrische Gartentor und wartete an der Haustür auf sie. Hinter der Angestellten tauchte eine Sekunde später der Zahnarzt persönlich auf. Sein Gesichtsausdruck war traurig und angespannt, und er sprach mit schleppender, leidender Stimme, als Suzanne auf ihn zutrat: »Ich bin am Boden zerstört. Bitte respektieren Sie das und gehen Sie wieder, Suzanne.«

»Mein Beileid. Ich …« Sie sollte wirklich einfach gehen. Es war nicht angemessen, den Mann an einem solchen Tag zu behelligen.

»Der Fall ist gelöst«, fuhr der jetzt fort und senkte den Kopf. »Tragisch, wie alles ausgegangen ist.«

»Ich könnte mir vorstellen, dass Ihre Frau gar nicht die Requisitendiebin war«, sagte Suzanne. »Einige der Requisiten waren nämlich sehr schwer, und ich frage mich, ob sie …«

»Mona hat viel Sport getrieben und war kräftig«, unterbrach Laurent sie schroff. »Und weshalb hätte sie sonst in der Nacht in diesen dreckigen, alten Kasten gehen sollen? Mir hat es schon gereicht, dass ich einmal hineinmusste. An dem Tag, als sie verschwunden ist. Habe mir schon im Flur fast die Schuhe ruiniert, und in den Keller hätten mich keine zehn Pferde gebracht. Mona hat mir ständig erzählt, dass da die Decke einsturzgefährdet ist und sowas. Man kann nicht verstehen, warum sie ausgerechnet dort …« Seine Stimme versagte fast. »Wenn meine Frau die Requisiten nicht weggenommen hätte, wie hätten die Äxte sonst neben unsere Mülltonnen gelangen können?« Er zeigte auf eine gemauerte Box mit Metalltüren ganz in der Nähe des Gartentors.

Dr. Laurent hätte sie da selbst deponieren können, dachte Suzanne. Oder aber, so ging ihr plötzlich durch den Kopf, es war ohne Weiteres möglich, dass jemand über den Zaun geklettert war und die Äxte dort deponiert hatte, vielleicht um Mona Laurent die Sabotage oder dem Zahnarzt einen möglichen Mord in die Schuhe zu schieben. Denn soweit sie sehen konnte, gab es keine Kameras oder Ähnliches am Zaun.

»Und jetzt würde ich Sie wirklich bitten zu gehen«, fuhr Dr. Laurent fort. »Oder ich informiere die Polizei und lasse Sie von meinem Grundstück entfernen. Und hören Sie bitte auf, meinen guten Ruf zu ruinieren, indem Sie bei meinen Nachbarn Ermittlungen über mich anstellen. Ich bin genau wie Sie selbständig, und Sie wissen ja, wie wichtig ein tadelloses Renommee ist.« Der Blick, den er ihr zuwarf, war mit einem Mal so hasserfüllt, dass ihr ein Schauder den Rücken hinunterlief.

Um die Mittagszeit traf Suzanne sich mit Henry im Eiscafé *Palazzo* am Lindenplatz. Henry wartete schon auf sie. Er trug einen schwarzen Anzug und eine sichtlich teure, wenn auch ein wenig betagte Uhr, und trank einen Espresso. Sie setzte sich ihm gegenüber und zog ihre Daunenjacke aus, die sie über einem ihrer Lieblingswollpullover trug. Das Muster gefiel ihr besonders gut, denn es bestand aus vielen bunten Ziegen auf hellblauem Grund.

»Ich habe ein bisschen recherchiert und mich vorhin noch mit einem ehemaligen Kollegen getroffen«, sagte Henry und schaute triumphierend. »Ich wusste gar nicht, wo ich überall Leute kenne. Aber mit dem war ich zusammen in der Polizeiausbildung. Netter Kerl.« Er zögerte eine Sekunde, dann fügte er lapidar hinzu: »War, glaube ich, ein bisschen neidisch, dass ich so eine erfolgreiche Detektei habe.«

Suzanne sagte nichts dazu. Sie wusste, dass Henry pleite und obdachlos war, aber sie wollte ihn nicht bloßstellen. Sie bestellte einen Kaffee und fragte: »Was hast du denn herausgefunden?«

Henry zückte ein paar Notizzettel aus einer Mappe. »Also«, er schaute auf das oberste Blatt. »Falls Dr. Laurent seine Frau ermordet haben sollte, hat er es wohl nicht wegen des Geldes getan. Mona Laurent hat zwar eine winzige Wohnung in Paris und ein bisschen Kohle auf dem Konto, aber das hat sie alles ihrer Schwester vermacht, dieser Camille Roux. Laurent hätte nur den Pflichtteil bekommen. Ich habe Achim gefragt, das wären hier geschätzt irgendwas zwischen fünfzig- und hunderttausend Euro gewesen.« Er trank seinen Espresso aus und bestellte sich mit einer Handbewegung noch einen. »Laurent selbst ist hingegen steinreich. Offenbar hat er vor Jahren ein großes Mehrfamilienhaus in Frankfurt am Main, drei Millionen und mehrere wertvolle Kunstobjekte von einer älteren Dame aus Hanau geerbt. Das Geld kam ihm sehr gelegen, da er zu dem Zeitpunkt seine Praxis komplett renoviert und sehr teuer ausgebaut hat. Der Fall hat in den Frankfurter Lokalnachrichten einige kleinere Wellen geschlagen, da der Sohn der älteren Dame und eigentliche Alleinerbe behauptet hat, Laurent habe seine leicht demente Mutter mit falschen Versprechungen und Täuschungen dazu gebracht, das neue Testament aufzusetzen. Die Polizei fand die Sache zwar auffällig, kam aber zu dem Schluss, dass alles mit rechten Dingen zugegangen ist, und der Zahnarzt konnte sein Erbe behalten.«

Die Getränke kamen, und sie bedankten sich.

»Ich habe meinen ehemaligen Kollegen nach Hintergründen zu diesem Fall gefragt, und er hat mir erzählt, dass die Laurents wohl ein Segelboot besitzen und vor einigen Jahren an der Côte d'Azur eine betagte, alleinstehende Dame aus Hanau kennengelernt haben«, fuhr Henry fort. »Ilse Steiner. Sie war offenbar äußerst angetan von dem sympathischen Zahnarzt und seiner hübschen Frau und außerdem wohl sehr einsam. Jedenfalls hat sie die gelegentlichen Einladungen der Laurents dankbar angenommen. Im Jahr danach ist der gute Doktor immer wieder nach Hanau gefahren, um Ilse Steiner zu besuchen. Der Sohn, Markus Steiner, ein Broker, ist irgendwann misstrauisch geworden und hat sich an die Polizei gewandt, die aber nichts tun konnte. Ilse Steiner hat nämlich anscheinend mehrfach ausgesagt, die Laurents seien gute Freunde und ihr Sohn sei schon immer ein bisschen paranoid gewesen. Irgendwann hat Ilse Steiner klammheimlich ihr Testament geändert, bei einem Anwalt in Frankfurt. Und wenig später ging es rapide abwärts mit ihr. So rapide, dass man meines Erachtens hätte misstrauisch werden müssen.«

Er blätterte seine Notizen um. »Jedenfalls ist sie gestorben, und da sie bereits 96 war, hat es keine Autopsie gegeben. Weil der Hausarzt der Toten von einem eindeutig natürlichen Tod ausgegangen ist und weil Markus Steiner noch nichts von dem neuen Testament wusste, hat er keine Privatautopsie in Auftrag gegeben. Er hat seine Mutter ihrem Willen entsprechend einäschern lassen. Einige Tage nach der Einäscherung hat sich dann ein Anwalt bei ihm gemeldet, der ihm das neue Testament von Ilse Steiner zugeschickt hat. Markus Steiner hat Dr. Laurent daraufhin verklagt und nun auch wegen des plötzlichen Todes seiner Mutter Vorwürfe gegen ihn erhoben. Aber der Prozess endete damit, dass Steiner an einem Herzinfarkt starb, mitten im Gerichtssaal. Hier gab es nun eine Autopsie, aber es stellte sich heraus, dass Steiner vor dem Prozess mehrere extrem starke Energiedrinks getrunken haben musste, was zu dem Infarkt geführt hat. Da er den ganzen Kühlschrank voll hatte mit diversen Aufputschgetränken und im Mülleimer mindestens zehn leere Dosen lagen, ist auch hier niemand misstrauisch geworden. Und vielleicht war es ja auch wirklich so.«

»Aber du denkst, dass mit dem Energiedrink, den er vor dem Prozess getrunken hat, etwas nicht gestimmt haben könnte?«

»Keine Ahnung, aber vorstellbar wäre es. Ich habe nach meinem Gespräch mit dem Kollegen nämlich ein bisschen weiterrecherchiert, und mir ist noch etwas aufgefallen.« Henry zückte sein Handy und rief im Internet einen uralten Zeitungsartikel auf, der über den Tod eines freiwilligen Feuerwehrmanns berichtete. »Dr. Laurents Eltern sind beide bei einem Bergunfall ums

Leben gekommen. Praktischerweise genau zu dem Zeitpunkt, als der Zahnarzt das Geld für den Kauf seiner Praxis benötigt hat. Das kann ein Zufall sein, aber auffällig finde ich es schon, dass die Leute in seiner Umgebung immer dann sterben, wenn er Geld braucht.« Er räusperte sich. »Allerdings benötigt er im Moment definitiv kein Geld. Er verfügt, wie gesagt, über ein Vermögen von mehreren Millionen. Wenn Geld das Motiv für Mona Laurents Tod gewesen sein sollte, dann müssen wir wohl eher mit der Schwester reden.«

»Hervorragende Arbeit«, sagte Suzanne anerkennend. »Die Schwester übernehme ich, mit der wollte ich eh nochmal sprechen. Sie schien mir sehr nervös zu sein, als ich das letzte Mal bei ihr war.«

»Dr. Laurent ist in meinen Augen allerdings trotzdem weiterhin verdammt verdächtig«, fügte Henry hinzu. »Ich meine, falls er bereits mehrfach getötet hat, ist seine Hemmschwelle, jetzt auch noch seine Frau umzubringen, natürlich niedriger. Was für ein Motiv auch immer dahinterstecken könnte. Wahrscheinlich Eifersucht oder sowas.«

Suzanne nickte zustimmend. »Allerdings halte ich es mittlerweile auch für denkbar, dass jemand versucht, ihm die Tat in die Schuhe zu schieben. Wir sollten auch diese Möglichkeit nicht ausschließen.« Sie erzählte ihm von den Äxten neben der Mülltonne und auch sonst alles, was sie herausgefunden hatte.

»Die Sache mit dem schweren Flammkuchenblech und der Falltür ist schon ziemlich auffällig. Wir müssen unbedingt auch noch einmal mit dem Hausmeister reden, wie es denn jetzt genau war an dem Abend«, meinte Henry interessiert, als sie geendet hatte.

»Ich rede mit ihm«, stimmte Suzanne zu. »Und ich denke, wir sollten uns auch noch weiter unter den Schauspielern umhören. Das könntest du übernehmen. Denn falls Mona Laurent nicht die Saboteurin gewesen sein sollte, muss sie ja einen anderen Grund gehabt haben, in der Nacht in dieses Haus zu gehen. Und auch einen anderen Grund, davor einige Tage lang spurlos zu verschwinden. Vielleicht hat irgendjemand von den Filmleuten eine Idee. Ich weiß nur nicht, wie wir das im Moment unauffällig …«

»Ich kann meine Deckung ja aufgeben«, schlug Henry schnell vor. »Die Dreharbeiten werden unter Umständen eh nicht weitergehen, oder? Ich könnte mir mal diesen Schauspieler vornehmen, der rausgeflogen ist. Niklas Schwarzer. Er hat vor mir den namenlosen Müller gespielt. Vielleicht war er wütend auf die Kamerafrau, weil sie ihn einen ›Ben Hur auf Crack‹ genannt hat, und das würde ihn verdächtig machen. Außerdem ist er wahrscheinlich gerne bereit, über die Produktion aus dem Nähkästchen zu plaudern. Bestimmt erfahren wir da interessante Dinge.«

Suzanne nickte. »Die Idee mit Schwarzer finde ich gut. Gib deine Deckung ansonsten aber noch nicht auf. Wir wissen nicht, ob wir nicht nochmal einen Undercovereinsatz brauchen.«

Henry musste an Nikita denken und erschauderte, nickte aber scheinbar gelassen. »Wie du magst.« Er warf noch einmal einen Blick auf die Zettel auf dem Tisch. »Ach so, und um nochmal auf den Zahnarzt zurückzukommen: Seine Praxis läuft wohl nicht so besonders, aber das wusstest du ja schon. Und was die Gerüchte über ihn angeht, da konnte ich bis auf die Körperverletzung nichts Handfestes herausfinden. Das Einzige, was ein bisschen merkwürdig ist, ist die Sache mit dem Einbrecher. Wahrscheinlich fällt das aber unter die Kategorie der Ammenmärchen.«

»Was für ein Einbrecher?«

»Anscheinend kursieren im Gefängnis in Offenburg Gerüchte über einen missglückten Einbruch bei Laurent. Ein junger Dieb, der vor ein oder zwei Jahren in die Zahnarztpraxis einbrechen wollte oder eingebrochen ist, da unterscheiden sich die Geschichten, soll spurlos verschwunden sein. Ich weiß nicht, was ich davon halten soll.«

»Einer der Nachbarn hat ja auch solche Horrorgeschichten angedeutet«, überlegte Suzanne. »Vielleicht müssen wir dem doch nachgehen.«

Henry überflog seine Zettel. »Ansonsten habe ich noch ein,

zwei Patienten gefunden, die sich über den Zahnarzt beschwert haben. Einmal hat er wohl eine Patientin fast geohrfeigt, und einer anderen hat er ins Gesicht gesagt, Kassenpatienten stünden für ihn auf der untersten Stufe der Nahrungskette.«

»Ein richtiger Arsch«, sagte Suzanne. »Was aber natürlich noch nicht heißt, dass er seine Frau umgebracht hat.«

»Aber möglich wäre es«, meinte Henry. »Wer weiß, vielleicht ist er ein bislang unerkannter Serienmörder? Die Dame in Frankfurt, ihr Sohn, der Einbrecher, seine Frau …«

»Vielleicht. Wir behalten ihn jedenfalls auf der Liste.«

Als Suzanne schließlich zu Fuß zurück zu ihrem Büro ging, klingelte ihr Handy. Es war Staatsanwalt Paul. »Suzanne«, schnarrte er, »ich habe gerade erfahren, dass du Dr. Laurent aufgesucht und belästigt haben sollst. Ist das zutreffend?«

Sie sagte nichts.

»Er hat ein Alibi, das erzähle ich dir jetzt mal im Vertrauen«, fuhr Paul fort. »Seine Nachbarn, ein älteres Ehepaar, haben mich gerade angerufen und mir erzählt, dass er an dem Abend, als seine Frau gestorben ist, zu Hause war.«

»Wann genau ist sie denn gestorben?«

»Das kann ich dir nicht sagen.«

»Haben die Nachbarn ihn den ganzen Abend beobachtet oder was? Das kann ich mir gar nicht vor…«

»Suzanne, ich meine es nur gut. Lass ihn einfach in Ruhe. Er könnte dir richtig Ärger machen. Zumal wir im Moment noch nicht einmal wissen, ob bei Mona Laurents Tod überhaupt Fremdeinwirkung vorliegt.«

Trotz Pauls gutgemeinter Warnung fuhr sie kurz darauf noch einmal nach Kehl. Eine etwa dreißigjährige Frau öffnete ihr die Tür, als sie bei dem älteren Ehepaar im Haus neben dem der Laurents klingelte. »Meine Eltern sind sehr aufgewühlt wegen Monas Tod, deswegen möchte ich sie jetzt nicht an die Tür holen«, sagte sie zu Suzanne, nachdem diese sich vorgestellt und nach dem Todesabend erkundigt hatte. »Aber das mit dem Alibi stimmt schon. Vater schläft nachts oft schlecht, und manchmal steht er dann stundenlang am Fenster und sieht hinaus. Und von dort oben«, sie zeigte auf ein großes Fenster, das in Richtung der Villa der Laurents hinausging, »kann er direkt in Gerards Wohnzimmer schauen.« Sie lächelte Suzanne freundlich an. »Ich kenne Gerard, er ist mein Zahnarzt, und er wirkt vielleicht manchmal ein bisschen arrogant. Aber im Grunde ist er ein guter Kerl, und fachlich ist er auch prima. Er hätte Mona im Leben nichts angetan. Er hat sie angebetet.«

Suzanne bedankte sich und ging nachdenklich wieder. Die Tochter der Nachbarn hatte sich absolut glaubwürdig angehört. Dr. Laurent hatte also tatsächlich ein Alibi. Es war in ihren Augen nicht bombenfest, und sie musste zuerst mal herausfinden, wann Mona Laurent genau gestorben war, aber der Zahnarzt rückte damit dennoch ziemlich weit nach hinten auf ihrer Verdächtigenliste.

Kapitel 12

Donnerstagvormittag fuhr Suzanne nach Willstätt, um mit dem Hausmeister des Horrorhauses über die Falltür zu sprechen. Der Mann wohnte in einer ruhigen, kleinen Straße am Ortsrand. Der Steingarten vor dem Haus war klinisch sauber, und die drei einzigen Pflanzen, Rosenstöcke, waren so brutal geschnitten, dass nur zentimeterkurze Dornenstümpfe aus dem Boden ragten. Genau die Art von Garten, die Suzanne nicht leiden konnte, weil hier keine Biene und kein Wildtier Nahrung oder Versteck fand. Verwunderlich fast, dass die Goldfische in dem Betonteich nicht farblich sortiert in Formation schwammen.

Sie klingelte, aber niemand öffnete ihr die Tür. Dafür ging im ersten Stock ein Fenster auf, und ein rundlicher Männerkopf mit Halbglatze sah auf sie herunter. »Ich habe doch gesagt, dass ich keine Päckchen für die Nachbarn annehme«, sagte der Mann. Seine Stimme hatte einen leicht plattdeutschen Einschlag.

»Sind Sie Herr Winkler?«

Sein Blick wurde irritiert und vorsichtig, dann sagte er: »Wer will das wissen?«

»Könnte ich kurz hereinkommen? Ich bin Privatdetektivin und bräuchte ein paar Informationen zum *Willstätter* …«

Das Gesicht des Mannes war plötzlich wie versteinert. »Ich gebe Ihnen mit Sicherheit keine Informationen. Lassen Sie mich in Ruhe«, sagte er unfreundlich. »Die wollen mir den Tod dieser Frau unterschieben. Dabei habe ich die Scheißfalltür zugemacht. Das ist die Wahrheit. Der Scheißtechniker war auch dabei. Richten Sie denen das aus.«

»Ich glaube Ihnen«, behauptete Suzanne. »Ich habe gehört, dass Sie sich ausgesprochen sorgfältig um das Haus kümmern. Mit Sicherheit kennt niemand das Gebäude besser als Sie.« Sie lächelte. »Deswegen wollte ich mich auch an Sie wenden. Weil ich mir dachte, vielleicht können Sie mir bei der Beantwortung der Frage helfen, ob Frau Laurent in der Lage gewesen wäre, die Falltür alleine zu öffnen. Oder wie sie in diesem Haus ›verschwinden‹ konnte.«

»Ich habe keine Ahnung, wie die magere Tussi das Ding alleine aufgemacht haben soll«, sagte er, ein wenig ruhiger nun. »Das wiegt Zentner. Aber irgendwie wird sie es hingekriegt haben, sie wurde ja schließlich im Loch gefunden. Denn ich habe die Tür ordnungsgemäß verschlossen.« Er rieb sich übers Gesicht. »Und wenn Sie wissen wollen, wie die Frau verschwunden ist, dann fragen Sie doch mal ihren kleinen Freund. Der hat ihr doch geholfen, ungesehen aus dem Haus zu kommen.«

»Welchen kleinen Freund?«

»Was weiß ich, wie der heißt. Er spielt die Hauptrolle in dem Scheißfilm. Ist verheiratet. Trägt einen fetten Goldring. Aber scharwenzelt immer um die Tussi rum. Dabei ist die viel zu alt für den. Arroganter Sack. Hält sich für was Besseres.« Er schnaufte ein paar Mal schwer. »Ich habe genau gehört, wie er gesagt hat, dass er glaubt, Hildebrandts Geist hätte Besitz von mir ergriffen. Von Hausmeister zu Hausmeister.« Er zeigte mit dem Finger auf Suzanne. »Ich kann mittlerweile von Herzen verstehen, dass Hildebrandt damals Lust hatte, ein paar Genicke zu brechen. Mir geht es in letzter Zeit ständig so. Besonders Petrows Genick. Aber ich konnte mich bisher zurückhalten; nur falls Sie jetzt glauben sollten, ich hätte die Tussi umgebracht. Denn das habe ich nicht.« Damit knallte er das Fenster zu und reagierte nicht mehr, obwohl sie noch zweimal die Klingel drückte.

Benni Koch, dachte Suzanne aufgeregt, als sie an Gärten, in denen hier und da bereits verfrühte Weihnachtsbeleuchtungen funkelten, vorbei zum Auto zurückging. Der »kleine Freund«. Konnte das, was der Hausmeister da gerade erzählt hatte, dafür sprechen, dass Mona Laurent und Benni Koch eine Affäre gehabt hatten? Das gäbe natürlich wieder dem Ehemann ein Motiv.

Aber es rückte auch Benni Koch in den Kreis der Verdächtigen. Hatten er und die Kamerafrau einen Streit gehabt, der eskaliert war? Hatte Mona Laurent vielleicht damit gedroht, alles Kochs Frau zu erzählen? Wobei, das erklärte noch nicht, warum die Kamerafrau in der Nacht im Horrorhaus … Es sei denn, Benni Koch und Mona Laurent hatten sich dort zum Sex getroffen. Ein Stelldichein auf der kargen Holzpritsche der Siechenmutter war sicherlich nicht jedermanns Geschmack, aber unvorstellbar war es nicht.

Suzanne rollte eine Haarsträhne über ihren Finger. Nur war Mona Laurent im Keller gestorben, und der Keller war ja nun der ungemütlichste Ort in diesem Haus. Aber vielleicht hatten die zwei gerade daran Spaß gehabt? Sex auf der Treppe hinunter ins Loch? Konnte das die »Scheißidee« gewesen sein, von der Henry erzählt hatte? Sie musste Emil fragen, ob die Kamerafrau vor ihrem Tod Geschlechtsverkehr gehabt hatte. Und sie musste unbedingt dafür sorgen, dass Henry noch einmal die Möglichkeit bekam, undercover mit Benni Koch und den anderen Schauspielern zu sprechen. Sie rief Petrow auf dem Handy an, und zumindest dieses Problem war schnell gelöst.

Nachdem Suzanne herausgefunden hatte, dass Paul um halb elf einen Gerichtstermin in einer Diebstahlsache hatte, der nicht so aussah, als würde er lange dauern, kaufte sie ein wenig Gemüse ein und trieb sich dann mit einer Einkaufstasche, aus der Lauchstangen ragten, eine Dreiviertelstunde in der Nähe des Gerichts herum, um den Staatsanwalt »zufällig« zu treffen.

Paul kam schließlich mit einer Robe über dem Arm und einer großen Aktentasche in der Hand aus dem Gebäude gestürmt und rannte sie fast um.

»Suzanne«, sagte er streng. »Was machst du denn hier?«

»Das ist eine öffentliche Straße. Ich komme gerade vom Einkaufen«, erwiderte sie lässig und zeigte auf die Lauchstangen in ihrer Tasche. »Und du?«

Der Staatsanwalt musterte sie. Er sah nicht so aus, als glaube er ihr die Geschichte. »Dann einen schönen Tag noch.« Er drehte sich um und ging. Suzanne wollte gerade zu ihm aufschließen und gestehen, dass sie gehofft hatte, ihn zu treffen, als ein weiterer Mann in Anzug und Robe aus dem Gericht gelaufen kam, offenbar ein Verteidiger, denn er rief Paul hinterher: »Herr Staatsanwalt, ich bin schockiert über das Landrecht, das hier …«

Paul blieb ruckartig stehen und drehte sich wieder um. »Landrecht?«, fragte er hart. »Nennen Sie die Strafprozessordnung etwa ›Landrecht‹? Gehen Sie doch in Berufung, wenn es Ihnen nicht passt. An den Beweisen gegen Ihren Mandanten gibt es nichts zu rütteln. Das werden Sie schnell feststellen. Und jetzt lassen Sie mich bitte in Ruhe.«

»Ich werde Ihnen die Hölle heiß machen«, knurrte der Verteidiger.

»Ich freue mich drauf«, knurrte Paul zurück.

»Wer im Glashaus sitzt …«

»Ich sitze nicht im Glashaus.«

Der Verteidiger zuckte mit den Schultern und grinste schmierig.

»Passen Sie auf mit dem, was Sie ins Blaue hinein behaupten«, fuhr Paul ihn weiter an. »Ich habe kein Problem damit, Sie wegen Verleumdung vor Gericht zu bringen. Nicht das geringste.« Dann ging er eilig davon.

Auch wenn es denkbar schlechte Voraussetzungen für ein Gespräch waren, folgte Suzanne ihm. An der Moltkestraße hatte sie ihn eingeholt. »Paul«, sagte sie ein wenig außer Atem. »Bitte warte auf mich.«

»Weißt du was?«, fragte der, ohne stehen zu bleiben. »Manchmal kotzt mich der Job sowas von an, ich kann es dir gar nicht sagen.«

»Verstehe ich«, schnaufte sie. »Geht mir genauso. Lass uns einen Kaffee trinken und ein bisschen quatschen. Das wird dich runterbringen.«

Paul wurde langsamer. »Ich muss verrückt sein, aber von mir aus. Ins Büro gehe ich heute nämlich garantiert nicht mehr.« Er sagte es in einem Tonfall, als erwarte ihn Grauenhaftes bei der Arbeit.

»Was ist denn los?«, fragte sie.

»Nichts.« Paul winkte mit einer Handbewegung ab. »Die Verteidiger nerven nur von Jahr zu Jahr mehr. Wo wollen wir hin?« Er klang müde.

Sie setzten sich ins *Schoellmanns*, bestellten Milchkaffee und quatschten eine Weile über die Zeit, als sie noch im gleichen Haus in der Goethestraße gewohnt hatten, Tür an Tür. Schließlich fragte Suzanne: »Und, wie kommt ihr mit den Ermittlungen in der Laurent-Sache voran?«

Paul spielte mit seinem Getränk herum. »Es deutet vieles auf einen Unfall hin. Fast alles eigentlich.«

»Die Frage ist nur, wie Mona Laurent es geschafft hat, dieses schwere Flammkuchenblech zu tragen, falls sie die Saboteurin des Films gewesen sein sollte, und wo die ganzen Requisiten abgeblieben sind, oder?«

Paul verzog den Mund. »Was die Requisiten angeht: Wir wissen im Moment nur, wo sie *nicht* sind: in der Kinzig nämlich. Da haben wir gesucht. Vier rostige Fahrräder und ein alter Kinderwagen. Sonst nichts.« Er umschloss seine Tasse mit beiden Händen, als sei ihm kalt. »Ich weiß, dass es Ungereimtheiten in diesem Fall gibt. Und wir gehen dem selbstverständlich nach. Ich halte es nach den Ausführungen von diesem Petrow dazu, wie er diese Dreharbeiten organisiert, allerdings auch für möglich, dass das Blech und die anderen Gegenstände einfach verschlampt wurden.« Er nippte an dem Wasser, das er sich zu seinem Kaffee bestellt hatte. »Eine weitere Möglichkeit wäre es, dass Mona Laurent bei der Sabotage einen Helfer oder eine Helferin hatte.«

»Könnte dieser Helfer Benni Koch gewesen sein?«, fragte Suzanne, ihr Atem ging ein wenig schneller.

»Keine Ahnung. Wir wissen ja nicht mal, ob es überhaupt einen Helfer gab. Hinweise darauf haben wir bislang noch nicht gefunden. Wie kommst du auf Koch?«

»Ich habe gehört, sie hätte sich gut mit ihm verstanden. Wie ist sie eigentlich ins Horrorhaus hineingekommen an dem Abend?«

»Mit einem Dietrich. Sie hatte ihn noch bei sich.«

»Wann genau ist sie gestorben?«

Paul wand sich sichtlich. »Suzanne, ich kann dich wirklich gut leiden, aber ich habe einfach kein gutes Gefühl, wenn ich mit dir über diese Dinge spreche. Ich darf das eigentlich nicht. Und ich habe im Moment … Ich habe einfach genug Ärger.« Er sah ziemlich blass aus.

»Tut mir leid«, lenkte sie ein. »Berufskrankheit.«

»Es ist nicht so, dass ich deine Hartnäckigkeit nicht irgendwie bewundere.« Paul zögerte, dann sagte er: »Deshalb … Egal. Was machst du denn jetzt mit dem ganzen Lauch?«

»Den verkoche ich schon irgendwie.« Suzanne musste lächeln. Paul war ein kluger Kopf. Abgesehen davon war ihre Strategie natürlich auch ziemlich durchschaubar gewesen. »Sauce Vichy habe ich zum Beispiel schon lange nicht mehr gemacht. Oder Lauchquiche … Da müsste ich mir wegen Liam nur eine vegane Variante überlegen. Du kannst gerne vorbeikommen und mitessen.«

»Im Moment habe ich leider nur sehr wenig Zeit.«

Das Gespräch kam nicht mehr so richtig in Gang, und wenig später verabschiedete sich der Staatsanwalt, nicht ohne vorher noch ganz Gentleman die komplette Rechnung zu übernehmen. Er wirkte, als ob ihn etwas sehr belastete, bestimmt etwas bei der Arbeit. Suzanne schwor sich, ihm bald mal eine Flasche guten Wein und selbstgebackenes Käsegebäck vorbeizubringen, und zwar ganz ohne Hintergedanken. Nur, um ihm eine Freude zu machen.

Wieder in der Detektei versuchte sie mehrfach, die Schwester und Erbin der Kamerafrau telefonisch zu erreichen, aber niemand nahm ab. Daher fuhr Suzanne zunächst bei der Arbeitsstelle der Frau vorbei. Der Kantinenchef wollte ihr zwar nichts verraten, als sie unangemeldet bei ihm klopfte, aber eine Mitarbeiterin der Kantine, die am Salatbüfett verkaufte, steckte ihr, dass Camille Roux sich einige Tage freigenommen hatte. Suzanne klingelte daraufhin in Kehl/Kork an Camille Roux' Tür, aber im Haus regte sich nichts.

Am gleichen Vormittag fuhr Henry mit Achim nach Stuttgart. Er hatte Suzanne erzählt, er habe dort einen wichtigen Termin, und ihr versprochen, er würde danach einen Abstecher nach Tübingen machen, wo Niklas Schwarzer wohnte. Der bei der Produktion rausgeflogene Schauspieler hatte sich bereiterklärt, sich am Nachmittag mit ihm zu treffen. In Wirklichkeit brauchte Henry einfach mal wieder ein bisschen Großstadtluft und sein Fitnessstudio. Und er musste dringend mal wieder zum Friseur. Er sah schon aus wie ein Gestrüpp, und es gab nur einen, der seinen Haarschnitt perfekt hinbekam, und das war sein Hairstylist beim Salon *Kertu Studios* im Stuttgarter Süden. Auch wenn er finanziell klamm sein mochte, war das verdammt gut angelegtes Geld, denn um endlich reich und erfolgreich zu werden, musste er auf jeden Fall zumindest reich und erfolgreich aussehen, daran gab es nichts zu rütteln. Und dafür war ein guter Haarschnitt unabdingbar. Das sagte auch Jack Jackson in einer seiner Paraderollen als Bombenentschärfer, bevor er der als lebende Bombe missbrauchten vollbusigen Blondine aus der Patsche half: »Lady, jeder von uns kann eine Bombe entschärfen. Aber nur ich sehe dabei auch noch gut aus. Und das, Lady, macht den Unterschied.«

Nach seinem Haarschnitt, einer knallharten Trainingseinheit im Fitnesscenter und einem Kaffee im *Kaiserbau* fuhr Henry mit der U-Bahn zum Bahnhof und von dort mit dem Zug nach Tübingen. Es war ein kalter, aber strahlend schöner Tag. Wie vereinbart wartete er auf Niklas Schwarzer auf der Neckarbrücke, genoss den Blick auf die malerische Häuserfront am Fluss und beobachtete die Enten und Schwäne, die zuhauf im Wasser schwammen und, gemeinsam mit vielen Tauben, auf den Wegen der Platanenallee herumtrippelten. Eine halbe Stunde nach dem vereinbarten Termin, als Henry gerade darüber nachdachte zu gehen, erschien der Schauspieler in gemächlichem Tempo.

»Bist du der Henry?«, fragte er und kam auf Henry zu. Er war ungefähr Ende zwanzig, grinste und sah ein wenig so aus, wie manche Touristen sich den typischen Tübinger Philosophiestudenten vorstellten: lange, verfilzte Locken mit einer gehäkelten Ringelmütze, eine runde Brille, eine Weste mit aufgenähten Regenbogen-, Atomkraft-Neindanke- und S-21-Nein-danke-Stickern und darunter ein weiter Pulli, der über den ausgebeulten Hosen schlabberte. Unter dem Arm trug er eine uralte Ledertasche. Er roch nach Bio-Rosencreme und trug trotz der Kälte Sandalen ohne Socken. »Hey, alles klar?«, fragte er. Sie gaben sich die Hand und schlenderten dann gemeinsam die Neckargasse Richtung Stiftskirche hoch.

»Die hat mich sowas von voll aufgeregt, die Mona«, erklärte er, nachdem Henry ihm gesagt hatte, dass er sich für die Kamerafrau und die Dreharbeiten interessierte. »Aber das war ja auch irgendwie voll gut, so habe ich zum Theater zurückgefunden. Denn die Bühne liegt mir mehr. Weil sie so voll live ist. Ich brauche das mega. Bei diesem Film hat mich alles nur eingeengt. Petrow war voll der Tyrann. Das Kostüm war grauenhaft. Das Catering echt die Vollkatastrophe. Und nach der Maske hatte ich immer das Gefühl, ich sehe aus wie ein gealterter Pornostar mit Pestbeulen. Und dann haben die mich auch noch rausgeschmissen, nur weil ich mit diesem lebensgefährlichen Esel nicht klargekommen bin. War also voll nicht mein Ding. Aber warum willst du denn was über Mona wissen?«

»Frau Laurent ist tot«, sagte Henry. Die Ansicht über das Catering teilte er nicht, und mit Petrow hatte er kaum etwas zu tun gehabt, aber ansonsten konnte er Schwarzers Kritik absolut nachvollziehen.

»Du liebes Herrgöttle«, keuchte Schwarzer und blieb stehen. Er wirkte ernsthaft betroffen. »Voll krass. Wurde sie ermordet? Aber klar, sonst wärst du ja bestimmt nicht hier.«

»Das wissen wir noch nicht«, antwortete Henry. »Aber die Umstände ihres Todes waren recht seltsam. Sie ist mitten in der Nacht im *Willstätter Horrorhaus* die Treppe ins Loch hinuntergefallen.«

Schwarzer sah schockiert aus. »Genickbruch?«

Henry nickte. »Möglich.«

»Das ist voll abgedreht. Voll abgedreht. Ich meine, ich habe sie nicht so leiden können, weil sie überhaupt nicht kapiert hat, dass der namenlose Müller im Grunde eine der zentralsten Figuren des ganzen Films ... Egal. Dass sie tot ist, ist total krass. Das tut mir voll leid für die. Und dann auch noch in dem Keller. Gruselig.« Er schüttelte den Kopf. »Denn irgendwas wollte die in dem Keller, das ist klar.«

»Wie meinst du das?«

»Na ja, ich war voll oft auf Anschluss, und da hat man echt wenig zu tun. Und zweimal, da habe ich mitgekriegt, dass sie in einer Drehpause alleine da runtergegangen ist. Wollte offenbar in den gesperrten Teil. Einmal hat der Hausmeister sie voll erwischt. Winkler heißt der. Der ist sowas von durchgedreht. Passt auf sein Haus auf wie ein Raubtier auf ein Stück Fleisch, besonders auf den Keller.« Schwarzer schüttelte den Kopf. »Die haben sich angeschrien und kamen immer noch schreiend nach oben. Petrow und ich mussten die beiden trennen, denn ich glaube, sonst wäre dieser Winkler voll auf Mona losgegangen. Also mit den Fäusten, meine ich. Beide voll durchgedreht. Kann ihm doch egal sein, was die da unten macht. Und was wollte die auch dort?« Er schüttelte den Kopf. »Danach war das Verhältnis zwischen Winkler und Mona voll angespannt.« Er schob seine Brille hoch. »Und die ist in der Nacht gestorben, sagst du? Im Keller? Meinst du, die war schon wieder heimlich dort? Und der Hausmeister hat sie dabei erwischt?«

Genau das Gleiche hatte Henry sich auch gerade gefragt. Er zuckte mit den Schultern. »Ist dir sonst noch was aufgefallen bei den Dreharbeiten?«

Niklas Schwarzer schien kurz nachzudenken, dann schüttelte er den Kopf. »Wann ist Mona denn gestorben? Damit ich weiß, ob ich ein Alibi habe. Deshalb bist du doch hier, oder? Weil ich Mona nicht so leiden konnte. Die hat mich mal einen ›Ben Hur auf Crack‹ genannt. Und ich habe ihr dann gesagt, dass ihre Kameraführung voll daneben ist. Ich lasse mir nicht alles gefallen. Das ist voll nicht meine Art. Deshalb war ich sogar mal im Knast.

Weil ich mich voll gegen Bullen zur Wehr gesetzt habe, die mich aus einem besetzten Haus tragen wollten.«

»Frau Laurent ist Donnerstag vor einer Woche umgekommen. Am Abend oder in der Nacht.«

Ein erleichterter Ausdruck überzog das Gesicht des Schauspielers. »Da hatte meine Schauspieltruppe einen voll tollen Gastauftritt am Theater. Kannst du einfach nachprüfen. Ich stand die ganze Zeit auf der Bühne. Und danach war ich bei meiner Freundin Emma.«

Henry nickte. Er würde das nachprüfen, aber er hatte Schwarzer sowieso nicht ernsthaft im Verdacht gehabt, etwas mit dem Tod der Kamerafrau zu tun zu haben. Wen man jedoch unbedingt intensiv überprüfen musste, das war dieser Winkler.

Noch von Tübingen aus rief Henry wenig später seinen ehemaligen Polizistenkollegen an und fragte ihn nach dem Keller des Horrorhauses. Aber der Kollege erzählte ihm nur, dass die Ermittler nichts Auffälliges gefunden hätten. Genauso wenig wie im Rest des Gebäudes. Über Winkler wusste er auch nichts weiter zu berichten. Die ganze Zugfahrt grübelte Henry darüber nach. Keine Ahnung, warum dieser Hausmeister das Haus beschützte wie ein Raubtier ein Stück Fleisch. Vielleicht war das einfach seine Art, weil es ihm Spaß machte, Leute mit Regeln zu schikanieren? Oder weil er gut dafür bezahlt wurde und glaubte, das sei seine Aufgabe? Oder gab es doch einen ganz anderen Grund dafür? Nur welchen?

Nach seiner Rückkehr nach Neuried-Altenheim versuchte Henry gemeinsam mit Suzanne, die kurz zuvor angeregt mit Liam plaudernd und ziemlich viel kichernd und ihn mit der Hand immer wieder am Arm berührend vom Ziegenstall zurückgekommen war, so viel wie möglich über den Hausmeister des Horrorhauses herauszufinden, während Liam in der Küche ein »veganes, slowly gegartes Kochbananencurry mit Ananasinfusion« zubereitete und aus voller Kehle den Refrain des verdammt langen *Dieselskandal*-Songs »Little Chainsaw Factory«

(»Fuck, fuck I passed away …«) mitschrie, was selbst im Arbeitszimmer noch in den Ohren dröhnte.

Winkler war tatsächlich Ingenieur. Er hatte nach seinem Studium mehrere Jahre in den USA in gehobener Position bei einem Unternehmen gearbeitet, das, wie Henry schnell herausfand, hauptsächlich Spezialbedarf für leicht paranoide Hollywoodstars, Waffennarren und praktizierende Prepper herstellte. Der Hausmeister hatte offenbar einige Zeit selbst der Prepperszene in Texas angehört. Vor sieben Jahren war Winkler nach Deutschland zurückgekehrt und hatte nach einigen kürzeren Jobs vor vier Jahren einen Hausmeisterservice gegründet. Offenbar betreute er allerdings nur ein winziges Museum in der Region und das Horrorhaus. Finanziell gesehen musste das einen enormen Rückschritt zu seiner Stelle in den USA bedeutet haben. Winkler war alleinstehend, lebte mit seinen zwei Schwestern zusammen im gleichen Haus, schien seinen Kegelverein zu lieben und sammelte Modelleisenbahnen. Vor drei Jahren hatte er versucht, über eine Heiratsvermittlung eine Frau aus Thailand kennenzulernen, daraus war aber am Ende nichts geworden.

Als Liam gerade enthusiastisch den Song »Bloodhounds, Bloodsuckers, Bloodoranges« anstimmte und dabei den Geräuschen nach zu schließen mit einem Kochlöffel im Takt auf die Spüle klopfte, überlegte Suzanne: »Vielleicht ist er ja immer noch ein Prepper und hat einen geheimen Bunker im Keller des Horrorhauses angelegt, in dem er alles für einen möglichen Weltuntergang lagert?«

»Und der Bunker ist so verdammt gut versteckt, dass ihn nicht mal die Polizei gefunden hat?«, meinte Henry skeptisch.

»Die wussten ja gar nicht, wonach sie suchen mussten. Und dieser Hausmeister hat immerhin ›verborgene Sicherheitstechnik‹ in Hollywoodhäusern untergebracht. Er weiß, wie das geht.«

»Ich denke, es wäre über die Monate bestimmt aufgefallen, wenn er die ganzen Bauteile und Konserven zum Horrorhaus gebracht hätte.«

»Du hast wahrscheinlich recht.«

»Und glaubst du wirklich, Mona Laurent hat seinen Bunker entdeckt und er hat sie daraufhin wegen ein paar Dosen Ravioli und Klopapierrollen umgebracht?«, hakte Henry nach. »Abgesehen davon: Wenn ich ein Prepper wäre, dann fände ich es, glaube ich, besser, die verdammten Spaghetti und die Dosentomaten zu Hause in Reichweite zu haben, wenn die Aliens kommen. Oder zumindest an einem Ort, zu dem ich dann noch sicher Zugang habe. Denn es ist ja gar nicht gesagt, dass er zu dem Zeitpunkt, in dem die verheerende Naturkatastrophe oder das Zombie-Virus über das Rheintal hereinbricht, noch der Hausmeister des Horrorhauses ist. Also warum sollte er die Sachen ausgerechnet dort lagern?«

»Weil er das, was im Horrorhaus untergebracht ist, nicht zu Hause lagern will oder kann?«, stieß Suzanne plötzlich hervor. »Es könnte was Verbotenes sein. Und vielleicht ist es ja gar kein Bunker, sondern nur ein kleiner, geheimer Safe oder so.«

»Und Mona Laurent hat den Safe gefunden? Und er hat sie dafür getötet?«

»Keine Ahnung. Aber möglich ist es, meinst du nicht?«

»Auf mich wirkt der Typ eher wie ein Ordnungsfanatiker. Nicht wie einer, der verbotene Sachen in alten Häusern unterbringt«, bemerkte Henry, während sie hinunter in die Küche gingen. »Aber unmöglich ist natürlich nichts, vor allem, weil er sich so seltsam anstellt, was das Horrorhaus angeht. Ich denke, ich werde uns morgen einen Plan des Gebäudes besorgen, dann können wir uns überlegen, wo der Bunker versteckt sein könnte. Oder was dieses Haus sonst für Geheimnisse birgt.«

Kapitel 13

Am Freitag fuhr Suzanne nach Straßburg, um ins *Chez Fabian* zu gehen, endlich mit der Freundin der Kamerafrau zu sprechen und bei der Gelegenheit auch gleich noch ein wenig Käse zu kaufen. Immerhin kam Emil am Abend zum Essen, und eine kleine Käseplatte würde ihr Menü aufs Köstlichste abrunden. Zwar hatte sie im Kühlschrank noch wundervollen selbstgemachten Ziegenbrie mit Walnüssen und einen Ziegenfrischkäse mit Zwiebeln und buntem Pfeffer, aber in dem Punkt war Emil schon immer seltsam gewesen. Ziegenkäse mochte er einfach nicht.

Als sie gerade über die Rue des Grandes Arcades spazierte, klingelte ihr Handy. Es war Paul. Als sie abnahm, war er allerdings schon nicht mehr daran und nahm auch nicht ab, als sie zurückrief. Vielleicht war er versehentlich in der Liste der Kontakte auf ihre Nummer gekommen, das passierte ihr auch ständig. Sie steckte das Handy wieder weg.

Kurze Zeit später überquerte sie die Place Kléber und genoss den Blick auf die schönen alten Häuser, die den Platz einrahmten. Eine Menge Cafés und Restaurants gab es hier, und im Sommer konnte man überall gemütlich im Freien sitzen, einen Américain trinken und dem bunten Treiben um sich herum zuschauen. Sie musste das unbedingt mal mit Liam machen!

Das *Chez Fabian* befand sich in einer kleinen Seitenstraße. Schon beim Öffnen der Tür kam Suzanne ein köstlicher Geruch nach Käse, eingelegten Oliven und Kräutern der Provence entgegen. Sie war die einzige Kundin in dem kleinen Laden. Die Verkäuferin, eine schlanke, große Frau von etwa fünfzig Jahren, die dezent geschminkt war und eine große Brille mit einem lila Gestell und hellgrüne Arbeitsbekleidung trug, lächelte sie an. »Bonjour«, sagte Suzanne und fragte dann auf Französisch, ihrer zweiten Muttersprache: »Sind Sie Frau Hofreiter?« Die Verkäuferin, die hinter einem langen Tresen stand, auf dem eine unüberschaubare Zahl herrlich aussehender Käsesorten lag, nickte, während sie einige Baguettes in einem vor ihr stehenden Korb arrangierte.

»Es geht um Ihre Freundin. Mona Laurent.« Der Blick der Frau wurde düster. Suzanne streckte ihr ihren Detektivausweis entgegen. »Es tut mir sehr leid, dass sie gestorben ist.« Sie steckte den Ausweis wieder ein. »Ich versuche, die Umstände ihres Todes aufzuklären, und würde Ihnen gerne ein paar Fragen stellen.«

»Arme Mona.« Die Frau hatte eine tiefe, melancholisch klingende Stimme. »Aber dass das irgendwann passieren würde, war leider zu erwarten.«

»Was meinen Sie damit?«

Die Frau lachte bitter auf und stopfte ein weiteres Baguette ziemlich grob in den Korb. »Kennen Sie Monas Mann?«

»Flüchtig.«

»Krankes Arschloch, der Typ. Ich bin mir sicher, dass er sie umgebracht hat. Schade, dass die deutschen Bullen mir nicht glauben. Ist Gerard Ihr Auftraggeber? Spielt er mal wieder den liebenden, übereifrigen Ehemann? Falls ja, dann können Sie gleich wieder abhauen. So eine Farce mache ich nicht mit.«

Suzanne schüttelte den Kopf. »Nein, er ist nicht mein Auftraggeber. Wie kommen Sie darauf, dass Dr. Laurent seine Frau umgebracht haben könnte?«

Die Verkäuferin betrachtete Suzanne eine Weile, als prüfe sie, ob sie ihr trauen könne. Dann meinte Sie: »Hätte mich sowieso gewundert, wenn der einen weiblichen Detektiv engagiert hätte.« Sie nahm ein weiteres Baguette.

»Wissen Sie, als Gerard damals in Monas Leben aufgetaucht ist, da haben alle gedacht, er ist ihre Rettung. Ich inklusive. Der Ritter im roten Ferrari, so kam er an. Junger Zahnarzt und so. Hat sich rührend um sie gekümmert. Ihr den besten Strafverteidiger bezahlt, den man in der Gegend kriegen konnte. Danach hat sie es geschafft, wieder auf den richtigen Weg zu kommen. Hat Kamerafrau gelernt und so. Hat keiner von uns erwartet, dass sie das packt. Wir dachten, Mona landet eher im Knast. Sie war ein schwieriger Typ. Sehr rebellisch. Eine Zeit lang steckte sie ganz tief in der radikalen linken Szene in Freiburg. Hat diese Leute als eine Art Ersatzfamilie angesehen und gar nicht gemerkt, dass der Mist, den sie gebaut hat, immer krimineller geworden ist. Sie stand einige Male vor Gericht. Randalieren, Hausfriedensbruch, Körperverletzung und mehrere Einbrüche. Schließlich, da war sie dreiundzwanzig oder vierundzwanzig, ist sie dann zu weit gegangen.« Leila Hofreiter griff nach einem ganzen Bündel Baguettes und presste sie in den Korb, der eigentlich schon voll war. Brotkrumen spritzten auf die Arbeitsplatte. »Mona hat am Freiburger Hauptbahnhof eine Neunzehnjährige halb tot geprügelt, die in der rechten Szene aktiv war.« Sie stellte den Korb weg und begann, den Käse hinter der Glasplatte ein wenig anders anzurichten.

»Wissen Sie, wer das Opfer war?« Auch wenn es lange her war, hörte sich das nach jemand an, der potenziell ein Motiv haben könnte, die Kamerafrau zu töten.

»Wie sie hieß, weiß ich nicht mehr. Aber falls sie glauben, die hat irgendetwas mit der Sache zu tun, dann irren sie sich. Die Frau hat der rechten Szene vor Jahren abgeschworen und ist in ein Kloster in Spanien eingetreten. Und kurz bevor sie eingetreten ist, hat sie sich noch mit Mona versöhnt. Ich war bei dem Gespräch dabei. Das war im *Bombay* in Offenburg, als es das noch gab, und ich bin mir sicher, die Frau hegt keinerlei Groll mehr. Sie war schockiert, als sie den ganzen Hintergrund über Monas Herkunft und so erfahren hat.«

»Welchen Hintergrund?«

»Das ist jetzt keine Entschuldigung für die ganzen Delikte, die sie auf dem Kerbholz hatte, aber Mona kannte es von zu Hause nicht anders, als dass Konflikte mit Gewalt gelöst werden. Der Vater hatte ein enormes Aggressionsproblem, hat gerne mal die Mutter verprügelt. Und die hat, statt ihn zu verlassen, lieber zu tief in die Flasche geschaut. Die beiden Kinder waren nur eine Last, wurden immer an Hausmädchen abgeschoben. Mona hat mal gesagt, sie hätte da so eine Leere in sich. Wo eigentlich Liebe sein müsste. Furchtbar muss das bei denen daheim gewesen sein. Das hat aber keiner mitbekommen, denn nach außen hin sah alles top aus. Geld hatten die wie Heu, der Vater war der Chef irgendeiner Privatbank in Baden-Baden. Mona und ich sind zusammen in die Grundschule in Offenburg gegangen, und ich habe immer gedacht, sie lebt im Paradies. Sie hatte so viele Spielsachen, das können Sie sich gar nicht vorstellen. Aber als Kind erkennt man viele Anzeichen nicht. Erst später wird einem dann klar ...« Sie schüttelte langsam den Kopf. »Monas Schwester Camille hat mit fünfzehn angefangen zu kiffen und Kokain zu schnupfen, und später war sie jahrelang heroinabhängig. Und Mona ist ja auch irgendwann von zu Hause abgehauen und ...«

Die Türglocke ging. Eine Kundin betrat den Laden, Leila Hofreiter bediente die Frau. Suzanne wartete und schaute sich im Geschäft um. Jedenfalls wusste sie jetzt wohl, was der Zahnarzt mit der »Vergangenheit« seiner Frau gemeint hatte. Nachdem die Kundin den Laden mit einem riesigen Käsepaket wieder verlassen hatte, sprach Leila Hofreiter weiter: »Wie auch immer. Mona war zu jeder Zeit die Hübscheste von uns. Blondierte Locken, volle Lippen, super Figur. Sehr sportlich. Sie hatte etwas an sich, dem Männer nicht widerstehen konnten. Das war schon in der Schule so. Und selbst als sie verfilzte Rastalocken trug und Kapuzenpullover, die ihr mehrere Nummern zu groß waren, und wenig mehr von sich gegeben hat als linke Parolen und Schimpfwörter, selbst da gab es viele Typen, die sofort mit ihr in die Kiste gesprungen wären, wenn sie mit dem Finger geschnippt hätte.« Leila Hofreiter klang so, als sei sie darauf fast noch ein wenig eifersüchtig. »Egal. Jedenfalls hat sie eines Tages Gerard Laurent kennengelernt, einen echten Streber. Der hatte sich von ganz unten nach ganz oben gearbeitet. Er war der Bruder von einer von Monas Freundinnen aus der linken Szene, hat ständig versucht, seine kleine Schwester da rauszuholen, was ihm aber nicht gelungen ist. Irgendwie ist Mona dann sein nächstes Rettungsprojekt geworden. Bei ihr hatte er mehr Erfolg, und Mona hat sich von der radikalen Szene verabschiedet. Sie ist mit ihm zusammengezogen und hat eine Therapie wegen ihrer Aggressionen gemacht. Hat die Rastalocken gegen glatte blondierte Haare eingetauscht und den Feminismus gegen sexy Kleidchen und Highheels.« Leila Hofreiter schnaubte. »Ein halbes Jahr später haben sie jedenfalls geheiratet. Alles sah aus wie in einem Märchen. Gerard und sie haben einige Zeit in Frankfurt und in Boston gelebt. Mona ist Kamerafrau geworden. Dann kamen sie zurück, und Gerard hat die Praxis hier aufgemacht. Hat einen Großteil seiner Patienten vom Vorgänger übernommen. Und offenbar viele vergrault im Laufe der Jahre. Es gibt Gerüchte, dass er Patienten sehr grob behandelt und ihnen auch mal absichtlich wehtut, aber was da dran ist, kann ich nicht beurteilen. Und anscheinend soll er auch mal jemandem einfach so die Vorderzähne entfernt haben. Der Vorwurf, dieser Eingriff sei nicht nötig gewesen, konnte nie bewiesen werden, aber man hat sich schon seinen Teil gedacht. Wenn Sie mich fragen, macht es ihm auf jeden Fall Spaß, Leute zu demütigen und zu ängstigen. Und wenn er eins gar nicht abhaben kann, dann, wenn er mal seinen Willen nicht kriegt.« Sie schwieg kurz, dann sagte sie: »Mir ist lange nicht aufgefallen, dass bei Mona und Gerard irgendetwas nicht stimmt. Aber diese Ehe war vollkommen krank, wenn Sie mich fragen.«

»Warum?«, fragte Suzanne.

»Kurz nachdem sie zusammengekommen sind, hat es angefangen. Kleine Dinge. Gerard hat Mona manchmal nachspioniert und so. Wir haben uns zunächst nichts dabei gedacht, denn wir glaubten, er will sie davon abhalten, wieder in die radikale Szene abzurutschen. Er hat es als Fürsorge getarnt, aber wenn Sie mich jetzt fragen, war es nichts als gestörte Kontrollsucht. Er hat sich immer als der tolle, hilfsbereite Hengst dargestellt, der das Mädchen aus der Gosse gerettet hat. Aber in Wirklichkeit wollte er eine Frau, die er vollkommen beherrschen kann. Mona war da die optimale Kandidatin. Sie hat sich nichts mehr gewünscht als eine intakte Familie. Hätte alles dafür getan. Sie hat sich immer mehr verändert. Von der selbstbewussten, jungen Frau, die sie mal war, zu der Frau, die sich Gerard als Ehegattin gewünscht hat. Sie ist ihm hörig, wenn Sie mich fragen. Ein Wunder, dass er ihr ›erlaubt‹ hat, noch beim Film zu arbeiten. Das war vermutlich nur, weil es ihm sehr wichtig ist, was andere über ihn denken, und in seinen Kreisen gehört eine beruflich erfolgreiche Ehefrau zum Image.« Sie spuckte die letzten Worte regelrecht aus. »Oder dass sie mich noch treffen konnte. Das aber auch nur heimlich, wenn der Herr Ehegatte sie nicht gerade um sich gebraucht hat.« Sie zerquetschte ein Stück Käse zwischen den Fingern, knallte es dann auf die Arbeitsplatte. »Ohne ihn war sie ein völlig anderer Mensch. Aber sobald dieses sadistische Arschloch in ihre Nähe kam, ist sie zur willenlosen Puppe mutiert.«

»War Dr. Laurent gewalttätig?«

»Was denken Sie denn? Hinter verschlossenen Türen hat Mona ein grausames Martyrium erlebt. Und er hat sie auch psychisch misshandelt. Sie bei jeder Gelegenheit erniedrigt und schlechtgemacht, am liebsten in der Öffentlichkeit. Er hat sie verfolgt und kontrolliert, sie durfte nichts alleine unternehmen. Und im Haus bei denen, da ist es zwanghaft sauber. Sie musste ständig alles genau so machen, wie Gerard es wollte. Er hat ihr gedroht, wenn die Dinge nicht perfekt laufen, werde er ihr Gesicht auf den Grill pressen oder sie in der Regentonne ertränken. Krank, ganz ehrlich. Aber nach außen hin hat er es immer so dargestellt, dass er der perfekte Ehemann ist, der es mit einer schwierigen, ehemals kriminellen Person aushalten muss.« Sie schluckte. »Mona war manchmal wirklich nicht einfach, aber einen wie Gerard hat sie nicht verdient. Er ist der Teufel in Menschengestalt.«

»Hat Frau Laurent manchmal darüber nachgedacht, sich von ihrem Mann zu trennen?«

»Öfter, vor allem in letzter Zeit«, antwortete Leila Hofreiter und schmiss den zerdrückten Käse unter den Tisch, vermutlich in einen Mülleimer. »Wenn Sie mich fragen, war ihr ›Verschwinden‹, wie auch immer sie es angestellt hat, ein Versuch, Gerard zu entkommen. Denn ihm die Stirn zu bieten, das konnte sie nicht, dazu hat er sie schon zu lange unterdrückt. Sie hatte panische Angst vor ihm, hat einmal sogar angedeutet, sie wisse, dass ihr Mann schon mal jemanden ›beseitigt‹ hätte. Keine Ahnung, ob da was dran ist. Außerdem hatte sie von der eigenen Mutter natürlich gelernt, dass man dem brutalen Ehemann besser nicht widerspricht.«

»Hatte Frau Laurent vielleicht in letzter Zeit jemand anderen?«

»Sie hat nie explizit über eine Beziehung oder so gesprochen, und wir hatten in den Wochen kurz vor ihrem Tod kaum Kontakt. Aber es gab da am Set einen Schauspieler, den sie wohl von einem früheren Dreh kennt und den sie seeeehr interessant findet. Ich glaube, er war der Grund, warum sie unbedingt noch einmal mit diesem Petrow drehen wollte.«

»Wissen Sie, wie er heißt?«

Leila Hofreiter nickte. »Benni Koch. Ich weiß nur, dass er ein paar Jahre jünger ist als sie. Wenn mich nicht alles täuscht, spielt er sogar die Hauptrolle in dem Film. Mona hat diesem Petrow wohl was vom Pferd erzählt, von wegen großer Hollywoodstreifen, für den sie noch ein hochwertiges Filmprojekt im Lebenslauf braucht und so. Nur damit ja niemand etwas davon ahnt, dass sie einen jungen Schauspieler toll findet und unbedingt mit ihm drehen will.« Sie lächelte traurig. »Sie wusste eben, wie Gerard reagieren würde, wenn er es herausfände. Ich denke, er hat es herausgefunden, und dann …« Sie brach ab. Eine Weile rang sie sichtlich nach Fassung, dann fuhr sie fort: »Dieser Benni scheint auch ein ziemlich schwieriger Typ zu sein. Wenn Sie mich fragen, hat er finanzielle Probleme und wollte nur Monas Geld. Sie hat ihm ein paarmal was geliehen.«

»Halten Sie es für möglich, dass Benni Ihre Freundin getötet haben könnte?«

Mona Laurent sah erstaunt hoch. »Das … darüber habe ich noch gar nicht …« Sie schien eine Weile nachzudenken. Dann schüttelte sie den Kopf. »Nein, es war Gerard. Mein Gefühl sagt mir, dass es Gerard war.«

»Haben Sie eine Ahnung, was Ihre Freundin in der Nacht im *Willstätter Horrorhaus* gewollt haben könnte? Denn sie war an ihrem Todesabend dort«, fragte Suzanne.

Der Blick der Frau verdüsterte sich noch mehr. »Nein«, sagte sie. »Die Polizei hat mich das auch schon gefragt. Ich weiß nur eins mit Sicherheit: Sie hätte niemals Requisiten gestohlen. Niemals. Die Arbeit hinter der Kamera war der einzig schöne Teil in ihrem Leben. Was ich mir vielleicht vorstellen könnte, ist, dass Gerard Mona gezwungen hat, in diesen Keller zu gehen. Denn Mona hatte Angst vor dem Haus. Sie hat gesagt, dass es da spukt. Das wäre genau die Art von Spiel, die Gerard gefallen hätte. Seine Frau zu zwingen, an einen Ort zu gehen, vor dem sie Panik schiebt, und sie dort zu Tode zu ängstigen. Sowas hätte ihn angemacht. Wie ist sie eigentlich gestorben? Stimmt es, dass sie eine Treppe hinuntergestürzt ist?«

Suzanne nickte.

»Dann hat er sie vielleicht so erschreckt, dass sie gefallen …« Sie brach ab, hatte auf einmal Tränen in den Augen. »Oder er hat sie gestoßen. Auch das traue ich ihm zu. Er ist wie gesagt sehr kontrollsüchtig, und wenn er etwas überhaupt nicht leiden konnte, dann, wenn Mona es gewagt hat, ihm zu widersprechen. Nicht auszudenken, wenn er mitbekommen hätte, dass sie in einen anderen verliebt …« Sie schluchzte plötzlich und drehte sich weg, um sich die Augen mit einem Papiertuch abzuwischen.

Suzanne wartete, bis die Frau sich wieder ein wenig beruhigt hatte. Dann fragte sie vorsichtig: »Haben Sie vielleicht eine Vorstellung, wie und wohin Mona letzte Woche Donnerstag spurlos verschwunden sein könnte? Was sie die Tage vor ihrem Tod gemacht hat? Denn sie war unauffindbar, und ihr Mann hat angedeutet, dass das mit ihrer ›Vergangenheit‹ zu tun haben könnte. Ich nehme an, dass er damit ihre Zeit in der linken Szene gemeint hat. Oder sind damals noch andere Dinge passiert?«

Die Verkäuferin schüttelte den Kopf. »Das ist typisch für Gerard. Dass er Andeutungen macht, die seine Frau in einem schlechten Licht dastehen lassen. Das hat er gerne getan. Sie blamiert. Und er hat ihr auch immer damit gedroht, dass er am Filmset rumerzählt, aus was für einer Familie sie kommt und dass sie sich früher geprügelt hat und kriminell war und so. Dabei wollte sie nichts lieber, als all das hinter sich zu lassen. Für immer. Ich bin mir sicher, dass sie ihre Vergangenheit in der linken Szene und ihre kriminelle Phase schon vor Jahrzehnten ein für alle Mal beendet hat. Ich kenne sie, wie gesagt, schon ewig.« Eine Träne rann ihre Wangen hinunter. »Arme Mona«, murmelte sie. »Hoffentlich schaffen Sie es, dieses Dreckschwein Gerard zu überführen. Ich bin mir sicher, dass dieses Alibi, das er haben soll, nie im Leben wasserfest ist. Ich hätte nicht so lange bei dieser Ehe zuschauen dürfen, verstehen Sie? Ich hätte sie noch mehr überreden müssen, Gerard zu verlassen. Ständig hat sie andere Ausreden gefunden, warum sie es doch noch nicht tun kann. Ich hätte hart bleiben müssen. Ich bin mit schuld an ihrem Tod.«

»Ihre Freundin war eine erwachsene Frau«, tröstete Suzanne sie. »Gegen ihren Willen hätten Sie nichts tun können. Und abgesehen davon ist es noch gar nicht sicher, ob sie nicht doch einen tragischen Unfall hatte.«

Nachdem Leila Hofreiter sich die Augen und das Gesicht abgewischt und einigermaßen wieder beruhigt hatte, kaufte Suzanne noch eine riesige Tüte voll Käse, weil ihr die Frau, die sich so offensichtlich schuldig fühlte am Tod ihrer Freundin, so leidtat, und auch, weil die meisten Sorten so köstlich aussahen, dass sie nicht widerstehen konnte. Sogar veganen Käse für Liam konnte man hier erstehen. Schließlich verließ sie den Laden.

Auf dem Weg zum Auto ließ sie ihr Gespräch noch einmal Revue passieren. Dass Dr. Laurent ein Mörder war, war nach wie vor vorstellbar, und sein Alibi war ja wirklich nicht bombenfest. Aber war es tatsächlich möglich, dass er seine Frau gezwungen hatte, ins Horrorhaus zu gehen, nur um sie zu ängstigen und dann dort umzubringen? Oder war Benni Koch der Täter gewesen, vielleicht, weil er seine Schulden nicht hatte zurückzahlen können? Sie verstaute den Käse vorsichtig im Kofferraum. Oder war doch alles nur ein Unfall? Es wurde wirklich Zeit, dass Emil wenigstens hier Licht ins Dunkel brachte, bevor sie weiter blindlings ermittelte und ermittelte, und am Ende stellte sich heraus, dass die Kamerafrau ihre Handtasche im Loch vergessen hatte und verunglückt war, als sie sie hatte holen wollen. Suzanne stieg ins Auto und startete den Motor.

Kapitel 14

Da es mittlerweile ziemlich spät war und Emil in dreieinhalb Stunden bei ihr sein würde, kehrte Suzanne direkt vom Straßburger Käsegeschäft nach Hause zurück. Als sie die Wohnung betrat, hörte sie Liams Stimme »Crazy Horrorschlamm, Alter« murmeln. Sie vergaß ihren Fall und ging mit einem freudigen Kribbeln im Bauch in ihre Küche. Dort traf sie fast der Schlag. Tisch und Boden waren mit Mehl und roter und schwarzer Lebensmittelfarbe bestäubt und bespritzt. Aber dann fiel ihr Blick auf Liam. Der Sänger saß auf einem Stuhl, eine große Schüssel und einen riesigen Klumpen klebrigen grau-schwarzen Teigs vor sich. Er trug ein eng anliegendes dunkelblaues T-Shirt, und trotz Mehl im Haar sah er einfach zum Anbeißen aus.

Als er sie sah, strahlte er sie an. »Hey Sweetheart«, sagte er. »Ich arbeite gerade an Merchandising-Produkten.« Er zeigte auf ein Buch, auf dem *PR für Anfänger – So machen Sie Ihr Unternehmen kostengünstig bekannt!* stand und das aufgeschlagen neben ihm lag. »Aber das hier looks like real Horrorschlamm und schmeckt leider auch so.« Seine Augen verklärten sich, wie so oft, wenn er eine seiner genialen Ideen hatte. *»Mighty Mud of Horror«*, stieß er hervor, »das sounds so great, das wird mit Sicherheit ein Song, der die Menschen bis ins Innerste berührt. Vielleicht mit einem Harfen-Intro, das in Brutal Death Metal übergeht?«

»Das hört sich genial an«, antwortete sie beeindruckt. »Was … was genau soll das werden?« Sie zeigte auf den Teig.

»Badische Death-Metal-Kekse«, sagte Liam stolz. »Ich habe vor, die Band neu zu erfinden. Und dafür braucht *Dieselskandal* Give-aways und Nice-to-haves, wenn sie eine richtig bekannte Marke werden will. So steht es jedenfalls in dem Buch. Was die Rezeptur des Teigs angeht, muss ich allerdings noch a little bit experimentieren. Das Zeug ist geschmacklich noch furchterregender als mein Bananencurry, und das muss man erst mal hinkriegen.« Er lachte herzhaft. »Ich dachte, ich frage Elton. Er kann recht gut backen, wenn er nicht gerade unsere Drums bearbeitet. Seine veganen Pizzaschnitten sind marvelous. Oder vielleicht hast du ja Lust, mir zu helfen, Sweetheart?«

Er sah sie dabei auf eine Art an, dass ihr ganz heiß wurde. Sie lächelte, versuchte sich an einem hoffentlich locker-verführerischen Zwinkern und zwang sich dann, nur an seine Musik zu denken. Was für eine großartige Idee, mehr Werbung für die Band zu machen. »Was sagt denn Achim zu diesen Keksen?«, fragte sie begeistert, als ihr Herz wieder normal schnell schlug.

»Noch nothing. Er ist in Stuttgart gerade ziemlich beschäftigt. Hat irgendeinen größeren Fall vor Gericht. Aber kreatives Marketing ist niemals wrong. Achim macht das schließlich auch so bei seiner Kanzlei. Hast du gewusst, dass er einige ›Tätigkeitsschwerpunkte‹ auf seiner Internetseite stehen hat, die es gar nicht gibt? Hören sich aber great an.« Liam lachte erneut. Dann kam er, eine Mehlspur hinter sich herziehend, plötzlich auf sie zu, nahm sie in den Arm und drückte sie an sich. Ihre Beine wurden zittrig. Sie roch das Apfelshampoo in seinen langen Haaren und den wundervollen Duft seiner Haut, wollte sich am liebsten an ihn ankuscheln und nie mehr … Aber er ließ sie sofort wieder los, trat einen kleinen Schritt zurück und verschränkte die Arme vor der Brust.

»Ich … ich helfe dir gerne mit den Keksen, ich … nur jetzt müsste ich hier … Emil kommt zum Abendessen, und ich will ihn wegen der toten Kamerafrau …«, stammelte sie. Heiße Verführung ging irgendwie anders. Warum griff sie nicht einfach nach seinen Händen, zog ihn zu sich her und küsste ihn heiß und innig? Warum brabbelte sie stattdessen irgendwelches Zeug über tote Kamerafrauen? Es ärgerte sie, dass Liam sie immer noch so aus dem Konzept brachte. Der schlug ihr jetzt kumpelhaft auf die Schulter und sagte fröhlich: »Dann räume ich mal besser auf und cleane ein bisschen. Und die *Dieselskandal*-Sticker an deinem Küchenschrank, die ich abgekratzt habe, muss ich ja auch noch ersetzen. Aber ich bin da gerade an einem neuen Sticker-Design dran, Sweetheart. Ich sage nur big, big, big.«

»Wo ist eigentlich Henry?«, fragte sie, um ihren Herzschlag, der sich bei Liams Umarmung erneut ziemlich erhöht hatte, etwas zur Ruhe kommen zu lassen.

»Der wollte doch so einen Plan von dem Horrorhaus besorgen«, erinnerte Liam sie.

Ach, stimmte ja, wie konnte sie nur so durcheinander sein. Sie würde jetzt mit Kochen anfangen. Das entspannte sie und würde sie bestimmt wieder normal werden lassen. Abgesehen davon musste sie sich mittlerweile beinahe beeilen.

Während der Sänger ihre Küche vom Horrorschlamm befreite und später den Salat für die Vorspeise wusch und schnippelte und Henry offenbar immer noch unterwegs war, setzte sie Kartoffeln auf, legte die getrockneten Morcheln zum Einweichen in heißes Wasser, holte die tiefgefrorenen Himbeeren aus dem Eisfach und rührte den Schokoladenkuchen-Teig an. Für Liam bereitete sie ein veganes »Filet« aus angebratenen Champignons und Brotwürfeln vor, das sie in selbstgemachten Margarine-Blätterteig einschlug und nach kurzer Zeit neben ihr Schweinefilet in den Ofen schob.

Sie zwang sich, nicht allzu oft zu dem Sänger hinüberzusehen, denn jedes Mal, wenn sie sich einen kurzen Blick gönnte, musste sie danach höllisch aufpassen, nicht das Küchenmesser hinunterfallen zu lassen oder eines der Gerichte falsch zu würzen. Sie hatte sowas noch nie bei einem Mann erlebt, und es machte sie wahnsinnig. Vor allem, weil sie sich zwar sichtlich gut verstanden, Liam aber auf all ihre ziemlich schüchternen – auch das regte sie auf, es entsprach eigentlich überhaupt nicht ihrer Art – Vorstöße bislang null reagiert hatte. Gut, ganz selten küsste er sie mal auf die Wange oder umarmte sie, so wie gerade eben, aber vermutlich machte man das unter Künstlern mit jedem so. Ansonsten ging da nämlich immer noch nicht gerade viel zwischen ihnen. Heute beim Frühstück hatte sie ihm zum Beispiel »beiläufig« die Hand auf den Arm gelegt, und gestern Abend beim

Ziegen-in-den-Stall-Bringen hatte sie ihm gestanden, dass sie ihre süßeste Zwergziege nach ihm benannt hatte, und sich dabei unauffällig an ihn angelehnt. Aber Liam war irgendwie vollkommen gefühllos geblieben. Merkte er nicht, dass sie etwas von ihm wollte? Oder wollte er es nicht merken? Gefiel es ihm so, wie es war, als »Freunde«? War er deswegen in den letzten Tagen so viel unterwegs gewesen oder hatte in ihrem Keller geprobt, dass sie ihn kaum zu Gesicht bekommen hatte? Und warum setzte er sich eigentlich nicht mehr neben sie an den Tisch, sondern gegenüber? Wollte er ihr damit zeigen, dass aus ihnen beiden nie ein Paar werden würde? Sie wurde ganz unsicher und ein wenig schlecht gelaunt.

Als sie die Morchelsoße zubereitete, bekam sie auf einmal zusätzlich zu ihrer angeschlagenen Laune ein unangenehmes Ziehen im Bauch, weil ihr einfiel, dass sie eine Sache an diesem Abendessen nicht bedacht hatte: dass Liam und ihr Ex-Freund Emil nämlich das erste Mal gemeinsam an einem Tisch sitzen würden. Der Hauptgrund, warum sie sich damals von Emil getrennt hatte, war gewesen, dass sie sich in den *Dieselskandal*-Sänger verliebt hatte. Auch wenn sie Liam erst lange nach der Trennung persönlich kennengelernt hatte. Trotzdem waren der Sänger und die Band für Emil seither immer ein rotes Tuch gewesen, auch heute noch. Was, wenn er jetzt mit Liam aneinandergeriet? Auf der anderen Seite, so schoss es ihr plötzlich durch den Kopf, war ein Treffen mit Emil, einem Mann, der mit Sicherheit nichts mehr von ihr wollte, was Liam aber nicht wusste, doch vielleicht eine großartige Gelegenheit, um den Sänger ein bisschen eifersüchtig zu machen? Dann würde er hoffentlich endlich merken, was für eine wundervolle Frau sie war und …

Die Türklingel riss sie aus ihren Gedanken. Emil kam viel zu früh.

Es war aber nicht Emil, sondern Henry, der mit rot gefrorenen Händen und Wangen, einem kopierten Plan des Horrorhauses und mehreren vollgeschriebenen Zetteln hereinkam und den Geruch nach Kälte und Heizungsrauch in den Eingangsbereich brachte. Suzanne fröstelte, und sie und Henry gingen schnell aus dem kühlen Flur in die warme Küche.

»Ich habe ein paar interessante Dinge herausgefunden, als ich mit dem Herrn vom Rathausarchiv gesprochen und mir die dort gelagerten Unterlagen angeschaut habe«, sagte Henry, während er sein modisches Jackett auszog, über eine Stuhllehne hängte, die Ärmel seines Armani-Hemdes hochkrempelte und sich die Hände wusch. »Dieses Horrorhaus hat eine verdammt lange Geschichte.«

Er trocknete sich am Küchenhandtuch ab, ging zum Tisch hinüber, wo er seine Papiere abgelegt hatte, nahm sich eine angetaute Himbeere aus der Schüssel und steckte sie in den Mund. »1410 wurde das Haus das erste Mal in einer Urkunde erwähnt. Da wurde nämlich das Siechenhaus gegründet. Wenig später kam der Serienmörder Hildebrandt. Kurz nach seinem Tod brach im Dachstuhl ein Brand aus, bei dem zwei weitere Bewohner des Siechenhauses umgekommen sind, anscheinend durch Genickbruch. Sie stürzten bei dem Versuch, vor den Flammen zu flüchten, wohl aus dem Fenster und verhedderten sich dabei mit dem Kopf in einer Wäscheleine. Auch diese Toten sollen der Legende nach auf Hildebrandts Konto gehen. Es heißt, er habe ihre Leichen wenige Tage nach der Beisetzung auf dem Friedhof ausgegraben und ins Horrorhaus zurückgeholt. Und zwar in den Keller. Das Haus wurde nach dem Brand wieder instandgesetzt und diente unter anderem lange als Waisenhaus. Aus dieser Zeit stammen ebenfalls einige gruselige Geschichten. Und bis heute gibt es anscheinend immer wieder Hildebrandt-Sichtungen.«

Liam, der neben Suzanne Karotten am Waschbecken schälte, hielt sich plötzlich einen der orangen Stängel wie ein Mikrofon an den Mund und schmetterte zu einer frei erfundenen Melodie: »Vegetables are better, so much behehetter than guns, ghosts and broken necks, oh yeaaah.« So verdammt laut und überraschend, dass Henry beinahe die Zettel aus der Hand fielen.

Als er sich wieder gefangen hatte, Suzanne stürmisch Beifall geklatscht hatte und Liam nach einer Verbeugung sein Karotten-Mikro in Scheiben schnitt, fuhr Henry fort:

»Das Gerücht, dass Hildebrandt seit seinem Tod durchs Haus spukt und weiterhin Menschen tötet, wird durch zwei Dinge befeuert: Zum einen wurden tatsächlich immer wieder Leichen oder Skelette mit gebrochenem Genick im Keller des Horrorhauses gefunden, und zwar ausschließlich im Keller. Die letzten erst vor wenigen Jahren. Zum anderen wurde das Haus, wenn es mal leer stand, und das kam im Laufe der Jahrhunderte gelegentlich vor, immer wieder von politischen Gegnern oder fahnenflüchtigen Soldaten als Versteck genutzt. Auch Handwerksgesellen, die auf Wanderschaft waren, hat es wohl als Schlafmöglichkeit gedient. Es heißt, einige dieser Menschen seien ins Horrorhaus gegangen und dort – im Keller – auf unerklärliche Weise ›verschwunden‹, woran auch Hildebrandt schuld sein soll.«

»Was?!« Suzanne sah erstaunt von den Zwiebeln auf, die sie gerade für die Salatsoße hackte. »Mona Laurent war nicht die Einzige?«

»Ganz genau.«

»Und was ist mit den verschwundenen Leuten passiert?«

»Das ist bis heute ungeklärt, und manches ist sicherlich ein Ammenmärchen. Allerdings vermute ich, dass all die Verschwindensgeschichten einen wahren Kern haben könnten.« Henry sah auf und grinste triumphierend. »Ich denke, es muss einen Geheimgang geben. Und zwar im Keller.« Er breitete den Plan des Horrorhauses aus, der aus mehreren Seiten bestand, und schob Suzanne zwei der Seiten hin, die mit *Keller* und *Keller tief (»Loch«)* überschrieben waren. »Der Keller ist, so hat der Mann aus dem Archiv erzählt, auch heute noch im Originalzustand. Ich bin mir ziemlich sicher, dass Mona Laurent nicht nur im Keller gestorben ist, sondern auch dort ›verschwunden‹ ist.«

»Das ist natürlich keine schlechte Idee, aber ich denke, wenn das Gebäude einen historischen Geheimgang hätte, dann müsste das doch bekannt sein«, wandte Suzanne ein.

»Vielleicht.« Henry deutete mit dem Finger auf ein kleines, verschwommenes Viereck im hintersten der fünf Räume des gesperrten Teils, das Suzanne zunächst für ein wenig Schmutz auf der Kopiervorlage gehalten hatte. »Aber hier ist irgendetwas«, sagte er. »Man erkennt es nicht gut, auch nicht auf dem Original. Der Mann vom Archiv meinte, das müsse wohl die Stelle sein, an der man 1970 eine in der Wand eingemauerte mumifizierte Leiche gefunden hat. Sie stammte ungefähr aus dem Jahr 1820. Eine Wanderarbeiterin. Niemand weiß genau, warum sie gestorben ist oder weshalb sie eingemauert wurde. Aber es war wohl ein Verbrechen, denn sie hatte ein gebrochenes Genick und den Strick noch um den Hals. Und damals gab es auch Gerüchte über einen unterirdischen Geheimgang, den nur Eingeweihte kannten. Die Wanderarbeiterin soll ihn entdeckt haben und deswegen umgebracht worden sein. Der Eingang wurde dann, anscheinend mit der Leiche drin, verschlossen. Waren nur Gerüchte, aber ...« Henry zuckte mit den Schultern. »Und nach der Bergung der mumifizierten Leiche 1970 wurde das Loch in der Wand auf jeden Fall wieder zugemauert. Der Typ aus dem Archiv war sich da ganz sicher. Er meinte auch, dass es nur eine Vertiefung in der Wand und mit Sicherheit kein Geheimgang ist. Aber wie auch immer: Wir sollten uns das Ganze unbedingt anschauen.«

Suzanne sah sich den scheinbaren Fleck genauer an, auch Liam kam nun herbei. Tatsächlich sah die Stelle irgendwie auffällig aus.

»Und da«, Henry tippte mit seinem Finger auf den im Plan eingezeichneten Garten des Horrorhauses, »verläuft seit dem Ende des neunzehnten Jahrhunderts die Kanalisation. Wäre es nicht möglich, dass es den alten Geheimgang doch gibt und dass er jetzt in die Kanalisation führt? Vielleicht ist Mona Laurent ja so ›verschwunden‹. So ein Gang würde im Übrigen auch erklären, wie die ganzen Requisiten unter den Augen eines Wachdienstes abhandenkommen konnten.«

»Ich werde das nachprüfen«, sagte Suzanne. Sie schüttete die Zwiebeln für die Salatsoße in eine kleine Schüssel und fügte Sonnenblumenöl, Balsamico, Salz, Pfeffer und tiefgefrorene Kräuter aus ihrem Küchengarten hinzu. »Gute Arbeit auf jeden Fall.«

Henry deutete ein Nicken an und rollte langsam die Pläne zusammen. Dass er für seine Recherchen mit Suzannes verdammtem Damenfahrrad, das er im Ziegenstall gefunden hatte und das voller Dieselskandalsticker war, hin und zurück eineinhalb Stunden durch die Arscheskälte und den plötzlich einsetzenden Hochnebel hatte fahren müssen, verschwieg er geflissentlich. Sobald er sein erstes Gehalt bekam, würde er seinen Porsche wieder auftanken, so viel stand fest. Es war ja eine Schande, dass er sich gerade nicht mal das leisten konnte. Für eine winzige Sekunde dachte er darüber nach, Suzanne nach einem Vorschuss zu fragen. Tat es dann aber doch nicht, denn dafür hätte er zugeben müssen, dass er pleite war. Dass sein Stuttgarter Detektivbüro überhaupt nicht mehr existierte. Er ballte die Hand um die Pläne zur Faust. Mit Sicherheit würde er sich nicht so eine Blöße geben. Er warf einen Blick auf seine alte Rolex, die er mit Achims Hilfe erst neulich aus dem Pfandleihhaus zurückbekommen hatte. Dann legte er die Pläne beiseite. Nahm sich noch eine Himbeere und zerdrückte sie an seinem Gaumen. Bestimmt stammten sie aus Suzannes Garten, sie waren klein und aromatisch.

»Angenommen, es gibt im Keller tatsächlich einen Geheimgang«, überlegte Suzanne in diesem Moment, »warum hätte die Kamerafrau dann in der Nacht ihres Todes mit einem Dietrich ins Haus gehen sollen?«

Henry kniff die Lippen zusammen. »Keine Ahnung. Vielleicht ist bei der Markierung ja auch nur ein Geheimversteck.«

Sie nickte.

Nachdem Suzanne den Kuchenteig in eine Backform gegossen hatte, erzählte sie Henry von ihrem Gespräch mit Leila Hofreiter. »Es könnte also sein, dass Benni Koch Schulden bei Mona Laurent hatte, die er nicht zurückzahlen konnte. Oder eben auch, dass die beiden eine Affäre hatten. Er ist für mich höchst verdächtig, auch, weil dieser Hausmeister ja behauptet hat, Koch habe Mona vielleicht geholfen, das Haus bei ihrem ›Verschwinden‹ zu verlassen. Meinst du, du könntest morgen noch einmal mit dem

Hauptdarsteller sprechen?«, fragte sie. »Ich weiß, es ist Samstag, aber ich würde das natürlich extra bezahlen.«

»Na klar, kein Problem. Ich hatte sowieso vor, nochmal mit ihm zu reden. Und ich bin ja morgen eh hier und nicht in Stuttgart«, sagte Henry und schob sich noch eine Himbeere in den Mund. Die waren wirklich köstlich. »Hast du Kochs Adresse? Ich denke, ich werde versuchen, ihm ›zufällig‹ über den Weg zu laufen und ihn dann in ein Gespräch zu verwickeln.« Er lächelte. Endlich konnte er wieder als richtiger Detektiv arbeiten und musste nicht dieses grässliche Schauspieler-Ding durchziehen! Und er würde alles daransetzen, diesen Fall aufzuklären, bevor die Dreharbeiten weitergingen und er noch mal spielen musste, so viel stand fest.

»Prima, danke.« Suzanne holte ein ausgedrucktes Blatt von einem Schränkchen neben der Tür und reichte es ihm. »Hier, deine Anmeldung. Ich hatte ganz vergessen, es dir zu sagen. Zum Glück hast du morgen noch nichts anderes vor. Petrow meinte, um deine Deckung aufrechtzuerhalten, könntest du bei diesem Improvisationstraining für Kleindarsteller mal reinschnuppern, das von Benni Koch abgehalten wird.«

Henry verschluckte sich an seiner Himbeere und fing an zu husten. Bitte kein verdammtes Schauspieltraining. Suzanne hatte keine Ahnung, was sie da von ihm verlangte. Erneut wurde er von einem Hustenanfall durchgeschüttelt. Er atmete keuchend. Verdammt noch mal. Noch einmal musste er husten. Dann richtete er sich auf, drückte die Brust raus und brachte ein hoffentlich locker klingendes »Kann ich machen, kein Thema« heraus.

Während er den Salat, den Suzanne ihm in die Hand gedrückt hatte, aus der Küchentür trug, versuchte er sich einzureden, dass er wirklich so cool war. Es war nur ein Training. Es war egal, was die anderen Schauspieler dachten und ob sie ihn für den miesesten … Aber was, wenn diese Carlotta, die er so sexy fand, auch da war, und er sich durch einen peinlichen Auftritt jede Chance verbaute, die Frau näher kennenzulernen? Er brachte den Salat ins Wohnzimmer und knallte ihn auf den Tisch.

Kapitel 15

Emil klingelte auf die Sekunde pünktlich an der Tür, als Suzanne gerade die Filets aus und den Schokokuchen in die heiße Röhre beförderte, während Liam im Wohnzimmer den Tisch deckte und Henry im Keller Wein holte. Die nächste Dreiviertelstunde aßen und tranken sie einträchtig, ohne über den Fall zu reden und ohne dass es zu Konflikten zwischen Emil und Liam kam.

Der Rechtsmediziner hatte dem Sänger nach der gegenseitigen Vorstellung zwar sichtlich ungern die Hand gegeben und ihn danach mehr oder weniger ignoriert, ansonsten aber war nichts weiter passiert. Schließlich waren sie angenehm satt. Henry vielleicht ein bisschen mehr als satt, er hatte so zugeschlagen, dass er richtig außer Atem kam, als er die Teller in die Küche trug und in die Spülmaschine einräumte. Das passierte ihm verdammt nochmal immer dann, wenn er ein bisschen gestresst war, und dieser Termin morgen machte ihn zugegebenermaßen nervös. Warum sah Suzanne nicht ein, dass es an der Zeit war, dass er seine Deckung aufgab? Sie hatte doch in den letzten beiden Tagen gesehen, was er in kurzer Zeit durch normale Recherchen so alles herausfand!

Aber nein, sie war durch und durch Badenerin, immer laissez faire und das Leben von der lockeren Seite sehen, mal beim Schauspieltraining *reinschnuppern*, vielleicht ließ sich da ja etwas herausfinden, und wenn nicht, auch egal, anstatt Ermittlungen strukturiert zu planen. Sollte Suzanne doch selbst bei dieser verdammten Improvisation reinschnuppern! Eine Gabel, die er gerade in die Spülmaschine pfeffern wollte, fiel klirrend auf den Boden. Mit einem Fluch hob er sie wieder auf. Innere Mitte. Keine Schwäche zeigen. Er brauchte das verdammte Geld, wenn er je wieder eine eigene Wohnung haben wollte. Er durfte auf keinen Fall hinschmeißen. Auf keinen Fall.

Natürlich würde er zu dem Training gehen, man verließ den Ring niemals vor dem Boxkampf, und »Schaffa war halt emmer a Gschäfft«, wie seine Oma gesagt hätte. Wieder fiel ihm eine Gabel auf den Boden. Verdammt, von diesem Gebücke mit vollem Magen wurde ihm ganz schlecht. Abgesehen davon würde er heute am späteren Abend noch ein extra Workout einlegen müssen und morgen früh gleich wieder, um diese verdammten Kalorien abzuarbeiten.

Schauspieltraining. Himmel nochmal. Er zwang sich, nur an seinen Stundenlohn zu denken. Und an all die weiterführenden Erkenntnisse, die er bestimmt bei dem Training gewinnen würde. In jeder Hinsicht. Schauspiel sollte ja auch gut für die Persönlichkeitsentwicklung sein. Das hatte der Schauspieler, der den Jack Jackson spielte, gesagt. Wobei, der war vielleicht kein so glückliches Beispiel für eine Persönlichkeitsentwicklung, wenn er jetzt so darüber nachdachte, denn erst neulich war der Mann mal wieder verhaftet worden. Weil er im Suff den Orchideengarten seiner Ex-Frau mit einer Elektrosense »gärtnerisch gründlich« abgemäht hatte, um »der Alten zu zeigen, dass er seine Eier immer noch am richtigen Fleck hatte«. Warum das Abmähen von Orchideen sowas zeigen sollte, hatte Henry nicht ganz verstanden, aber klar war, dass es vermutlich auch nicht für eine sonderlich gut entwickelte Persönlichkeit sprach. Die Rolle des Jack Jackson spielte der Typ trotzdem großartig. Henry musste grinsen und schüttelte den Kopf. Er sollte nicht so viel über Tiefsinniges nachdenken, sondern lieber mal wieder reingehen, die anderen warteten auf weitere Getränke.

Als Henry mit neuen Wasser- und einer neuen Weinflasche zurück ins Wohnzimmer kam, war Suzanne ziemlich dicht zu Liam hinübergerückt, der locker den Arm auf ihre Stuhllehne gelegt hatte. Emil hatte angefangen, über den Mageninhalt von Leichen zu dozieren und den Geruch, der entstand, wenn man so einen Mageninhalt in ein Gefäß kippte, um ihn genauer zu untersuchen. Er hielt dem Sänger gerade über den Tisch sein Handy hin, auf dem sich ein Bild eines solchen Mageninhalts nebst Magen befand.

Liam war ein wenig blass und sagte ausnahmsweise gar nichts.

»Das ist sicher interessant für dich, Liam«, bemerkte der Rechtsmediziner. »So sehen die Mägen der Toten aus, die du immer besingst.« Er tippte etwas auf seinem Handy herum. »Und das hier sind Leichen, die mit Shotguns …«

»Emil, bitte«, sagte Suzanne.

»Was denn?«, fragte ihr Ex-Freund. »Ich will deinem jungen Freund nur einmal erklären, dass es nicht angebracht ist, sich über die Toten lustig zu machen.«

»Ich mache mich nicht über die Toten lustig«, sagte Liam entrüstet. »Ich setze mich philosophisch mit dem Thema Leben und Sterben …«

Emil lachte jovial. »Philosophisch, aber klar doch«, schnaubte er. »Nehmen wir zum Beispiel mal ›My Bitch drives an old Banger‹, ja, Suzanne, ich kenne auch ein paar Lieder von *Dieselskandal*, da brauchst du nicht so zu schauen. In dem Song setzen sich die Zombies wirklich hochphilosophisch mit den halbnackten Frauen auseinander. Sie benutzen dabei halt Shotguns, aber ich will ja nicht kleinlich …«

»Emil, es reicht jetzt«, sagte Suzanne bestimmt. Ärger stieg in ihr auf. Ihr fiel wieder sehr genau ein, warum sie sich von Emil getrennt hatte.

»Außerdem bin ich nicht dein *junger Freund*«, bemerkte Liam und nahm seinen Arm von Suzannes Stuhl. »Du siehst vielleicht viel älter aus, das muss die unhealthy Luft im Leichenschauhaus sein, aber wir haben sicherlich beide eine Drei vorne stehen, und es können höchstens ein oder zwei Jahre …«

»Ich meinte eher die innere Entwicklung«, konterte Emil. »Die ist bei dir ja nun nicht gerade auf dem Stand eines Erwachs…«

»Aber bei dir ist sie das, ja? Hat jemand Lust auf Nachtisch?«, ging Suzanne scharf dazwischen. »Und Emil, würdest du bitte mal kurz mit in die Küche kommen und mir mit dem Schokokuchen helfen?«

Emil folgte ihr in die Küche. Er wirkte ein wenig reumütig, wie ihr schien. »Soll ich den Kuchen anschneiden?«, fragte er. »Ich mache ganz wundervolle Y-Schnitte.«

Sie musste wider Willen grinsen, obwohl sie immer noch sauer auf ihren Ex-Freund war, und reichte ihm das Messer. »Kannst du Liam nicht einfach in Ruhe lassen?«, fragte sie.

»Ich gebe zu, das mit diesem Sänger ist gerade nicht *ganz* optimal gelaufen«, bemerkte Emil, während er begann, den Kuchen in gleichmäßige Stücke zu schneiden. »Aber schau dir den Typen doch mal an mit seinem Spinnennetztattoo, der passt doch nicht zu einer erfolgreichen Geschäftsfrau wie dir, der …«

»Emil, das ist Schwachsinn.«

»Tut mir leid.« Da er es tatsächlich so zu meinen schien, war sie gewillt, ihm zu verzeihen. Zumal sie ja auch nicht ganz fair gespielt hatte, was den Grund für die Einladung zum Abendessen anging.

»Ich muss dir was gestehen, und das tut mir auch leid«, bekannte sie. »Ich … Na ja, ich ermittle in der Sache Mona Laurent, und da dachte ich …«

»Du dachtest, du setzt mir was Leckeres zu essen vor und quetschst mich aus?« Er hörte sich ein wenig enttäuscht an.

Sie nickte. »Aber nicht nur«, wandte sie ein. »Ich finde es auch schön, dich mal wiederzusehen.« Was nicht gelogen war. Jedenfalls wenn er aufhörte, ständig Liam anzugreifen.

Emil sah nachdenklich aus, während er sich ein wenig Schokolade vom Finger leckte. Schließlich nickte auch er. »Na gut«, sagte er. »Ich will mal nicht so sein. Weil du es bist. Was willst du denn wissen?«

»War es ein Unfall oder ein Tötungsdelikt?«

»Im Moment spricht vieles für einen Unfall. Mona Laurent ist mit einem Dietrich ins Horrorhaus eingebrochen, da ist die Spurenlage ziemlich eindeutig. Die haben das Schloss ausgebaut, abgesehen davon hatte sie den Dietrich in der Hosentasche dabei. Und sie hat eine Vorgeschichte, was Diebstahl angeht. Hat in jungen Jahren schon den einen oder anderen Bruch gemacht.

Was wir weiter wissen, ist, dass die Frau im Keller die Treppe hinuntergestürzt ist und sich das Genick gebrochen hat. Wir können trotz der Autopsie nicht mit hundertprozentiger Sicherheit sagen, ob sie gestoßen wurde. Selbstmord halte ich aus verschiedenen Gründen für unwahrscheinlich, auch wenn das grundsätzlich natürlich ebenfalls eine Option wäre. Es wird zu dieser Frage weitere Ermittlungen der Polizei geben, aber ob die erfolgversprechend sind, weiß ich nicht. Die Auffindesituation deutet für mich insgesamt eher auf einen Unfall hin. Über der Treppe gibt es eine Falltür, und die Frau hat sie wohl mit einem lebensgefährlichen historischen Flaschenzug hochgezogen. Die Treppe geht zudem beinahe senkrecht nach unten, ist schlecht beleuchtet und wackelig. Mona Laurent hatte hohe Schuhe an, vollkommen unpassend für diesen Ort, und vermutlich hat sie einen falschen Tritt gemacht … Sie hatte das Seil noch in der Hand und hat bei ihrem Sturz die Falltür wieder mit nach unten gerissen.« Emil schnitt ein weiteres Kuchenstück ab.

»Hatte sie vor ihrem Tod Sex?«

Er schüttelte den Kopf. »Interessant ist aber vielleicht noch, dass sie eine leere Jutetasche dabeihatte. Ihre Leiche lag darauf. Die Tasche wird gerade untersucht. Wir fragen uns, ob sie darin etwas aus dem Haus heraustransportieren wollte, vielleicht Requisiten wie diese komische Hildebrandtslampe oder Petrows Notizbuch. So lautet im Übrigen die Theorie der Polizei im Moment. Könnte aber genauso gut sein, dass sie etwas hineingebracht hat.«

»Gibt es auch Spuren, die auf ein Tötungsdelikt hindeuten?«, fragte sie.

Emil zuckte mit den Schultern. »Eher nicht. Wobei man bei Stürzen eben oft nicht hundertprozentig sicher sagen kann, ob jemand nicht doch einen kleinen Stoß bekommen hat. Ach so, sie hat ein unklares Hämatom am linken Handgelenk. Aber es ist zu schwach ausgeprägt, um eindeutig sagen zu können, dass es Griffspuren sind.«

»Draußen am Haus war ein Strichmännchen gezeichnet, das

ein gebrochenes Genick hatte. Glaubst du, dass das ein Zufall ist?«

»Natürlich wird der Fensterladen untersucht, aber wir denken nicht, dass es da einen Zusammenhang gibt.«

»Warum nicht?«

»Weil es nie im Leben vorhersagbar ist, dass sich jemand das Genick bricht, wenn er eine Treppe hinuntergestürzt wird. Das Opfer könnte überleben, es könnte an ganz anderen Verletzungen sterben, und, und, und. Das ist einfach nicht planbar.«

»Und dass jemand der Frau vorher das Genick gebrochen hat und sie dann die Treppe …«

»Suzanne, ganz ehrlich, glaubst du wirklich, dass ich das nicht untersucht habe?«

»Doch, natürlich, nur …«

»Der Genickbruch ist eindeutig durch den Sturz entstanden. So perfekt kann niemand einen Tatort manipulieren.«

»Der Täter oder die Täterin könnte Glück gehabt haben. Zufällig stirbt das Opfer genau so, wie es vorher angedroht war.«

»Möglich.« Emil klang nicht so, als ob er das glaubte.

»Aber findest du es nicht seltsam, dass in diesem Haus anscheinend alle Leute an Genickbruch sterben?«

Emil grinste schief. »Es gibt ja diese Gerüchte, dass da seit dem Mittelalter ein mordlustiger Hausmeister herumspukt. Wie in meiner alten Grundschule, nur dass der noch gelebt hat, was nicht unbedingt ein Vorteil war für uns Kinder.« Er wurde wieder ernst. »Nein, ehrlich gesagt finde ich das mit den Genickbrüchen überhaupt nicht seltsam«, fügte er dann hinzu.

»Wirklich nicht?« Sie war ziemlich erstaunt.

»Dieses Haus hat eine bewegte Geschichte, und seine Wände haben sehr viel Leid und Elend gesehen. Im Mittelalter war es mal ein Siechenhaus, hast du das gewusst? Da haben sie die Kranken einfach zum Sterben weggesperrt. Und ein Waisenhaus war es wenig später auch. Da ist es mit Sicherheit nicht viel netter zugegangen.« Emil unterbrach das Kuchenschneiden. »Ich habe die historischen Untersuchungsunterlagen einiger der Skelette, die man im Laufe der Jahre im Horrorhaus gefunden hat, durchgesehen. Daraus ergibt sich, dass viele der Skelette eine typische Hangman's Fracture aufweisen, also einen Genickbruch, wie er beim Erhängen entstehen kann. Bei anderen wurde der Kopf durch die Schlinge ganz abgerissen, was ab einer Sturzhöhe von etwa drei Metern passieren kann.« Er räusperte sich. »Was ich damit sagen will: Dass es in diesem Haus so viele Skelette mit Genickbruchspuren gibt, liegt vermutlich daran, dass einige der Insassen so verzweifelt waren, dass sie sich aufgehängt haben. Und zwar an einer Stelle im oder am Haus, die so hoch war, dass das Erhängen zu einem Genickbruch oder einer Enthauptung geführt hat. Und da die Leichen von Selbstmördern früher nicht in geweihter Erde begraben werden durften, hat man sie einfach im Keller des Horrorhauses verscharrt. Eine wurde sogar in der Wand eingemauert. Sie hatte noch eine Schlinge um den Hals.«

Er wiegte den Kopf hin und her. »Zwei der Toten konnten im Übrigen identifiziert werden. Es waren Revolutionäre, über die es eigentlich heißt, sie seien im Horrorhaus auf merkwürdige Art und Weise ›verschwunden‹, als man nach ihnen gesucht hat. Meiner Meinung nach ist in dem Gebäude überhaupt niemand *verschwunden*. Die sind wahrscheinlich alle dort gestorben. Oder haben das Haus unbemerkt verlassen, aber ich glaube, das war eher die Ausnahme.« Er senkte das Messer wieder in den Kuchen.

Suzanne schluckte.

»Die Leiche der Kamerafrau weist nun, wenn wir es ganz genau nehmen, sowieso nicht die gleichen Verletzungen auf wie die meisten anderen Leichen aus diesem Haus«, fuhr Emil fort. »Sie hat sich vielleicht auch das Genick gebrochen, aber ihres ist zersplittert und sieht vollkommen anders aus als das eines Erhängten. Abgesehen davon hat sie noch einen Schädelbruch, der ebenfalls zum Tod geführt haben kann, und ihre Wirbelsäule ist an einigen anderen Stellen gebrochen und so weiter.«

»Wann ist Mona Laurent gestorben?«

»Montagabend zwischen 23.00 Uhr und 1.00 Uhr. Danach hat

sie die ganze Nacht und beinahe den ganzen nächsten Tag in diesem Keller gelegen, bis sie gefunden wurde.« Er runzelte die Stirn. »Ich wollte es erst gar nicht glauben, als ich gehört habe, dass du wieder mit diesem Henry Marbach zusammenarbeitest. Vor Kurzem hast du ihn doch noch für einen Mörder gehalten.«

Suzanne zuckte mit den Schultern. Dann meinte sie: »Mona Laurent hat nach ihrem Verschwinden also wirklich noch mehrere Tage gelebt«, bemerkte sie. Und nach kurzem Zögern fügte sie hinzu: »Weißt du, ich denke manchmal, dass ich ihren Tod hätte verhindern können. Wenn ich sie früher gefunden hätte. Wenn ich intensiver ermittelt hätte.«

Emil schüttelte ernst den Kopf. »Dass diese Kamerafrau einen Unfall hatte, ist mit Sicherheit nicht deine Schuld. Das hättest du bestimmt nicht verhindern können.« Er trat auf sie zu, legte ihr seinen messerfreien Arm um die Schultern und drückte sie an sich. Für einen Moment verharrten sie so.

»Lieb, dass du das sagst«, murmelte sie und musste lächeln. Dann gab sie Emil einen freundschaftlichen Dankes-Kuss auf die Wange. Als sie sich wieder von ihrem Ex-Freund löste, sah sie aus den Augenwinkeln, dass Liam, der offenbar an der offenen Küchentür gestanden hatte, sich umdrehte und eilig zurück ins Wohnzimmer ging. »Liam?«, fragte sie. Niemand antwortete. Eine Minute später ertönte lauter Death Metal aus dem Wohnzimmer, offenbar hatte der Sänger *Dieselskandal* aufgelegt und voll aufgedreht.

Kapitel 16

Nachdem der Schokokuchen, Sahne und die angetauten Himbeeren auf dem Tisch standen und Suzanne die Musik auf eine angenehme Lautstärke heruntergeregelt hatte, aßen sie den Nachtisch. Henry gönnte sich nur ein winziges Stück und Suzanne, die schon ziemlich satt war, ebenso, aber sowohl Liam, der nebenher ein Glas Rotwein regelrecht kippte, als auch Emil, der beim Kauen die Augen geschlossen hatte und nur ab und zu leise »mmmh« murmelte, schlugen richtig zu. Immer wieder warf Suzanne einen Blick zu Liam, der wieder ziemlich weit von ihr weggerückt war, aber der schaute ungerührt auf seinen Kuchen, den er Gabel um Gabel in den Mund schaufelte.

»Habt ihr eigentlich irgendeinen Hinweis darauf finden können, dass Mona Laurent die Tage nach ihrem plötzlichen ›Verschwinden‹ am Donnerstag bis zu ihrem Tod am Montag im Horrorhaus verbracht hat? Eingesperrt im Keller vielleicht?«, fragte Suzanne den Rechtsmediziner, nachdem der sein zweites Stück Kuchen aufgegessen hatte. »Denn wir fragen uns, wo die Kamerafrau nach ihrem Verschwinden war. Ob sie das Horrorhaus gar nicht mehr verlassen hat.«

Emil entfernte einen Kuchenkrümel von seinem Norwegerpullover. »Sie war auf jeden Fall bis zu ihrem Todesabend noch am Leben. Das heißt, sie hätte lebendig im Haus versteckt sein müssen. Und zwar freiwillig.« Emil schleckte seine Gabel ab. »Denn was ich sagen kann, ist, dass sie keine Verletzungen zum Beispiel an den Händen hatte, die darauf hindeuten, dass sie sich verteidigen musste. Oder dass sie versucht hätte, sich aus einem verschlossenen Raum zu befreien. Sie war gut genährt, hatte ausreichend Flüssigkeit zu sich genommen, und gefesselt oder betäubt war sie auch nicht, sowas hätte im Zweifel irgendwelche Spuren hinterlassen. Ich halte es für sehr wahrscheinlich, dass sie sich zwischen ihrem Verschwinden und ihrem Tod nicht im Horrorhaus, sondern irgendwo draußen in Freiheit befand. Ich nehme an, die Polizei wird das in Kürze herausfinden. Wie gesagt, es sieht ja auch alles nach einem Unfall aus.«

»Und wenn es keiner war?«

»Wird die Polizei das hoffentlich auch herausfinden.« Emil nahm sich noch ein Stück Kuchen, Sahne und die restlichen Himbeeren. »Ich weiß nur noch eins: Sie hat kurz vor ihrem Tod Quinoa gegessen. Vermutlich einen Quinoasalat. Hier, das ist der Mageninhalt.« Er kramte erneut sein Handy aus der vorderen Hosentasche und zeigte Henry, Suzanne und vor allem Liam das Bild eines gelblichen Breis mit kleinen Stücken darin. Liam machte ein angewidertes Geräusch und trank erneut einen großen Schluck Wein.

»Quinoa, Granatapfelkerne, Mangostücke, Staudensellerie, Essig, Öl und Zwiebeln«, sagte Emil. »Außerdem ziemlich viel von einer Flüssigkeit, die ich für einen Orangen-Smoothie halte, aber da müssen wir noch die genauen Untersuchungen abwarten. Wenn wir herausfinden könnten, wo sie das Zeug gegessen und getrunken hat, wären wir ein gutes Stück weiter.« Er legte sein Handy hin, steckte sich eine Gabel voll Schokokuchen in den Mund und kaute mit offensichtlich gesundem Appetit weiter.

»Quinoasalat mit Granatapfelkernen und Staudensellerie, das sagt mir irgendwas«, sagte Suzanne. Sie hatte das vor gar nicht allzu langer Zeit irgendwo gelesen, sie wusste nur nicht mehr, wo. Aber plötzlich schoss es ihr in den Kopf. »*S'Drebfle*«, sagte sie aufgeregt und zeigte auf Emils Handy. »Das wäre eine Möglichkeit.«

»Was für ein Tröpfchen?«, fragte Emil mit vollem Mund und sah mit hochgezogenen Augenbrauen auf den Mageninhalt auf seinem Display.

»Es gibt ein Restaurant. In Achern. Das *S'Drebfle* heißt. Ich war mit einer Freundin dort, ist ein alternativer Laden, gehört einem Anthroposophen. *Ess was Gscheids, naa siehts Lewe glei wieder anners aus*, das ist ihr Motto. Eine der Spezialitäten sind Quinoa-Salate. Ich glaube, es gab einen mit Granatapfelkernen und Sellerie. Aber ich weiß es nicht mehr genau.«

Emil hörte auf zu kauen und starrte sie mit großen Augen an. »Bist du sicher?«

»Alter, das Sweetheart hat doch gerade gesagt, dass sie es *nicht mehr genau weiß*«, bemerkte Liam. »Very good, dass du nur mit Toten zu tun hast, denn bestimmt würdest du lebenden Patienten auch nicht richtig zuhören. Und dann ist ja ganz schnell mal das falsche Bein amputiert.« Seine Stimme klang bereits ein wenig verwaschen. »›Last Friday, I lost my leg‹. Guter Song, don't you think? Wir könnten ihn ›Thank you, Doc‹ nennen.«

»Das ist genau das, was ich meine mit der geistigen Reife«, gab Emil zurück. »Wenn ich dir einen guten Tipp geben darf: Über Dinge, die du nicht verstehst, solltest du einfach schweigen.«

»Von guten Songs verstehe ich eine Menge«, gab Liam würdevoll zurück.

»Aber du verstehst nichts von der Rechtsmedizin. Ich habe absolut nicht nur mit Toten zu tun.«

»Uuuh, na dann. Was hältst du von ›The Pathologist's Song‹? ›When his bloody hands touched my breasts‹ mit einem harten Doublebass am Schlagzeug?«, sagte Liam trocken. »Hört sich nach einem Liebeslied an. Würde dir das gefallen, Sweetheart?«

»Ich räume mal den Tisch ab«, brummte Henry und fing an, Teller einzusammeln.

»Ich finde es irgendwie frauenfeindlich, eine Frau ›Sweetheart‹ zu nennen. Vor allem, wenn du über sie als *das* Sweetheart sprichst. Ich meine, Suzanne ist doch keine Sache.« Emil fasste über den Tisch und tätschelte auf eine bestimmende Art Suzannes Arm.

»Bitte, ihr zwei, könntet ihr nicht einfach aufhören?«, fragte sie und zog ihren Arm weg. »Ich finde es nicht frauenfeindlich, wenn ich Sweetheart genannt werde. Warum auch.«

»Ich kann ja in Zukunft *die* Sweetheart sagen, wenn das gefälliger ist. Oder ich lasse es ganz mit dem ›Sweetheart‹.« Liam trank noch einen großen Schluck Wein. »Wie nennst du eigentlich Frauen, Emil? Irgendein steriler lateinischer Fachbegriff?«

»*Bitte*«, wiederholte Suzanne und schwor sich, nie wieder ein Essen mit Emil und Liam zu veranstalten. Auch wenn es tatsächlich so schien, als sei es ihr gelungen, Liam eifersüchtig zu machen, war der Schuss irgendwie nach hinten losgegangen. Trotzdem. Wenn Liam eifersüchtig war, musste das ja bedeuten, dass er sie mochte. Ihr wurde ganz heiß, und ihre Hand wurde schon wieder so unruhig, dass sie lieber mal die Sprudelflasche abstellte. Eine Weile war es still am Tisch. Liam drehte sein Weinglas hin und her. Emil klopfte mit den Handflächen auf seine Oberschenkel. Aus der Küche war das Klappern der Teller zu hören, die Henry vermutlich gerade in die Spülmaschine einräumte.

»Was den Quinoasalat angeht«, begann Suzanne wieder ein hoffentlich unverfängliches Gespräch über den Fall, »du weißt doch, Emil, wie gründlich ich Restaurantkarten immer lese.« Eine Angewohnheit, die sie von ihrem Vater geerbt hatte, der Koch in einem Restaurant in Straßburg war und immer und überall nachschaute, was denn die Konkurrenz so auf der Speisekarte stehen hatte. »Was haltet ihr davon, nach dem Nachtisch noch auf einen kleinen Absacker ins *S'Drebfle* zu gehen?« Sie sah zu Liam, wollte ihn gerade anlächeln, aber er senkte den Blick. Dann stand er wortlos auf und ging mit der leeren Himbeerschüssel Richtung Küche.

»Was verstehen Anthroposophen denn unter ›Absackern‹?«, fragte Emil. »Hambelmannsbrunse ohne Alkohol? Damit's Lewe glei wieder anners aussieht?«

»Du musst ja nicht mit.«

»Doch, auf jeden Fall. Ich muss schließlich Proben von dem Quinoasalat besorgen.« Er fügte leise hinzu: »Aber auf der Fahrt hören wir bitte kein *Dieselskandal*. Das ist doch keine Musik. Das ist …« Er brach ab, denn in diesem Moment kam Liam aus der Küche zurück.

Der Sänger blieb wie angewurzelt stehen. »Wolltest du

›Scheiße‹ sagen?«, fragte er und sah dabei so verletzt aus, dass es Suzanne beinahe das Herz zerriss.

Diesmal wurde sie stinksauer auf Emil. »Nein, das wollte Emil nicht sagen«, fauchte sie. »Denn sonst hätte ich ihn aus dem Haus geschmissen.«

Emil verzog beleidigt das Gesicht, schien sich aber geschlagen zu geben. »Ich wollte nur sagen: ›Das ist mir zu laut‹«, behauptete er.

»Es würde dir guttun, wenn du mal ein bisschen anständige Music hören würdest«, sagte Liam.

Emil sagte nichts.

»Und ich glaube, I stay heute Abend hier, Sweetheart«, fuhr Liam fort. »Ich muss noch einen Song beenden. Aber geht ihr nur. Ist bestimmt important für deinen Fall.«

»Das ist aber schade«, sagte sie enttäuscht.

Liam schaute ihr nicht in die Augen. Er fing an, die gebrauchten Gläser einzusammeln.

Henry, der ebenfalls aus der Küche zurückgekommen war, fügte hinzu: »Ich gehe auch nicht mit. Ich will noch eine Runde trainieren.« Die Aussicht auf verdammte anthroposophische Smoothies mit einer sich mit Emil zoffenden Suzanne machte ihn nicht gerade heiß. Seine Oma hatte so recht gehabt, wenn sie gesagt hatte: »I gang bloß do noh, wo mr in Ruh' an ohschdändigs Vierdele schlotza koh.« Und ein anständiges Viertelchen Wein konnte er auch hier »schlotzen«, da musste er nirgends hin.

»Na, dann können wir ja endlich mal wieder voll einen draufmachen, Suzanne, wie in der guten alten Zeit«, bemerkte Emil beschwingt. »Kannst du dich noch erinnern, Liebes, wie wir nach dieser Party in Freiburg den letzten Zug verpasst haben und dann die Nacht an der Dreisam …«

»Wir holen nur die Quinoasalatprobe und befragen die Angestellten. Das wird ein sehr kurzer Ausflug«, unterbrach Suzanne ihn. Wenn sie ganz ehrlich war, hatte sie überhaupt keine Lust mehr, mit Emil alleine irgendwohin zu fahren. Und seit wann nannte er sie wieder »Liebes«?

Auf der anderen Seite war das hier eine Spur, der man unbedingt nachgehen musste.

»Viel Spaß«, sagte Liam leise und tappte in die Küche. Wenig später hörte sie seine Schritte in seinen provisorischen Proberaum im Keller schlurfen.

Da sie beide schon einiges an Wein intus hatten, nahmen Emil und Suzanne wenig später ein Taxi nach Achern. Das Restaurant lag etwas außerhalb des Örtchens an einem stockdunklen Feldweg. Es war in einem schrägen Hexenhäuschen ohne einen einzigen rechten Winkel untergebracht. Zu ihrer Freude entdeckten Suzanne und Emil auf der vor dem Eingang aushängenden Speisekarte, deren Ecken ebenfalls abgerundet waren, den gesuchten Quinoa-Salat mit Granatapfelkernen, Mango und Sellerie. Er trug den Namen *Zufriedene Seele.*

»Das sollte ich dann wohl Paul erzählen.« Emil, der den Staatsanwalt nicht leiden konnte, sah ein wenig gequält aus, als er die Nummer in sein Handy tippte. »Ich fürchte nur, ich muss die Lorbeeren alleine einheimsen. Wenn er erfährt, dass ich dir schon wieder so ausführliche Informationen zu einem Fall gegeben habe, ende ich wahrscheinlich auch mit gebrochenem Genick im Horrorhaus.«

Suzanne nickte.

Emil tätigte seinen Anruf, danach gingen sie hinein. Im Inneren der Kneipe war es heiß und voll, und es roch nach Zwiebeln, gekochtem Getreide und Kräutern. Sie zeigte ihre Detektei-Griesbaum-Karte vor, und die Angestellten des *S'Drepfle* waren sehr hilfsbereit. Offenbar hatte zwar niemand hier Mona Laurent schon einmal gesehen, deren ausgedrucktes Homepage-Foto Suzanne herumzeigte, aber es stellte sich heraus, dass es gegen 20.00 Uhr, also etwa drei Stunden vor Beginn von Monas mutmaßlichem Todeszeitraum, eine telefonische Bestellung gegeben hatte, bei der zwei Quinoa-Salate bestellt worden waren, einer mit gegrilltem Wintergemüse, der *Sonnige Welt* hieß, und eine *Zufriedene Seele.* Und, auch das war »passend zum Mageninhalt«, wie Emil ihr ins Ohr flüsterte, ein Smoothie aus pürierten Orangen und Ingwer. »Die telefonische Bestellung lautete auf den Namen Roux«, sagte der Chef, ein gut gelaunter junger Mann mit ungewaschenen Haaren, der eifrig in einem großen Buch geblättert hatte.

Suzanne musste sich vor Erstaunen erst mal auf einen Hocker an der Bar setzen. »Die Schwester der Kamerafrau heißt Camille Roux«, erläuterte sie Emil leise und aufgeregt. »Das kann eigentlich kein Zufall sein!« Sie nahm sich vor, der Frau gleich morgen früh noch einen Besuch abzustatten.

»Roux ist ein häufiger Name, vor allem in Frankreich«, erwiderte Emil, »und wir sind hier direkt an der Grenze.«

»Ach was«, knurrte Suzanne. »Das ist mir noch gar nicht aufgefallen.«

Kurz stritten sie über Nachnamen, Wahrscheinlichkeiten und Zufälle. Dann orderte Emil eine Portion des Salats und einen Orangensmoothie zum Mitnehmen, um alles im Labor untersuchen zu lassen, und Suzanne einen Kokosnuss-Litschi-Tee, um auf dem Heimweg etwas zum Aufwärmen zu haben. Als sie ihre Bestellungen gerade bezahlt hatten, betraten zwei Polizisten den Raum, und Suzanne und Emil schafften es gerade noch rechtzeitig, das Restaurant ungesehen zu verlassen.

»Vielleicht hätte ich Paul ein wenig später anrufen sollen«, meinte Emil.

»Oder wir hätten ein wenig kürzer streiten sollen«, konnte sie sich nicht verkneifen anzumerken.

Emil legte ihr erneut für einen Moment den Arm um die Schultern, aber sie schüttelte ihn sofort ab. Während sie durch die eisige Luft den Feldweg entlanggingen, der zur Straße führte, teilten sie sich den dampfenden, leicht seifig schmeckenden Tee in einem kompostierbaren Bananenblatt-Becher. »Das ist also deine Vorstellung von einem gemütlichen Absacker«, grinste Emil, als sie schließlich vorne an der Bushaltestelle frierend auf das Taxi zurück warteten. »Was für ein Glück, dass wir schon getrennt sind.«

Die ganze Heimfahrt grübelte Suzanne über Liam nach, während sie Emil kaum zuhören konnte, der irgendwelche Anekdoten aus vergangenen gemeinsamen Urlauben zum Besten gab. Sie war niemandem Rechenschaft schuldig, aber trotzdem hatte sie das Bedürfnis, gleich noch mit dem Sänger zu sprechen und klarzustellen, dass ihre Umarmung mit Emil und ihr Kuss nichts als freundschaftlich gewesen waren. Denn ein bisschen Eifersucht war ja okay, aber nicht, dass Liam ernsthaft dachte, sie würde Emil immer noch lieben. Davon konnte keine Rede sein.

Emil ließ es sich nicht nehmen, sie mit dem Taxi bis nach Hause zu begleiten, obwohl es die sinnvollere Route gewesen wäre, wenn sie erst bei ihm vorbeigefahren wären. Als sie auf dem Hof ankamen, umarmte er sie zum Abschied ziemlich lange, was sie nun wirklich irritierte. Sie sah kopfschüttelnd dem davonfahrenden Taxi hinterher und ging dann direkt zur Weide, um ihre Ziegen in den Stall zu bringen und zu füttern. Erst als sie fröstelnd wieder im Haus stand, fiel ihr auf, dass nirgends Licht brannte. In der Küche fand sie einen Zettel, auf dem in Liams ordentlicher Handschrift stand: *Bin mit Henry nach Offenburg gefahren. Um voll einen draufzumachen. Wie in der guten alten Zeit.*

Enttäuschung machte sich in ihr breit. Da wäre sie so gerne mitgegangen. Vielleicht war ihre Idee, Emil einzuladen, doch nicht so gut gewesen. Aber was musste Liam sie auch heimlich beobachten, sowas konnte sie ja überhaupt nicht leiden.

Sie setzte sich auf ihr gemütliches, kariertes Sofa und schaltete den Fernseher an. Zappte unwillig durch die Programme. Holte sich noch ein großes Stück Schokokuchen, schlang ihn schlecht gelaunt herunter und war danach erst richtig mies drauf. Gegen halb zwölf ging sie mit einer unterirdischen Laune ins Bett, ohne dass Liam oder Henry zurückgekehrt waren.

Kapitel 17

Henry hatte das Gefühl, überhaupt nicht geschlafen und dazu noch einiges an Restalkohol intus zu haben, als sein Handywecker am Morgen lautstark und allegro ein Klavierstück von Mozart abspielte. Er setzte sich langsam auf. Ihm war schwindlig. Verdammt, er wurde alt, früher hätten ihn drei Halbe nicht komplett aus den Socken gehauen. Aber gestern Abend hatte er von dem bisschen Bier sowas von einen sitzen gehabt, das war nicht mehr feierlich gewesen. Gut, wenn er jetzt so darüber nachdachte, dann hatten Liam und er, nachdem Suzanne weggefahren war, auch noch zwei Gläschen von diesem verdammten Spätburgunder getrunken, während sie überlegt hatten, was sich noch mit dem Abend anfangen ließe. Denn Henry hatte gemerkt, dass er für ein Training viel zu faul und vollgegessen war, und als Liam wenig später mit den Worten »I am so unkreativ heute. Ich brauche ein wenig Zerstreuung« aus dem Keller gekommen war, hatte er sich breitschlagen lassen, noch etwas zu unternehmen.

Er streckte sich. Älter, aber nicht klüger, so konnte man das wohl zusammenfassen. Dumpf erinnerte er sich, dass Liam und er in Offenburg bei einer Karaoke-Party gelandet waren und dass Liam gemeinsam mit zwei blonden Mädels Achtzigerjahre-Songs gesungen hatte. Der *Dieselskandal*-Sänger hatte keine schlechte Gesangsstimme, das hatte Henry anerkennend festgestellt, man hörte das normalerweise nur nicht, weil er ins Mikro howlte oder schrie. Liam hatte Henry zu sich auf die Bühne geholt, und wenn seine alkoholvernebelte Erinnerung ihn nicht trog, hatten sie zu viert irgendetwas gerappt und das unheimlich lustig gefunden. Irgendwann war Henry mit einem Taxi nach Hause gefahren, das er sich verdammt nochmal nicht leisten konnte. Nun mussten der Kauf einer neuen Winterjacke und die Tankfüllung für den Porsche wieder warten, von der Miete für eine neue Wohnung ganz zu schweigen. Liam hingegen war noch bei der Party geblieben, weil er anscheinend den »Need« verspürt hatte, »sich mit zwei relaxten Babes die Soul aus dem Body zu dancen«.

Henry hatte das Gefühl, dass Liam verdammt sauer gewesen war, weil Suzanne mit Emil zusammen weggefahren war, und dass er sich mit den beiden »Babes«, um die er beim Singen ständig den Arm geschlungen hatte, an ihr rächen wollte. Er schien Suzanne wirklich gerne zu mögen. Nur, wenn er sie mochte, warum hatte er dann noch nicht auf ihre Avancen reagiert? Denn Suzanne flirtete ja nicht gerade unauffällig mit ihm, es war eigentlich unmöglich, dass der Sänger das nicht mitbekommen hatte. Und sie war eine verdammt hübsche Frau. Wenn Liam also auch etwas von Suzanne wollte, wieso hatte er dann nicht Nägel mit Köpfen gemacht, vor Tagen schon? Völlig unverständlich das Ganze. Henry setzte sich auf. Suzannes Arbeitszimmer, in dem er auf einer bequemen Matratze übernachtet hatte, drehte sich immer noch ein wenig vor seinen Augen.

Nach einer heißen Dusche, vier SOS-Kaffees mit einer dicken Crema und zwei Scheiben Demeter-Vollkornbrot mit Suzannes Zwetschgenmus fühlte er sich wieder wie ein Mensch. Ein Mensch, der allerdings immer schlimmeres Bauchgrimmen bekam bei der Vorstellung, was bei dem *Improvisationstraining für angehende Filmschauspieler*innen, verschiedene Genres*, wie der Workshop mit vollem Namen hieß, auf ihn zukommen würde. Das fing schon damit an, was mit »verschiedene Genres« gemeint sein könnte. Andere Filmgattungen vielleicht, in denen Petrow sonst so drehte? Also auch Pornos? Henry wurde es erneut ein wenig schwindlig.

Auf dem Handy ging er angespannt eine Liste mit Filmen des Regisseurs auf Wikipedia durch. Neben der Uschi-Reihe hatte Petrow einen Werwolfporno und einen Porno mit Aliens gemacht, außerdem diverse Splatter- und Slasherhorrorfilme, die Namen wie *Monsternonnen auf blutüberströmten Abwegen* trugen. Verdammt, dachte Henry, was, wenn er in dem Workshop eine

Monsternonne improvisieren musste oder einen Alien mit drei Schwänzen, der sich junge Frauen griff? Dann war er raus, Recherche und hoher Stundenlohn hin oder her. Das hatte überhaupt nichts mit Feigheit zu tun, ganz klar, aber dann war er raus.

Er bekam leichtes Herzrasen und beruhigte sich schließlich damit, dass Petrows Pornophase und die Phase der gänzlich geschmacklosen Horrorfilme schon seit Langem abgeschlossen zu sein schien. In den letzten Jahren hatte der Regisseur vor allem Kunstfilme gedreht. Und es wollte verdammt nochmal etwas heißen, wenn er, Henry, Filme wie *Wale weinen bei Sonnenuntergang* und *Frühlingsschmetterlingstod* als Beruhigung ansah. Kunstfilme machten ihn normalerweise so aggressiv, dass er am liebsten den Fernseher mit einem linken Haken ausknocken wollte. Bähm, voll auf die Scheibe. Er las angespannt einen Artikel im Internet über *Wale weinen bei Sonnenuntergang*, voller Hoffnung darauf, der Journalist habe dem Regisseur so richtig eins auf die Mütze gegeben. Der Film hatte erst vor Kurzem Premiere gehabt und wurde zu Henrys großer Enttäuschung als *von tiefer epischer Kraft* hoch gelobt. Sogar für einen Filmpreis war er nominiert worden. Ein Foto zeigte Petrow in Frack und Krawatte, wie er vor einem dicht gefüllten Zuschauerraum, offenbar in einem Kino, stand und mit einem Sektglas in die Kamera prostete. Neben ihm hing ein Plakat, das einen gestrandeten und von Verwesungsgasen aufgeblähten Wal bei Sonnenuntergang zeigte, vor dem sich ein Liebespaar küsste.

Mit einer wütenden Bewegung wollte Henry gerade das Bild vom Bildschirm wischen, als sein Blick auf ein bekanntes Gesicht im Zuschauerraum hinter Petrow fiel: Maximilian Bräcker, der Drehbuchautor. Er schien sich mit einer Frau zu unterhalten. Henry hielt die Luft an und vergrößerte das Bild mit einer Fingerbewegung. Auch das Gesicht der Frau kannte er: Das war eindeutig die tote Kamerafrau! Bräcker sah stinkwütend aus. Oder panisch, das war nicht ganz genau zu erkennen.

Henry schaute auf das Datum. Die Preisverleihung hatte Anfang September stattgefunden, einige Wochen vor Mona Laurents Verschwinden. In Köln. Das hieß nun noch lange nichts, aber eines war klar: Bräcker hatte ihn angelogen. Er hatte keinesfalls »jeden einzelnen Tag« des letzten halben Jahres in Aix en Provence verbracht. Und er kannte Mona Laurent tatsächlich und war vielleicht sogar wütend auf sie gewesen. Hatte der Drehbuchautor also zwei Fliegen mit einer Klappe geschlagen und sich an Petrow gerächt, indem er dessen Film sabotiert und dabei gleich noch die Kamerafrau getötet hatte, auf die er aus irgendwelchen Gründen sauer gewesen war? Und ihm, Henry, diesen verdammten Stuss von wegen Hildebrandts Todestag und dem scheußlichen Verbrechen aufgetischt, um von sich abzulenken? Nur um dann direkt im Anschluss nach Willstätt zu fahren und die Kamerafrau umzubringen? Möglich, ohne Weiteres möglich. Henry nickte grimmig.

Seine Laune hob sich ob dieses Rechercheerfolgs kurzzeitig, und er schrieb Suzanne, die offenbar noch schlief, eine Nachricht auf das kleine Einkaufslistenblöckchen in der Küche, druckte ihr das Foto aus, legte alles mit zwei Kulis beschwert gut sichtbar auf den Esstisch und verließ dann mit einem Grummeln im Magen das Haus. Es war kalt, und der düstere, feuchte Hochnebel aus der Nacht lag wie ein böses Omen über Neuried-Altenheim, als Henry in den Bus stieg. Von Offenburg aus fuhr er weiter mit dem Zug nach Baden-Baden und vom dortigen Hauptbahnhof wieder mit dem Bus in die Innenstadt.

An der Haltestelle *Hindenburgplatz* überlegte er kurz, ob er einfach weiterfahren sollte. Vielleicht hatte er den Fall heute Morgen ja bereits gelöst, und Bräcker war der Täter. Dann wäre es doch vollkommen überflüssig, dass er noch mit Benni Koch …! Aber schließlich zwang er sich hinaus. Das Foto mit dem Drehbuchautor von der Preisverleihung war zwar interessant, sagte aber im Grunde noch gar nichts aus. Und ein Schauspieltraining konnte ja wohl kaum schwerer sein als die Prüfung zum schwarzen Gürtel in Ju-Jutsu, und die hatte er damals mit Bravour bestanden. Henry ballte die Hand zur Faust. Das Training musste ja nicht lange dauern: Er würde gleich am Anfang eine unauffällige Gelegenheit finden, mit Koch zu sprechen, und danach Kopfschmerzen vortäuschen und sich vom Acker machen, noch bevor die Übungen richtig begonnen hätten.

Das Improvisationstraining fand in einer Sporthalle in der Nähe des Baden-Badener Kurparks statt. Außer Henry waren noch dreiundzwanzig weitere Teilnehmer gekommen, die meisten erkannte Henry als Komparsen und Schauspieler von »Dunkle Gemäuer« wieder. Carlotta, die Schauspielerin, die er so toll fand, war bedauerlicherweise tatsächlich da. Sie begrüßte ihn mit Wangenküsschen in einem ziemlich engen Top, das ihre sexy Figur betonte. Ihre langen Haare fielen locker auf ihre Schulter, und ihr kehliges Lachen machte ihn noch nervöser, als er sowieso schon war.

Anfänglich fand Henry das Training dann aber doch nicht so schlimm, wie er befürchtet hatte, obwohl er Benni Koch etwas netter in Erinnerung hatte. Aber bestimmt hatten der Tod der Kamerafrau und der Anblick der Leiche den Schauspieler aufgewühlt.

Selbst er, Henry, als stahlharter Profi, hatte gestern Nacht im Alkoholrausch einen Albtraum von der steilen Treppe und dem »Loch« gehabt, und er hoffte immer noch von ganzem Herzen, dass er im Schlaf nicht laut »oh nein, oh nein« geschrien hatte, sondern die Schreie nur geträumt hatte. Denn wenn Suzanne sein Gekreische bis in ihr Schlafzimmer gehört hätte, das wäre nun wirklich peinlich. Wie pflegte der Schauspieler, der den Jack Jackson spielte, immer zu sagen: »Lieber ein Albtraum sein als einen haben.«

Ein gereiztes »Hey, Henry, wir sind schon bei den Stockreimen« riss ihn aus seinen Gedanken, und er konzentrierte sich wieder auf die Kopie in seiner Hand. Nach den Stockreimen übten sie Zungenbrecher, und danach mussten sie wie eine Prinzessin, wie ein Räuber und wie ein Anwalt durch den Raum gehen.

Nach der ersten Dreiviertelstunde allerdings wurde das Training härter, und leider hatte Henry immer noch keine Gelegenheit gefunden, Benni Koch unauffällig zu befragen. Bei der Übung *Wie ein Baumstamm bei Sturm umfallen und von einem Gebüsch aufgefangen werden* brach sich Henry fast den Arm und holte sich einen großen blauen Fleck am Ellenbogen, weil sein verdammtes Gebüsch, ein schmächtiger Mittzwanziger, unter seinem Gewicht eingeknickt war. Schließlich zogen sie auch noch für eine »erste lockere Improvisation« Karten, auf denen Aufgaben standen. Henry hatte ein ganz ungutes Gefühl, als ihm die Mütze gereicht wurde, in die Benni Koch die Karten geworfen hatte. Carlotta, die neben ihm stand, bekam eine Karte mit der Aufschrift *Tanz einer verliebten Krake*. Mit schweißiger Hand griff Henry seinerseits in die Mütze. *Silberfischchen flieht in öffentlicher Toilette vor dem Licht.*

Henry dachte erst, Koch habe sich mit diesem verdammten Unsinn einen Spaß erlaubt, aber der schaute ihn nur ernst an, als er nachfragte, und meinte: »Schauspielerei bedeutet, man muss *alles* darstellen können, mein Freund. Innere Öffnung kann nur durch Überwindung von Grenzen geschehen. Ist wie auf der Schauspielschule.« Und er fügte an: »Glaub mir, das hier ist gar nichts. Heute Mittag, da wird es noch richtig zur Sache gehen. Aber so richtig.«

Henry fuhr ein Schauder des Grauens über den Rücken. Himmel nochmal, das war ja mal wieder typisch, dass ausgerechnet er seine inneren Grenzen überwinden musste, indem er ein verdammtes Silberfischchen in einer öffentlichen Toilette darstellte. Und das noch vor einer Frau, die er attraktiv fand. Da hätte er sogar lieber noch die *wild gewordene schwäbische Blattschneiderameise, die ihre badischen Kameraden zersägt* gespielt, auch wenn das doch irgendwie ziemlich schwabenfeindlich war! Außerdem bekam er langsam Kopfschmerzen, offenbar war der viele Alkohol von gestern doch nicht so spurlos an ihm vorübergegangen, wie er nach dem Kaffee beim Frühstück gedacht hatte.

Sie bekamen zehn Minuten, um ihre »Performance« zu üben. Henry hatte plötzlich das Gefühl, sein Gehirn sei vollkommen leer. Er hatte nicht die geringste Idee, wie man »intensiv in seine Rolle fand«. Er konnte sich auch nicht erinnern, je so geschwitzt zu haben, wobei das möglicherweise auch an seinem Kater lag. Die zehn Minuten rasten davon, und schon begannen die Aufführungen. Carlotta bekam für ihre, wie er fand, verdammt sexy Krake nur ein »probier mal, ein bisschen mehr aus dir rauszugehen«, und beim Gebüsch-Mittzwanziger, der den Geräuschen zufolge offenbar eine Kuh darstellte, wütete Koch: »Oha, oha, das hat ja noch nicht richtig geklappt. Ihr müsst euch in eure Tiere *hineinversetzen*, Himmel, was ist denn daran so schwierig?«

Henry schaute aus dem Fenster.

»Henry, pennst du, oder was?«

Er zuckte zusammen, als er Kochs Stimme direkt an seinem Ohr vernahm.

»Erklär den anderen bitte, was in deinem Fischchen vorgeht!«

Henry schaute Koch erschöpft an. Keine Ahnung, was im Inneren eines verdammten Silberfischchens abging. Er konnte sich da nicht hineinversetzen. Abgesehen davon hatte er mit seinem durchtrainierten Body auch überhaupt nicht die richtige Statur, um ein Silberfischchen …

»Henry? Wir hören?«

»Was in meinem Fischchen vorgeht«, begann Henry. »Na ja, also, mhm …«

Koch runzelte die Stirn.

»Es hat Angst vor dem verdammten Licht«, improvisierte Henry.

»*Ich* habe Angst vor dem Licht. Nicht *es*«, unterbrach ihn Koch wütend. »Du musst ganz in der Rolle aufgehen.«

»Also gut«, sagte Henry ein wenig verzweifelt. »*Ich* habe Angst vor dem verdammten Licht. Ich flüchte panisch, schlängle mich am Fuß der Kloschüssel vorbei, renne an einigen verdammt tödlichen Urinseen entlang, so schnell meine kleinen Beinchen mich tragen, Hauptsache, ich bleibe unter dem Radar und in den Ritzen der Kacheln.« Yeah, nimm das, Benni Koch, das war verdammt gut, was? Vor allem das mit dem Radar und den Kachelritzen, dachte Henry, sehr erstaunt über sich selbst. Die Bekanntschaft mit kreativen Leuten wie Liam und sein Tag beim Film weckten offenbar ungeahnte Seiten in ihm. Vielleicht würde er als Nächstes ja doch das Klavierspielen …

»Ab auf den Boden. Aber zackig«, knurrte Benni Koch. Dem Tonfall nach zu schließen klang es nicht so, als habe ihn Henrys Ausführung sonderlich beeindruckt.

Henry ließ sich schicksalsergeben auf den Boden nieder. Er fing an, über den fleckigen Gummibelag draufloszukriechen und zu schlängeln. Drei Sekunden später schrie Koch: »Stopp, stopp, das reicht, willst du mich verarschen? Wo, um Gottes willen, hast du Schauspielen gelernt?«

Zum Glück klingelte in diesem Moment Kochs Handy, und Henry kam um eine Antwort herum. Er stand wieder auf und atmete ein paarmal tief durch. Verdammt nochmal.

»Ich finde es nicht sonderlich motivierend, wenn wir so angemotzt werden. Was ist denn heute nur mit dir los, Benni?«, greinte der Gebüsch-Mittzwanziger laut in Kochs Richtung, doch der schien ganz auf sein Telefonat konzentriert und bellte in den Hörer: »Ja … ja … Himmel, ja, ich verstehe. Aber wenn ich die Kohle nicht habe, ist es müßig, darüber noch … Einen nackten Mann kann man nicht auszieh… Ja, ist ja gut, ich habe es kapiert. Ich zahle, reg dich nicht auf.« Nachdem er zu Ende telefoniert hatte, knurrte Koch: »Ich brauche jetzt eine Pause.«

Alle stürmten sichtlich erleichtert zu dem Rollwagen am Rand der Halle, auf dem Teller mit Butterbrezeln und Streuselkuchen und einige Kannen Kaffee standen.

Mit einer Tasse Kaffee in der Hand schlenderte Henry hinüber zu dem Tischchen, an dem Benni Koch und zwei weitere Schauspieler standen. Er war sich nicht ganz sicher, wie er das Gespräch unauffällig auf die tote Kamerafrau lenken konnte, aber als er seine Tasse auf dem Tischchen abstellte, hörte er, dass der Schauspieler sowieso gerade darüber sprach.

»… was das für ein Film wird ohne Mona. Wenn ich Wladimir und den anderen das Geld nicht zurückzahlen müsste, hätte ich mich schon lange krankgemeldet. Aber Wladimir kennt kein Erbarmen«, sagte der Hauptdarsteller von »Dunkle Gemäuer« leise und theatralisch zu einem der anderen Schauspieler, einem jungen Mann mit blonden Locken. »Glaubst du, ich habe Bock, hier unsinnige Trainings zu veranstalten und so zu tun, als ob alles gut wäre?«

Die beiden anderen nickten verständnisvoll.

»Du kannst dir nicht vorstellen, wie schrecklich es ist, eine Tote zu finden«, sprach Koch weiter. »Das haut dich echt um.«

»Es war wirklich übel«, bemerkte Henry.

Koch sah ruckartig auf. Erst jetzt schien er zu bemerken, dass Henry auch mit am Tisch stand. »Du hast Mona doch nicht mal gekannt, oder?«, zischte der Schauspieler ihm zu. »Du hast lediglich ihrer Leiche den Puls gefühlt. Und ich habe echt keinen Bock, mit dir zu reden. Also leck mich.«

Diese Befragung lief ja blendend, dachte Henry. Der ganze verdammte Tag lief ja blendend. Er wollte zurück ins Bett und eine Aspirin.

»Du warst der Typ, der unten im Keller bei Mona war?«, wandte sich nun der Schauspieler mit den blonden Locken an Henry. »Glaubst du denn, dass es ein Unfall war?«

Henry zuckte mit den Schultern. »Keine Ahnung. Was denkst du, Benni?«

»Woher soll ich das wissen?«, fauchte Koch.

»Das war kein Unfall. So komisch, wie die Mona verschwunden ist. Die hat doch schon am Tag vor ihrem Verschwinden so geheimniskrämerisch getan und war noch unerträglicher als sonst. Als ob sie sich plötzlich alles erlauben kann«, bemerkte der Blonde. Er räusperte sich. »Wer auch immer sie die Treppe runtergestoßen hat: Ich könnte ihn fast verstehen. Man soll ja über die Toten nichts Schlechtes sagen, aber Mona …«

»Dann sag auch nichts Schlechtes, Himmel nochmal«, bellte Koch ihn an.

»Was bist du denn heute so mies gelaunt?«, maulte der Blonde.

»Leckt mich doch alle!« Koch stürmte vom Tisch weg aus dem Raum. Während Henry noch darüber nachdachte, ob er ihm folgen sollte oder ob das sowieso keinen Zweck hatte, weil der Typ im Leben nicht mit ihm reden würde, bemerkte der blonde Schauspieler an Henry gewandt: »Benni ist, glaube ich, der Einzige, der es schade findet, dass Mona weg ist. Wir anderen sind nun natürlich nicht *froh*, dass sie *tot* ist und so, aber … Es war nicht leicht, mit ihr zusammenzuarbeiten.«

»Warum?«, fragte Henry. Bisher hatten sich die Schauspieler und Crewmitglieder, mit denen er gesprochen hatte, immer recht neutral über Mona geäußert. Es hatte allerdings auch niemand etwas Nettes über sie persönlich gesagt, dachte er plötzlich. Es war nur mehrfach angemerkt worden, dass sie eine gute Kamerafrau …

»Na ja«, sagte der andere Schauspieler, ein älterer Herr mit hennaroten Haaren und einem großen Tattoo auf dem Arm, das offenbar George Clooney darstellen sollte, »es gibt halt so Menschen, die müssen ständig im Vordergrund stehen. Immer geht es nur um sie, sie, sie. Das ist halt ermüdend. Auch wenn ich manchmal denke, dass sie eigentlich zutiefst unsicher und unglücklich war.«

»Hinnerfoddsig war die unn iwwerkandiddeld«, mischte sich nun eine Komparsin ins Gespräch ein, die bislang in der Nähe des Tischs schweigend ihren Streuselkuchen gegessen hatte. »Dess Hinnerleddschde.«

Der blonde Schauspieler nickte. »Dem Regisseur gegenüber war sie zuvorkommend, hat sich als perfekte Kamerafrau, die gern im Team arbeitet, dargestellt. Aber hintenrum hat sie ihre Intrigen gesponnen und die Leute fertiggemacht. Könnt ihr euch noch daran erinnern, wie sie dafür gesorgt hat, dass Niklas rausgemobbt wird? Ständig hat sie ihn angemacht, er würde wie ein Ben Hur auf Crack mit dem Eselkarren fahren, er sähe so erbärmlich aus, sie habe gar keine Lust, ihn zu filmen, und so fort. Alles hintenrum. Aber trotzdem so, dass Niklas es auch auf jeden

Fall mitbekommt.« Er wandte sich an die Komparsin. »Zu dir hat sie doch auch mal gesagt, du hättest einen Stock im Arsch und solltest lieber Fahrkarten kontrollieren statt schauspielern, denn das sei alles, was du auf die Reihe bringst.«

Die Komparsin nickte ebenfalls. »Die Mona war all Ferz lang debei, sichs Maul über annere zu zerreise.«

»Nur mit dem Benni hat sie halt oft ziemlich dicht zusammengestanden und auch mal den Arm um ihn gelegt. Sie hat ihn außerdem manchmal mitgenommen zum Bahnhof und so«, warf der Schauspieler mit dem Tattoo ein.

»Willst du damit andeuten, dass die Kamerafrau eine Affäre mit Benni hatte?«, hakte Henry nach. Suzanne hatte ja auch sowas erzählt.

»Das … das weiß ich nicht. Also es war vor allem so, dass die beiden halt ein gemeinsames Interesse hatten. Sie wollten herausfinden, was es mit den Geschichten über das *Willstätter Horrorhaus* auf sich hat. Ob es dort tatsächlich Geister und Wiedergänger gibt. Vor allem der Keller hat sie fasziniert. Weil Hildebrandt ja dort gestorben ist. Also ich glaube, sie wollten mit ihm Kontakt aufnehmen, um ihn halt zu fragen, ob er schuldig oder unschuldig war damals.«

»Glaubt ihr, dass Mona auch in ihrer Todesnacht auf Geisterjagd gewesen ist? Sich dabei erschreckt hat und versehentlich zu Tode gestürzt ist?«, fragte Henry die anderen. Das war ein neuer und ausgesprochen interessanter Aspekt.

Der blonde Schauspieler antwortete: »Das vermutet der eine oder andere hier.«

»Habt ihr das der Polizei erzählt?«

»Das schon, ja. Aber vermutlich halten die uns nur für verrückt.« Er kicherte düster.

»Und was ist mit Benni? Könnte er in der Nacht auch mit im Horrorhaus gewesen sein?«

Eine Weile war es still. Schließlich bemerkte der Schauspieler mit dem Tattoo: »Ich will niemanden schlechtmachen.« Er wandte sich an einige Darsteller, die in der Nähe standen. »Ich weiß nicht, wie es euch geht, aber ich frage mich halt manchmal schon, ob er dabei war. Der ist ja richtig besessen von Hildebrandt, seit er den spielt. Und dann war Benni ja halt auch noch dabei, als Mona gefunden wurde. Ist doch auffällig. Man hört ja immer wieder, dass Täter gern ihre Opfer ›finden‹.«

Der blonde Schauspieler schürzte die Lippen. »Ich glaube zwar auch, dass Benni in der Nacht dabei gewesen sein könnte, aber nicht wegen Hildebrandt. Ich meine, es ist doch bekannt, dass Benni nicht nur beruflich gerne bei Horrorfilmen mitspielt, sondern auch in seinem Privatleben und sogar beim Sex auf … na ja … auf ungewöhnliche Szenarien steht. Bei Insta postet der ständig nackte Vampire und sowas. Das ist jetzt pure Spekulation, deshalb habe ich das auch der Polizei nicht erzählt, aber wenn Mona auch so war und sich da zwei gefunden hatten … Denn wenn man auf Geister steht und dann noch Ehepartner hat, die einen nicht sehen sollen, dann bietet sich so ein Horrorhaus als Liebesnest an, oder? Vielleicht war der Sturz ja ein Unfall beim Sex?«

In diesem Moment wurde der Blonde von Benni Koch gepackt, der unbemerkt zurückgekommen war, und so gegen den Tisch gestoßen, dass zwei Kaffeetassen mit lautem Klappern auf den Boden fielen, zerbrachen und überallhin Kaffee verspritzten. Bevor Koch dem Schauspieler mit dem Tattoo ins Gesicht schlagen konnte, griff Henry ein und zog Koch von dem Mann fort. Der Hauptdarsteller wehrte sich aufgebracht, aber es bereitete Henry nicht die geringsten Probleme, ihn festzuhalten. »Jetzt beruhige dich mal wieder«, sagte Henry bestimmt.

Aber Koch beruhigte sich nicht. Er zappelte wild in Henrys Griff herum. »Ihr Widerlinge, ihr miesen Lästermäuler«, brüllte er die anderen Schauspieler an. »Mona beschuldigen, sie hätte sich das Maul über andere zerrissen, aber selber seid ihr doch viel schlimmer. Und du, Arschgeige, lass mich endlich los«, wandte er sich jetzt an Henry.

»Wenn du aufhörst, um dich zu schlagen«, sagte Henry ruhig. »Dann lasse ich dich los.«

»Stimmt es denn?«, fragte der Schauspieler mit dem Tattoo jetzt aufgebracht. »Hast du dich mit Mona an dem Abend im Keller getroffen? Weißt du, was an dem Abend passiert ist? Hast du vielleicht sogar mit ihrem Tod …«

»Natürlich nicht! Aber ich werde gleich dafür sorgen, dass dein Genick bricht. Lass mich los, ich will dieses Dreckschwein umlegen, ich …«

»Es reicht. Du kommst jetzt mal runter. Komm, wir gehen kurz nach draußen.« Henry bugsierte den immer noch wild um sich schlagenden und tretenden Mann mit sanfter Gewalt aus der Halle. Dann schloss er die Tür. »Warst du in der Nacht dabei, als sie gestorben ist?«, fragte er. »Denn du weißt doch irgendetwas. Was hast du damit gemeint, als du beim Auffinden der Leiche gesagt hast, dass es eine ›Scheißidee‹ war?«

»Warum willst du das wissen, du widerlicher …?« Koch versuchte weiter, sich schnaubend aus Henrys Griff zu befreien.

Henry ging nicht darauf ein. »Warst du in der Nacht dabei?«, fragte er erneut. »Was war die Scheißidee?«

»Du dummer, unfähiger Schwachkopf«, wütete Koch. »Lass mich endlich los.«

»Ich lasse dich los, wenn du meine Fragen beantwortest.« Das war nicht ganz die feine englische Art, aber besondere Situationen erforderten besondere Maßnahmen. Henrys Mitleid mit Koch hielt sich seit seinem Auftritt als Silberfischchen sowieso sehr in Grenzen.

Der Schauspieler schien langsam zu kapieren, dass Henry es ernst meinte. Er hörte auf, sich zu wehren. Sein Atem ging schwer. Henry lockerte seinen Griff etwas und hielt Koch nun nur noch an einem Handgelenk fest. Der starrte auf Henrys muskulöse Unterarme und sagte: »Ich weiß nicht, was es dich angeht, aber … Ich stehe *nicht* auf Vampire beim Sex, und ich habe mich an dem Abend *nicht* mit Mona getroffen. Ich lag daheim in meinem Bett und habe geschlafen. Ich habe sie nicht umgebracht. Und jetzt lass mich los.«

Henry hatte das Gefühl, dass Koch die Wahrheit sagte. Aber

auf Gefühle konnte man sich hier nicht verlassen. Vor allem deswegen nicht, weil Koch ein verdammt guter Schauspieler war. Und er ihm nicht traute. »Was war die Scheißidee?«

Koch schwieg lange. Er versuchte, seine Hand zu lösen, und irgendwann ließ Henry los, immer bereit, gleich wieder zuzupacken.

»Wir wollten …«, sagte er schließlich. »Also Mona und ich kennen uns von früheren gemeinsamen Dreharbeiten und verfolgten sozusagen das gleiche Ziel: Geld. Viel Geld. Mona wollte ihren gewalttätigen Mann verlassen. Ein totaler Psycho. Und ich … Also ich habe ziemlich viele Schulden. Bei einem Typen, der bei sowas keinen Spaß versteht und mich bedroht. Erst wollte ich nicht, aber sie hat mich überredet. Sie hat gemeint, dass wir meine Gläubiger auszahlen und danach weggehen würden. Nur wir beide, mit dem restlichen Batzen Geld.« Er schluckte. »Um unseren Plan ungestört und vor allem unbemerkt von ihrem durchgeballerten Mann, der ihr ständig hinterherspioniert, in die Tat umsetzen zu können, haben wir erst mal dafür gesorgt, dass wir zusammen bei einem Filmprojekt mitmachen können. Leider musste es dieser beknackte Petrow sein, und dann auch noch ein Horrorfilm.« Er schüttelte sich. »Wobei sich das mit dem Horrorhaus im Nachhinein als ganz praktisch …, nachdem ich … Jedenfalls ist Mona irgendwann auf diese Scheißidee gekommen. Zunächst wollte sie im Horrorhaus auf mysteriöse Weise ›verschwinden‹, was ganz einfach zu bewerkstelligen war. Petrow und die anderen sind ja sowas von bescheuert.« Er lachte gehässig. »Es sollte so aussehen, als sei sie nicht freiwillig gegangen. Als habe jemand sie entführt. Und nachdem sie weg war, sollte ich … Ich sollte das Geld fordern. Wir hätten es geholt und uns vom Acker gemacht. Nur dann hat sie plötzlich ›gemerkt‹, dass sie doch keine Lust auf den Stress hat. Dass sie keine Lust auf *mich* hatte. Hat mich also nur ausgenutzt, die dumme Kuh. Damit ich ihr helfe, vor ihrem Mann abzuhauen. Und ich Depp mochte die Frau auch noch. Mag sie immer noch.« Er spuckte auf den Boden. Seine Augen waren plötzlich feucht.

»Aber du warst wütend auf sie?«

Koch sagte eine Weile nichts. »Schon«, gab er dann zu, »aber ich habe sie nicht umgebracht.«

»Von wem wolltet ihr denn Geld fordern?«

Koch sah auf den Boden, als ringe er mit sich, ob er reden solle oder nicht. In diesem Moment ging die Tür zur Turnhalle auf, und der blonde Schauspieler schaute heraus. »Alles okay bei euch?«

Henry war für einen Moment abgelenkt, und Koch rannte auf einmal den Gang entlang auf den Ausgang zu. Kurz vor der Glastür blieb er stehen und drehte sich um. »Dieses Scheißtraining ist hiermit zu Ende«, rief er. »Bei euch ist eh Hopfen und Malz verloren. Mona war nur ehrlich, wenn sie das dem einen oder anderen mal gesagt hat. Ich bin der Einzige, der diesem ganzen Scheißfilm ein bisschen Klasse verleiht. Ihr seid doch nur neidisch.« Und mit den Worten: »Petrow dreht billigen Schrott, und ihr Versager passt da voll rein«, stürmte er aus dem Gebäude.

Direkt vor der Halle stand sein Auto, und ehe Henry die Gelegenheit ergreifen konnte, Koch weiter zu befragen, etwa wie genau Mona Laurent »verschwunden« war, war der schon eingestiegen und mit quietschenden Reifen vom Hof gerast.

Henry blieb einen Moment im Flur stehen und grübelte über Bennis und Mona Laurents Plan nach. Eine vorgetäuschte Entführung also. Und dann hatten die beiden – vermutlich von Dr. Laurent – Lösegeld gefordert? Und der Zahnarzt war dahintergekommen und ausgerastet? Nein, Laurent hatte ein Alibi. Henry sah durch die Glastür nach draußen auf den Parkplatz. Und warum hätte die Kamerafrau bei diesem Szenario später im Keller des verdammten Horrorhauses sterben sollen? Das passte auch nicht. Es war kaum vorstellbar, dass jemand auf die Idee kommen sollte, einen solchen Ort für die Übergabe von Lösegeld zu wählen. Da war das Erwischtwerden ja schon vorprogrammiert. Es sei denn, es gab wirklich einen Geheimgang.

Er fuhr sich durch die Haare. Möglicherweise hatten Mona Laurent und Benni Koch im Keller des Horrorhauses aber auch nur ein Video drehen wollen? Das machten Entführer doch manchmal. Dass das Opfer eine Nachricht für denjenigen aufnehmen musste, der das Geld bezahlen sollte. Dabei war die Frau auf der Kellertreppe unglücklich gestürzt. Er ballte die Hand zur Faust. Nur … dann wäre Benni doch nicht so schockiert von der Entdeckung der Leiche gewesen. So genial konnte das nicht einmal ein sehr guter Schauspieler spielen. Oder doch? Henry drehte sich um, um zur Turnhalle zurückzugehen. Plötzlich stockte er. Benni Koch hatte doch gesagt, die Kamerafrau habe am Ende keine Lust mehr gehabt, mit ihm zusammen wegzugehen. Vielleicht war die Geldübergabe zu dem Zeitpunkt bereits gelaufen gewesen. Und die Beute war im Horrorhaus versteckt worden, wo Mona Laurent sie hatte abholen wollen. Für sich alleine. Sie hatte Benni beklauen wollen, und bei dieser Gelegenheit war sie gestürzt. Oder sie war von Benni erwischt und dann ins Loch hinuntergestoßen worden. Henry schüttelte den Kopf. Das war nichts als pure Spekulation. Er machte ein paar entschlossene Schritte auf die Turnhalle zu. Wie auch immer. Er würde herausfinden, was wirklich passiert war.

Kapitel 18

Zurück in der Turnhalle durchströmte Henry erlösende Erleichterung. Zumindest heute musste er keine inneren Grenzen mehr überwinden, weder als Silberfischchen noch als verdammter dreischwänziger Alien, und das rettete ihm den Tag, aber sowas von.

In der Halle packten jetzt alle ihre Taschen.

»Du wirkst irgendwie gar nicht wie ein Schauspieler, Silberfischchen«, sagte Carlotta, als sie und Henry, der unauffällig auf sie gewartet hatte, schließlich gemeinsam das Gebäude verließen.

Er zuckte innerlich zusammen. »Wie meinst du das?«, fragte er scheinbar gleichmütig.

»Benni hatte in einem Punkt recht. Du hast keinen Plan vom Schauspiel, wenn ich das mal frei von der Leber weg sagen darf.« Sie kicherte. »Und du fragst so viel über Mona, dass ich vorhin dachte, du bist vielleicht ein Undercoverpolizist. Oder ein Detektiv.« Sie klang, als gefiele ihr diese Idee gar nicht schlecht.

Henry zwang sich zu einem Lachen, das hoffentlich natürlich klang. »Das wollte ich als Kind immer werden. Polizist, meine ich. Aber dann bin ich doch meiner wahren Berufung, der Schauspielerei, gefolgt.« Er war ziemlich stolz, dass ihm das mit der Berufung eingefallen war, das sagte der Schauspieler, der den Jack Jackson spielte, nämlich auch immer: »Die Schauspielerei ist meine wahre Berufung. Fuck, und Rugby natürlich!« Und dann schaute er immer so cool in die Kamera und brachte noch einen Spruch hinterher. Sowas wie: »Meine einzige häusliche Qualität ist es, dass ich in einem Haus lebe. Und die Frauen lieben es.«

»Wo bist du denn auf die Schauspielschule gegangen, Silberfischchen?« Sie schlang die Arme um ihren Körper, als würde sie ziemlich frieren. Ihr dunkelroter Mantel, der ihre perfekte Figur betonte, sah ähnlich leicht aus wie seine Jacke.

»Ich … Also ich bin eher so ein Quereinsteiger«, sagte er. Auch das war etwas, das der Schauspieler, der den Jack Jackson spielte, gerne dezent hervorhob: »Schauspielen hat man entweder im Blut – oder man geht auf die Schauspielschule.« Ganz so in die Vollen wollte Henry nun nicht gehen, denn Carlotta war ja immerhin auf der Schauspielschule gewesen. Und er hatte zudem nicht das Gefühl, die Schauspielerei so richtig im Blut zu haben. »Ich habe viel Werbung gemacht und so«, druckste er daher herum. Hoffentlich kam sie nicht auf die Idee, ihn zu fragen, für was.

»Ach echt? Ich auch. Für was denn?« Sie sah ihn dabei auf eine Art und Weise an, die ihn ganz unruhig machte, und nicht nur deswegen, weil er sie heiß fand.

»Na so dies und das«, murmelte er. »Bodybuildingprodukte vor allem. Verdammt langweiliges Zeug.«

Zum Glück ließ es Carlotta dabei bewenden. »Na ja, falls du doch ein Undercoverdetektiv sein solltest, dann habe ich noch was für dich: Ich glaube nicht, dass Benni was mit Monas Tod zu tun hat, ganz ehrlich. Die waren zwar beide ein bisschen verrückt nach Geistern und sowas, aber Benni schien Mona zu mögen, und umgekehrt war es auch so. Warum hätte er sie töten sollen?« Sie kniff die Lippen zusammen. Dann brachte sie zögerlich hervor: »Es gibt da allerdings eine ganz andere Sache, die mir gestern wieder eingefallen ist und die ich richtig komisch fand. Ich weiß nur nicht, ob ich das der Polizei erzählen sollte, denn … Es klingt eben ziemlich verrückt. Und es hat auf den ersten Blick auch nichts mit Monas Tod zu tun, aber …« Sie lächelte Henry an. »Bei uns verschwinden ja immer wieder Requisiten und … Na ja, es gab da anscheinend einen Wachdienst, den Petrow aber wieder gefeuert hat, weil er nichts getaugt hat. Dafür sollte eine Detektivin die Observation in der Nacht übernehmen. So eine ganz junge mit kurzen roten Haaren.« Carlotta zwinkerte ihm zu. »Vielleicht arbeitest du ja mit ihr zusammen und kennst sie?«

Henry sagte nichts und bemühte sich, so harmlos wie möglich zu lächeln und den Kopf zu schütteln. Carlotta versuchte offensichtlich, ihn auszuhorchen, aber daraus würde nichts werden.

»Jedenfalls hat sich Winkler mit Händen und Füßen dagegen gewehrt, dass diese Detektivin einen Schlüssel für ›sein Horrorhaus‹ bekommen sollte«, fuhr Carlotta fort. »Er hat so laut mit Petrow diskutiert, dass man es bis ins Cateringzelt gehört hat. Aber Petrow hat sich durchgesetzt. Der Hausmeister hat gekocht. Und jetzt kommt das Merkwürdige: Bevor die junge Detektivin ihren Dienst antreten konnte, hat Petrow sie dann doch noch zu einer Einweisung zu Winkler geschickt, wohl um die Wogen ein wenig zu glätten. Ich habe sie hingebracht, daher weiß ich das. Sie hat mir total leidgetan, weil diese Einweisungen so brechlangweilig sind, und wir haben ein bisschen gequatscht. Supernette Detektivin übrigens. Ich habe sie gefragt, ob es nicht gefährlich ist, wenn man als Frau so ganz alleine in der Nacht irgendwas observieren muss, und solche Sachen. Sie meinte, nein, das fände sie überhaupt nicht, sie habe den braunen Gürtel in Karate und außerdem ein Pfefferspray. Sie war sowas von cool. Es ist … also vermutlich ist es wirklich lächerlich, aber ich fand es merkwürdig, dass Winkler ihr ›für die lange Nacht‹ was zu trinken in die Hand gedrückt hat. Eine Flasche Cola. Er hatte sie sogar schon für sie geöffnet. Sowas hat er noch nie gemacht. Und er war doch eigentlich stinksauer, dass die Frau überhaupt da war, das habe ich gemerkt. Da atmet der immer so komisch pfeifend. Hinzu kommt, dass er eins überhaupt nicht ausstehen kann: Dass jemand im Horrorhaus etwas isst oder trinkt. Verstehst du, Silberfischchen?«

Bei Henry war der Groschen noch nicht gefallen, und er schüttelte den Kopf.

»Als ich mich mit ihr unterhalten habe, war sie topfit. Aber wenig später, noch am gleichen Abend, hat sie eine Magen-Darm-Grippe bekommen. Und zwar offenbar so schlimm, dass sie die ganze Woche nicht mehr arbeiten konnte. Petrow hat das furchtbar aufgeregt, weil das Horrorhaus damit wieder unbewacht war. Zufällig auch an dem Abend, an dem Mona Laurent gestorben ist.«

»Du glaubst, Winkler hat diese Detektivin vergiftet?«, fragte Henry erstaunt. Das war tatsächlich weit hergeholt, aber ihm fiel gerade ein, dass Suzanne auch mal erwähnt hatte, was für ein Pech es war, dass ihre Mitarbeiterin ausgerechnet bei so einem lukrativen Job krank geworden war. »Die ist sonst wirklich nie krank«, hatte sie gesagt.

»Das wäre möglich, meinst du nicht?« Carlotta grinste und zwinkerte Henry erneut zu. »Ich muss dann mal, Silberfischchen, dann kann ich heute Mittag noch mein Badezimmer zu Ende streichen.« Und bevor Henry sie fragen konnte, ob sie nicht vielleicht Hilfe beim Streichen benötigte oder ganz spontan was trinken gehen wollte, war sie über den Hof davongegangen und hinter einer kahlen Hecke auf der Straße verschwunden. Er sah ihr bedauernd hinterher, dann holte er sein Handy heraus, rief seinen ehemaligen Polizistenkollegen an und erzählte ihm auf dem Weg zur Bushaltestelle alles, was er heute herausgefunden hatte. Sowohl über Benni Koch als auch über Winkler.

»Bin mal gespannt, ob wir in der Sache noch lange ermitteln«, meinte sein Ex-Kollege daraufhin, es klang fast bedauernd. »Wir warten eigentlich nur darauf, dass die Staatsanwaltschaft das Ganze einstellt, weil sie endgültig zu dem Schluss kommt, dass es ein Unfall war. Dabei finde ich, dass es schon noch einiges zu klären gäbe. Was diese Frau in der Nacht in dem Haus gemacht hat zum Beispiel. Vielleicht war sie ja wirklich eine Geisterjägerin …« Er machte ein schnalzendes Geräusch. »Dieser Benni Koch war bei unserer Befragung übrigens auffällig nervös. Und er hat für die Mordnacht kein Alibi. Er erzählt zwar überall rum, er sei zu Hause gewesen und habe geschlafen, aber das stimmt nicht. Die hatten nämlich einen kleinen Streit, seine Frau und er. Sie hat ihm vorgeworfen, dass er Affären hätte, weil er immer so spät nach Hause kommt«, erzählte der Kollege, während er sich deutlich hörbar eine Zigarette anzündete und in tiefen Zügen inhalierte. »Daraufhin muss Benni am frühen Abend aus dem Haus gestürmt und erst in den Morgenstunden wieder zurückgekommen sein.« Der Kollege hustete.

»Und wo war er in der Nacht?«

»Wissen wir noch nicht.«

»Stimmt das mit den Affären?«

Der Ex-Kollege lachte. »Tja, das wüssten wir auch gerne. Aber eure Vermutung, dass er was mit Mona Laurent gehabt haben könnte, stimmt mit meiner Vermutung überein. Damit befindet er sich im Kreis der Verdächtigen.«

»Hatte Benni Koch eigentlich Schulden bei Mona Laurent? Könnte auch hier ein mögliches Mordmotiv liegen?«

»Mhm, er hatte zwar Schulden bei ihr, aber wenn er die Wahrheit sagt, war das keine allzu große Summe.« Henry hörte Papier rascheln, als schlage der Polizist etwas nach. »Achthundertfünfzig Euro, hat er behauptet. Wir überprüfen das gerade, und die Größenordnung stimmt wohl. Nichts, wofür man normalerweise jemanden umbringen würde.«

Henry nickte. »Gibt es eigentlich Hinweise darauf, dass der Ehemann der Kamerafrau eine Lösegeldforderung erhalten hat?«

»Bisher nicht, nein, aber wir werden dem natürlich nachgehen. Nochmal danke für deinen Tipp. Zumal die finanziellen Verhältnisse der Laurents ein bisschen undurchsichtig sind, da sind wir sowieso noch dran«, sagte der Ex-Kollege.

Henry wechselte die Hand, mit der er das Telefon hielt, da ihm langsam die Finger abfroren. »Eine Frage hätte ich noch«, sagte er. »Habt ihr irgendwas gefunden, was darauf hindeuten könnte, dass der Hausmeister des Horrorhauses etwas mit der ganzen Sache zu tun haben könnte?«

»Winkler?«, fragte der Kollege, während er laut ausatmete. »Ein seltsamer Typ. Aber bisher nichts, nein. Wir prüfen die Vermutung dieser Schauspielerin mit dem Gift und der Detektivin jedoch gerne nach. Für welche Detektei arbeitet die Frau denn, weißt du das?«

»Detektei Griesbaum«, meinte Henry.

»Ach du Schande«, sagte sein Ex-Kollege. »Von Suzanne Griesbaum solltest du dich fernhalten. Die bedeutet Ärger. Sie ist hartnäckig wie die Pest. Du kannst von Glück sagen, dass du deine Detektei in Stuttgart hast.«

Als Henry wenig später frierend auf dem Bahnsteig wartete, rief er Suzanne auf dem Handy an, um ihr seine neuesten Erkenntnisse durchzugeben. Außerdem wollte er wissen, ob sie das Foto von Bräcker gefunden hatte, das er ihr am Morgen hingelegt hatte. Leider ging nur der AB ran.

Als Henry im Zug saß, checkte er Benni Kochs Instagramaccount. Es stimmte, dass der Schauspieler ab und an nackte Frauen in Vampirkostümen postete. Er schien sich auch tatsächlich für die Geschichte des Horrorhauses zu interessieren und hatte mehrere Seiten aus der historischen Akte des Hildebrandt-Prozesses, die Henry im Archiv ebenfalls gesehen hatte, abfotografiert. Es ging darin um Hildebrandts Aussage, dass er die Morde nicht begangen habe. Nichts Aufregendes insgesamt, auch die restlichen Instagram-Bilder waren langweilig. Fotos und Filmchen, die Koch in Restaurants oder in Gesellschaft irgendwelcher grinsender Typen, die das Victory-Zeichen machten, zeigten. Als Henry das Handy gerade wegstecken wollte, klingelte es, und er dachte zunächst, es sei Suzanne, die ihn zurückrief. Aber es war Carlotta. Henry lächelte breit. Vielleicht wollte sie ihn fragen, ob er nicht beim Streichen helfen könnte? Und sein Zug stand noch im Baden-Badener Bahnhof, noch konnte er wieder aussteigen.

»Hey, Silberfischchen«, sagte sie. »Es gibt gute Neuigkeiten.«

»Das ist toll, was denn?«

»Petrow hat mich gerade angerufen. Der Dreh geht nächste Woche weiter. Da wird das Haus freigegeben«, sagte Carlotta.

»Ah«, sagte Henry, dem diese Information nicht sonderlich gut gefiel. Hoffentlich musste er da nicht mehr dabei sein.

»Nach deinem Auftritt heute bin ich ziemlich gespannt auf deine Fahrt auf dem Eselkarren, Silberfischchen«, kicherte Carlotta. »Das wird bestimmt extrem futuristisch.«

Henry fuhr ein kalter Stich in den Bauch. Er musste unbedingt dafür sorgen, dass der Fall bis dahin gelöst war, um sich dieses Desaster zu ersparen. Unbedingt!

Kapitel 19

Zu der Zeit, als Henry sich gerade als Silberfischchen durch die Turnhalle in Baden-Baden schlängelte, klopfte Suzanne in ihrer neuesten und ziemlich sexy Bluse mit großem Ausschnitt, einer hautengen Jeans und sehr, sehr hohen Schuhen entschlossen an Liams Tür. In ihrem Magen tobten Schmetterlinge wie wild herum.

Sie hatte am Abend lange wachgelegen und nachgedacht und war zu dem Ergebnis gekommen, dass sie mit dem Sänger reden und ihm offen sagen musste, was sie für ihn empfand. Nur wer wagte, konnte gewinnen. Wer es nicht einmal versuchte, hatte schon verloren. Das war leicht gesagt. Hoffentlich, hoffentlich würde Liam nicht »Nein« sagen, das würde ihr das Herz brechen. Im Inneren des Zimmers regte sich nichts. War Liam am Abend vielleicht gar nicht zurückgekommen? Gab es etwa eine andere Frau? War sie sowieso zu spät dran? Enttäuschung kroch schmerzhaft ihre Kehle nach oben. Noch einmal klopfte sie. Nichts. Sie wollte sich gerade umdrehen und wieder hinunter in die Küche gehen, als die Tür ein winziges Stück aufging. Ein verschlafener Liam schaute durch den Türspalt, seine langen Haare hingen wild und wirr über seinen nackten Oberkörper. Soweit sie es erkennen konnte, trug er nichts als eine schwarze Unterhose. Er sah sowas von gut aus, dass sie plötzlich strahlend lächeln musste.

»Warum klopfst du so early an meine Tür, Sweetheart?«, fragte er mit rauer Stimme durch die Ritze. »Ich hatte einen ziemlich langen Abend gestern.« Er gähnte. »Evelyn und ich sind noch bei einer Party in Langhurst gelandet.«

Ihr Lächeln erlosch. Evelyn? Wer zum Teufel war das denn? Plötzlich fuhr ein eiskalter Schauder über ihren Rücken. Hatte sich hinter Liam gerade etwas bewegt? Warum machte er die Tür eigentlich nicht ganz auf? Wollte er nicht, dass sie ins Zimmer schauen konnte? War er etwa nicht allein? Suzanne bekam plötzlich kaum noch Luft. Natürlich konnte Liam tun und lassen, was er wollte, aber das war ja wohl ziemlich grausam, dass er in ihrem Haus… Wo er genau wusste, dass sie ihn so furchtbar mochte … Mit irgend so einer sicherlich magersüchtigen Evelyn …

»Sweetheart?« Wieder war da etwas hinter Liam. Ein schwarzer Haarschopf, der sich regte.

»Es ist nichts«, fauchte sie. »Und nenn mich nicht Sweetheart.«

Liams Gesicht wurde nachdenklich. »Du glaubst doch nicht etwa, was dieser Emil behauptet? I mean, vielleicht nenne ich dich Sweetheart, aber es ist keinesfalls herabwürdigend gemeint, sondern eher …«

»Das ist doch gar nicht das Problem«, knurrte sie. Dass er eine Diskussion darüber anfing, wie er sie nannte, während er gerade eine andere Frau bei sich im Bett liegen hatte, das war ja wohl der Gipfel! Sowas hatte sie überhaupt noch nie erlebt. Sie starrte Liam an. Der starrte verschlafen zurück.

»Was ist dann the Problem?«, fragte er schließlich müde. Immer noch war die Tür nur einen winzigen Spalt offen.

»Warum kommst du nicht raus, und wir reden, während ich Frühstück mache?«, zischte sie.

»Ähm«, machte Liam, auf einmal sehr zögerlich. »Weil … also …«

Suzanne hörte, wie im Zimmer hinter Liam die Bettdecke laut raschelte. Das Geräusch war eindeutig. Der Sänger zuckte zusammen und drehte für eine Sekunde den Kopf in Richtung des Geräuschs, dann wieder zu ihr. Der Blick, den er ihr zuwarf, war so schuldig, er hätte gleich zugeben können, dass er eine andere Frau im Bett hatte. Sie drehte sich um, weil ihr Tränen in die Augen stiegen. Aber die Blöße, Liam das auch noch sehen zu lassen, würde sie sich auf gar keinen Fall geben. Sie war ja vollkommen bescheuert gewesen. Wie hatte sie den Typen gut finden können? Emil hatte vollkommen recht, dem mangelte es an Reife, und nicht nur daran. Sie machte ein paar Schritte vom Zimmer weg.

Als Erstes würde sie gleich mal ihre *Dieselskandal*-Fanpage aus dem Internet nehmen. Und dann würde sie Liam rausschmeißen. Ihr doch egal, was aus ihm und der Band wurde.

»Ich wollte es nicht«, beteuerte der Sänger. »Ich war vollkommen betrunken, und sie hat mich …«

»Das ist mir egal.« Suzanne rauschte den Flur entlang. »Ich will nichts darüber wissen. Aber ich gehe davon aus, dass du nicht mehr hier sein wirst, wenn ich von der Arbeit komme.«

»Oh«, sagte Liam. Er klang geknickt. »Aber … I mean, ich war ziemlich einsam, während du mit Emil …«

»Sag einfach nichts!« Falls er glaubte, sie habe Verständnis dafür, dass er mit dieser Evelyn geschlafen hatte, nur weil sie Emil gestern einen deutlich erkennbar unbedeutenden und rein freundschaftlichen Kuss auf die Wange gegeben und in seiner Gegenwart ein paar Ermittlungen angestellt hatte, dann hatte er sich geschnitten. Aber sowas von. Sie stolperte und fiel beinahe die Treppe hinunter, weil sie vergessen hatte, dass sie ihre hohen Schuhe trug. Fing sich gerade noch am Geländer auf. Sie hörte, dass Liam »Sweetheart« rief, aber sie drehte sich nicht um. An der Garderobe packte sie grob ihren Wintermantel, zog ihn über ihre Bluse und verließ türenknallend das Haus.

Die ganze Fahrt nach Offenburg fühlte sie sich so traurig, aufgewühlt und wütend, dass sie sich kaum auf den Verkehr konzentrieren konnte. In Schutterwald bog sie beinahe falsch ab, und im Parkhaus beim Offenburger Marktplatz parkte sie krumm über zwei Parkplätzen ein. Geladen wie eine Pumpgun stieg sie aus. Sie war Liam offensichtlich vollkommen egal gewesen. Die ganze Zeit. Sonst hätte er sowas nicht getan. Wie hatte sie so bescheuert sein können. Die Anzeichen hatten sich ja gehäuft, aber sie hatte sie einfach nicht sehen wollen. Er hatte ja nicht mal mitbekommen, dass sie seit Ewigkeiten auf jedem seiner verfluchten Konzerte in der ersten Reihe gestanden … Egal. Gut, dass sie mit dem Mann endlich fertig war! Sie schlug die Tür ihres Autos so zu, dass beinahe die Scheiben herausbrachen.

In ihrem Büro saß sie lange Zeit einfach nur da und biss sich auf die Lippe, um nicht loszuheulen. Erfolgreiche Geschäftsfrauen saßen nicht in ihren Büros und heulten, das ging einfach nicht. Schon gar nicht wegen bescheuerter Death-Metal-Sänger, die das nicht verdient hatten. Als sie sich so weit wieder gefangen hatte, dass die Wut erneut die Oberhand über ihre Enttäuschung bekam, aß sie eine halbe Tafel ihrer Notfall-Schokolade mit gesalzenen Erdnüssen. Irgendetwas musste sie schließlich frühstücken. Dann fuhr sie durch düsteren Hochnebel, der gut zu ihrer Stimmung passte, zu Winklers Haus.

Sie schaffte auf ihren Schuhen kaum den kurzen Weg zur Haustür, und einmal blieb ihr rechter Absatz in einer Ritze der Platten stecken und brach fast ab, was sie in ihrer momentanen Stimmung an den Rand der Verzweiflung brachte. Eine aufgestylte Frau öffnete ihr schließlich die Tür.

»Wäre es möglich, dass ich mit Herrn Winkler spreche?«, fragte Suzanne. Innerlich war sie irgendwo anders.

»Nein«, sagte die Dame. »Er ist nicht hier.«

»Haben Sie eine Ahnung, wo ich ihn finden kann?«

»Bedauerlicherweise nicht. Er zieht es vor, seine Tage bei einer Liebschaft oder in Baumärkten zu verbringen, statt seinen Schwestern zu helfen, das Haus zu putzen und einzukaufen.«

»Darf ich dann Sie etwas fragen? Ich habe gehört, er hat früher für eine Firma in den USA gearbeitet, die …«

»Hollywood. Er ist in Hollywood ein und aus gegangen.« Die Frau klang plötzlich stolz.

»Wissen Sie, ob er sich weiterhin mit Sicherheitstechnik befasst?«

»Er befasst sich natürlich mit Alarmanlagen und solchen Dingen. Aber er baut keine Geheimtüren und geheimen Ausgänge mehr, wenn Sie das wissen wollen. Er hat jetzt einen eigenen Hausmeisterservice. Und der ist so erfolgreich, dass er nicht mal mehr für uns Zeit erübrigen kann.«

Geheime Ausgänge, dachte Suzanne und runzelte die Stirn. »Und war er nicht auch mal in der Prepperszene unterwegs?«

»Diese Weltuntergangsgläubigen? Nein, mit denen hatte Erwin lediglich beruflich zu tun.« Sie lächelte Suzanne an. »Und jetzt müsste ich auch weiterarbeiten, daher …«

Wenig später stand Suzanne wieder bei ihrem Auto. Sie musste an die seltsame Stelle auf Henrys Plan denken. Schade, dass Winkler nicht da gewesen war. War es möglich, dass der Typ wirklich einen Geheimgang im Horrorhaus entdeckt und vielleicht repariert oder neu …? Nein, das ergab eigentlich wenig Sinn. Denn Winkler hatte den Schlüssel zur Eingangstür, er konnte, wann immer er wollte, in das Gebäude hinein und brauchte keinen Geheimgang. Also doch eher ein Versteck, das er sich geschaffen hatte? Oder waren Henry und sie vollkommen auf dem Holzweg? Sie rieb sich über die Stirn. Sie konnte gar nicht klar denken, denn ständig kreuzte Liam ihre Gedanken und brachte sie durcheinander.

Um sich von dem Sänger abzulenken, zwang sich Suzanne dazu, noch einmal bei der Schwester der Kamerafrau vorbeizugehen. Sie hoffte, dass diese nicht auch unterwegs war oder am Samstag arbeitete, aber als sie vor dem Haus hielt, sah sie Licht in einem der Fenster brennen. Sie stöckelte auf ihren hohen Schuhen mehr schlecht als recht über den unebenen Boden zum Eingang und klingelte. Ihre Fersen brannten, sie würde wegen Liam nun auch noch Blasen an den Füßen bekommen. Kurze Zeit später wurde die Tür geöffnet.

Camille Roux hatte verquollene rote Augen. Sie trug eine farbverspritzte Trainingshose und dazu etwas, das wie ein Schlafanzugoberteil aussah, mit einer weißen Wolke darauf. Ihre geschwollenen Hände zitterten. Sie schien Suzanne nicht wiederzuerkennen.

»Frau Roux«, sagte Suzanne erschöpft, »ich weiß nicht, ob Sie sich an mich erinnern. Ich bin die Privatdetektivin, die …«

»Lassen Sie mich in Ruhe!« Camille Roux gab der Tür einen Stoß, aber Suzanne streckte schnell ihren Fuß nach vorne, sodass die Tür nicht zufallen konnte. Erst als deren Kante schmerzhaft auf ihren nackten Knöchel traf, wurde ihr stöhnend bewusst, dass ihre hohen Schuhe auch für solche Aktionen nicht sonderlich gut geeignet waren. Sie wusste schon, warum sie sonst immer Turnschuhe oder Stiefel trug.

»Ich möchte herausfinden, wie Ihre Schwester gestorben ist und warum.«

Roux zog die Tür wieder auf. »Ach ja? Genauso wie die blöden Bullen? Die waren vorgestern den halben Tag lang hier und haben mich vollgelabert mit ihren blöden Fragen. Ob Mona wieder Kontakt zur linken Szene hatte. Ob ich Streit mit Mona hatte. Ob ich in der Nacht, als sie gestorben ist, in diesem Horrorhaus war. Ich hätte ja eine ›Vorgeschichte‹ mit der Polizei. Und die Alleinerbin sei ich ja auch. Obwohl ich das erst erfahren habe, als die es mir erzählt haben. Aber das interessiert die einen feuchten Dreck.«

Sie lachte schrill und versuchte erneut, die Tür zuzuknallen. Ein weiterer stechender Schmerz fuhr durch Suzannes Knöchel.

»Ein für alle Mal: Ich habe Mona seit zwei Jahren nicht gesehen. Seit sie und ihr grässlicher Ehemann mich abgezogen haben, was das Erbe unserer Mutter anging. Genauso wie sie die arme alte Dame aus Frankfurt abgezogen haben. Und jetzt verschwinden Sie!« Sie machte Anstalten, die Tür ein drittes Mal gegen Suzannes Fuß krachen zu lassen.

»Ihre Schwester hat sich mit Ihnen getroffen, kurz vor ihrem Tod«, behauptete Suzanne schnell und drückte mit der Hand gegen die Tür. »Sie haben zusammen Quinoasalat gegessen. Bestellt auf Ihren Namen.«

Camille Roux schwankte einen Schritt zurück, so plötzlich, dass Suzanne beinahe in den Hausflur fiel. Sie wurde kreidebleich. »Ich habe nichts mit Monas Tod zu tun«, zischte sie.

»Wenn Sie nichts mit ihrem Tod zu tun haben, dann können Sie doch mit mir sprechen. Wollen Sie nicht wissen, was mit Ihrer Schwester passiert ist? Ich möchte es jedenfalls herausfinden! Aber ich brauche mehr Informationen, um den Fall aufklären zu können.«

Die Schwester der Kamerafrau lachte hämisch auf. »Ach wirklich? Halten Sie mich tief in sich drin nicht auch für unglaubwürdig, weil ich mal ein Junkie war?«

»Ihre Vorgeschichte ist mir vollkommen egal. Ich schaue nur auf die Fakten.« Suzanne zwang sich zu einem hoffentlich aufmunternd wirkenden Lächeln, was schwierig war, weil sie sich selbst so niedergeschlagen fühlte. »Sie haben doch nichts zu verlieren, wenn Sie mit mir reden.«

Camille Roux fuhr sich mit zitternden Händen übers Gesicht. Lange schwieg sie, dann sagte sie leise und mit Tränen in den Augen: »Ich hätte es Mona ausreden sollen. Dann wäre sie jetzt nicht tot. Aber sie wollte es unbedingt holen. Sie hat gemeint, es sei ihr Jackpot. Deshalb ist sie in der Nacht in dieses Haus …«

»Wer sind Sie? Eine Journalistin?«, fragte plötzlich eine strenge Stimme hinter Suzanne. Sie zuckte zusammen und drehte sich um. Zwei Polizisten kamen von der Straße her auf sie zu.

Weder Suzanne noch Camille Roux sagten etwas. Suzanne holte eine Detektei-Griesbaum-Visitenkarte aus ihrer Jackentasche und wollte sie der Schwester der Kamerafrau schnell hinstrecken, aber der Polizist trat vor und nahm ihr die Karte aus der Hand.

»Suzanne Griesbaum von der Detektei Griesbaum«, las er vor und steckte die Karte ein. »Ich habe schon einiges über Sie gehört, Frau Griesbaum. Sie haben doch neulich den Fall mit dem ermordeten Winzer bearbeitet. Sie kommen der Polizei gerne in die Quere, was?« Er stemmte die Hände in die Hüften.

»Geben Sie Frau Roux sofort meine Karte wieder«, sagte Suzanne. »Sie haben kein Recht …«

»Ich würde mal vorschlagen, dass Sie ganz schnell von hier abdüsen. Und Sie«, er wandte sich Camille Roux zu, »hatten heute einen Termin bei der Staatsanwaltschaft. Vor einer Stunde. Haben Sie das etwa vergessen?«

Camille Roux kniff die Lippen zusammen.

»Der Herr Staatsanwalt Conrad war sowieso nicht gerade begeistert, dass er am Samstag wegen Ihnen spontan ins Büro musste, aber jetzt ist er richtig sauer. Selbst schuld. Also, kommen Sie endlich.« Der Polizist drehte sich wieder zu Suzanne, die immer noch in der Nähe der Haustür stand. »Sollen wir Sie auch gleich mitnehmen? Oder gehen Sie freiwillig?«

Sie sagte nichts, stöckelte aber langsam und wackelig zu ihrem Auto zurück. In ihrem Kopf kreisten die Gedanken. Das, was die Schwester der Kamerafrau gesagt hatte, hatte absolut nicht so geklungen, als sei Mona Laurent in der Nacht ins Horrorhaus gegangen, um die Dreharbeiten zu sabotieren. Was konnte aber dann der Jackpot gewesen sein, den sie sich mitten in der Nacht dort hatte holen wollen? Sie musste später unbedingt noch einmal mit Camille Roux sprechen. Wie lange so eine Vernehmung wohl dauerte?

Suzanne warf die Schuhe in den Beifahrerfußraum, fuhr barfuß zurück nach Offenburg und versuchte, im Büro weiter über den Fall nachzudenken, was ihr nicht gelang, weil sie ständig an Liam denken musste.

Bisher hatte es ihr immer geholfen, *Dieselskandal* zu hören, wenn es ihr nicht gut ging oder wenn sie nicht weiterkam, aber das schied von nun an aus. Sie rieb sich mit der Hand über die Stirn. Es gab jede Menge Musik. Sie brauchte keinen Death Metal. Sie würde es mal mit etwas ganz anderem versuchen. Etwas, das nicht im Entferntesten an Liams Musik erinnerte. Klassik zum Beispiel, wie Henry sie ständig hörte. Oder Kuschelrock. Sie suchte in ihrer Handtasche nach ihrem Handy, um ein wenig Musik abzuspielen, musste dann aber feststellen, dass sie das Telefon bei ihrem überstürzten Aufbruch am Morgen zu Hause vergessen hatte. Egal. Sie würde eben Webradio hören. Sie schaltete irgendeinen Sender auf ihrem Computer ein, und ätherische Panflötenklänge dudelten durch den Raum. Sie klickte schnell weiter. So weit weg von Death Metal musste die Musik, die sie von jetzt an hören würde, dann auch nicht sein. Sie fand eine Sendung mit Hits aus den Achtzigern, und mit Roxette im Hintergrund ging sie auf ihre *Dieselskandal*-Fanpage.

Ihr stiegen wieder Tränen in die Augen, als sie all die Filme und Fotos von Liam und der Band sah. Sie ließ den Mauszeiger über dem Button schweben, mit dem man den Song *Blood and Garlic* anklicken konnte, den Liam extra für sie komponiert hatte – als Vampir verkleidet in ihrem als Podcastraum neu ausgebauten Keller. Gegen so geniale Musik kam Roxette einfach nicht an.

Mit einem wütenden Klick löschte sie die Seite aus dem Netz. Schluss damit. Es reichte jetzt. Andere Bands hatten auch schöne Lieder und andere Mütter auch schöne Söhne. Sie hatte viel zu viel Zeit mit einer unsinnigen Fantasie vergeudet. Sie kickte mit dem Fuß gegen den Schreibtisch und schlug wütend die Akte *Filmproduktion Dunkle Gemäuer* auf. Sie würde jetzt diesen Fall lösen. Wenigstens das. Sie würde nochmal ganz von vorne anfangen, bei der ersten ungeklärten Frage, und sich von dort aus vorarbeiten. Der Frage nämlich, wie die Kamerafrau aus dem Horrorhaus hatte spurlos verschwinden können. Henry hatte doch gestern etwas über die Kanalisation gesagt, die ganz in der Nähe des Gebäudes vorbeiführte. Und wenn Winkler nun doch eine Geheimtür …

Suzanne rief einen alten Schulkameraden zu Hause an, Dennis, der seit Jahren bei der Stadtentwässerung für Offenburg und Umgebung tätig war. Dennis freute sich offensichtlich, mal wieder von ihr zu hören, und eine Weile quatschten sie über verrückte Lehrer und Suzannes Detektivbüro, was sie immerhin für eine halbe Stunde von Liam ablenkte. Schließlich fragte sie nach historischen und neueren Abwasserkanälen in der Nähe des Horrorhauses. »Es ist wahrscheinlich vollkommen abwegig, aber hältst du es für möglich, dass jemand über diese Kanäle das Haus ungesehen verlassen könnte?«

»Nein, das ist absolut unmöglich«, sagte Dennis. »In der Nähe des Horrorhauses gibt es keinen Abwasserkanal, in dem man herumlaufen könnte. Da ist lediglich ein Plastikrohr, durch das maximal ein paar Ratten passen. Und es gibt auch keine Geheimgänge unter der Erde, davon wüssten wir.«

Suzanne bedankte sich und legte wenig später auf, nachdem

sie sich vorgenommen hatten, sich bald mal wieder auf ein Bierchen im *Gecko* in Offenburg zu treffen.

Kein geheimer Ausgang. Sie hatte auch nicht wirklich daran geglaubt. Hieß das nun, dass diese »Markierung« im Horrorhaus doch nur ein Dreckfleck war? Schade, dass sie den Plan des Hauses ebenfalls zu Hause liegen hatte. Sie kickte erneut gegen ein Schreibtischbein. Einige Ordner kippten um und erinnerten sie daran, dass es auch noch eine Vielzahl anderer Fälle gab, die sie in letzter Zeit sträflich vernachlässigt hatte. Halbherzig ging sie einige Schreiben durch.

Als sie beinahe zwei Briefe in eine falsche Akte einsortiert hatte, wurde ihr klar, dass sie jetzt unmöglich an irgendeinem banalen Fall von Ehebruch oder Ladendiebstahl arbeiten konnte. Sie starrte eine Weile an sich herunter, auf ihre tolle Bluse, die sie extra für Liam gekauft hatte, ihre schicke Hose und ihre kalten, nackten Füße neben den hochhackigen Schuhen. Sie hatte nicht mal Hunger, und das war bei ihr ein schlechtes Zeichen.

Irgendwann surfte sie im Internet herum und schaute sich Ziegenbedarf an, nur um sich zu beschäftigen. Schließlich stieß sie die Computermaus lustlos von sich. Draußen vor dem Fenster hing der Hochnebel wie eine graue Decke über der Stadt. Sie befand sich in einer Sackgasse. Privat und was den Fall anging. Normalerweise forderten schwierige Situationen sie heraus und brachten sie dazu, noch härter zu arbeiten. Diesmal nicht. Sie hatte gute Lust, alles hinzuschmeißen.

Vielleicht war Henry bei seiner Befragung von Benni Koch ja erfolgreicher gewesen? Hatte unter Umständen bereits eine neue Spur? Sie starrte das Telefon an. Nein, mit Henry konnte sie jetzt auf keinen Fall sprechen. Nicht, dass er ihr bei der Gelegenheit von seinem Abend mit Liam erzählte, vielleicht, wie der diese Evelyn aufgerissen hatte. Es war genug der Erniedrigung, dass die Frau bei ihr zu Hause … Schluss, aus, Ende. Sie würde nicht mehr an den Sänger denken. Nie mehr. Und an diese Evelyn schon gar nicht.

Sie schaltete das Radio aus und fuhr den Computer herunter.

Stand auf, ging zum Fenster und schaute auf den düsteren Marktplatz hinab. Wie war Mona Laurent verschwunden? Und was zum Teufel hatte sie am Abend ihres Todes im Horrorhaus holen wollen? Was, was, was? Mehrmals versuchte sie es telefonisch bei Camille Roux, aber niemand nahm ab.

War es möglich, dass einer der ehemaligen Bewohner des Horrorhauses im Laufe der Jahrhunderte im Keller etwas Wertvolles zurückgelassen hatte? Und Mona Laurent hatte es gefunden und war in der Nacht hingefahren, um es sich zu holen? Ihren »Jackpot«? Suzanne schüttelte wütend den Kopf. Wenn im Haus ein historischer Schatz vergraben wäre, hätte man den längst entdeckt. Das Gebäude war im Laufe der Jahre schon mehrfach gründlich untersucht worden, sonst wären auch all die Skelette nicht aufgetaucht.

Also doch ein Geheimversteck? Von Winkler? Oder irgendein Gegenstand, der der Filmcrew oder Petrow gehörte? War Mona Laurent zwar vielleicht nicht die Saboteurin gewesen, hatte den Regisseur aber trotzdem beklauen wollen?

Ihr Bürotelefon klingelte, und obwohl eigentlich der AB eingeschaltet war, nahm sie ab, als sie Emils Telefonnummer erkannte.

»Ah, du bist im Büro, ich hatte es schon auf deinem Handy versucht«, sagte ihr Ex-Freund enthusiastisch. »Lust, heute Abend mit in den *Zeus Palast* zu gehen? Ich treffe mich mit einem Studienkollegen, Rémy, du erinnerst dich vielleicht an ihn? Der Urologe aus Genf?«

»Emil«, sagte sie, »ich … habe heute Abend leider schon was vor.« Sie hatte keine Lust, mit Emil wegzugehen. Auch wenn dieser Rémy wirklich ein lustiger Typ war und sie eigentlich gerne griechisch essen ging.

»Schade. Du unternimmst was mit Liam, nehme ich an?« Emil klang enttäuscht.

»Nein, ich muss leider arbeiten. Ich habe einen ganzen Berg von unerledigten Fällen.«

»Das kenne ich«, sagte Emil. Jetzt war er voller Verständnis.

»Aber den Fall der toten Kamerafrau bist du vermutlich bald los. Die Spurenlage hat ja die ganze Zeit über schon auf einen Unfall hingedeutet, und ich glaube auch nicht, dass die Ermittlungen der Polizei noch etwas Gegenteiliges zutage fördern werden. Diese neue schwarzhaarige Staatsanwältin, die gerade von Paul eingelernt wird und deshalb auch samstags vor Ort sein muss, hat mir vorhin eine Mail geschickt, in der sie schreibt, dass sie offenbar nur noch auf das Ergebnis der Untersuchung des Flaschenzugs warten. Und wenn sich herausstellt, dass die Kamerafrau die Falltür alleine hätte öffnen können, dann wird die Akte geschlossen. Allerdings ...« Er zögerte.

»Allerdings, was?«

»Eigentlich nichts. Es gibt nur eine Sache, die mir nicht aus dem Kopf will«, bemerkte er, und Suzanne hielt die Luft an. »Ich habe gestern noch eine Mail bekommen, in der es um die Untersuchung des rötlichen Staubs an Mona Laurents Händen und Schuhen ging. Ich hatte sie noch nicht gelesen, als ich bei dir zum Essen war. Die Kamerafrau hat kurz vor ihrem Tod wohl roten Vogesensandsteinstaub angefasst. Es sieht den Spuren zufolge so aus, als hätte sie ihn an den Schuhen gehabt und dann mit der Hand abgewischt. Der Staub dürfte aus dem gesperrten Teil des Kellers stammen. Dort liegen im hintersten Raum nämlich zwei kaputte Sandstein-Statuen. Vermutlich war sie also kurz vor ihrem Tod dort. Wenn sie aber wirklich nur Requisiten stehlen wollte, was hat sie dann im gesperrten Teil gemacht? Wo überhaupt keine Requisiten aufbewahrt werden? War sie einfach nur neugierig? Oder musste sie sich gar vor jemandem dort verstecken? Und wenn ja, vor wem?«

»Sie könnte auch etwas gesucht haben. Einen Schatz. Ihre Schwester hat sowas angedeutet.«

»Das wäre tatsächlich auch eine Möglichkeit.« Emil räusperte sich. »Die Staatsanwaltschaft ist sich hingegen sicher, dass Mona Laurent niemals im gesperrten Teil war.«

»Wie können die sich dessen sicher sein?«, wollte Suzanne wissen.

»Ich habe zufällig mitbekommen, wie Paul nach dem Auffinden der Leiche mit diesem Hausmeister diskutiert hat. Winkler oder so heißt der.« Emil kicherte plötzlich. »Ich weiß nicht, wer von den beiden dem jeweils anderen mehr auf den Sack gegangen ist. Der Typ wollte Paul und uns anderen allen Ernstes verbieten, ohne Schutzhelm in den gesperrten Keller zu gehen. Und da hat Paul ihm mal ganz ruhig die Rechtslage erklärt. Die beiden haben ständig gleichzeitig gesprochen, und irgendwann hat Paul angefangen zu brüllen und ist einfach in den gesperrten Teil reinmarschiert. Dort hat es ihn hingeschlagen, weil er in ein Gewirr von dünnen, alten Eisendrähten getreten und hängengeblieben ist. Der Hausmeister war ungeschickt genug, Paul deswegen noch einmal darauf hinzuweisen, dass es in diesen Räumen gefährlich ist, und unser Herr Staatsanwalt hätte ihn fast verhaftet. Aber dann hat Paul gemerkt, dass er sich das Knie aufgeschürft hatte, und ist richtig panisch geworden. Er hat sogar mich nach meiner Meinung gefragt. Ob ich glaube, dass er davon eine Blutvergiftung bekommen kann.« Das schien Emil recht gut gefallen zu haben, Suzanne hörte es an seiner Stimme.

»Und, was hast du gesagt?«

»Dass ich mich schon freue, ihn bald auf meinem Tisch zu haben, weil ich mir nicht vorstellen kann, dass er diese Verletzung überlebt.« Sie hörte Emils Grinsen.

»Du bist echt mies.« Sie musste auch ein wenig grinsen.

»Jedenfalls ist Paul seither der Ansicht, dass Mona Laurent nicht in dem gesperrten Teil des Kellers gewesen sein *kann*. So nach dem Motto: Wenn er schon dort stürzt und sich verletzt, dann hätte eine *Frau* dort nie im Leben hingekonnt, ohne sich den Hals zu brechen. Schon gar nicht auf Schuhen mit hohen Absätzen und bei Dunkelheit.«

Suzanne schnaubte empört.

»Das Argument mit den Absätzen ist das Einzige an Pauls Theorie, das ich nachvollziehbar finde«, bemerkte Emil. »Wobei ich auch hier denke, dass es machbar war, denn es waren ja Stiefel mit stabilen Absätzen, keine Pumps. Ich denke, man kann auch mit höheren Absätzen guten Halt haben. Die Frau war solche Schuhe ja gewohnt, sie ist ständig mit sowas rumgelaufen, das haben die Ermittlungen ergeben.«

Suzanne war, was den guten Halt anging, aus leidvoller eigener Erfahrung ganz anderer Ansicht, aber sie sagte nichts.

»Und eine Taschenlampe haben wir in der Nähe der Leiche gefunden, dunkel war es also auch nicht«, fuhr der Rechtsmediziner fort.

»Wie erklärt sich Paul denn den Sandsteinstaub?«

»Der Staub ist in ganz geringer Konzentration auch auf der Kellertreppe und im Flur vorhanden. Er könnte auch von dort kommen, meint die Forensik. Wobei Mona Laurent für dieses Szenario meiner Ansicht nach zu viel davon an Händen und Schuhen hatte. Aber darüber kann man sich natürlich streiten.«

Dass überhaupt Sandsteinstaub an der Treppe lag, musste wohl bedeuten, dass noch mehr Leute im gesperrten Teil des Kellers gewesen waren. Aber vielleicht, so dachte Suzanne, war das ja passiert, als die Crewmitglieder und Schauspieler die Kamerafrau nach ihrem Verschwinden gesucht hatten?

»Wenn wir mal davon ausgehen, dass Mona Laurent im gesperrten Teil des Kellers war: Wieso ist sie dann später im Loch verunglückt?«, sagte sie mehr zu sich selbst.

»Keine Ahnung. Vielleicht hat sie im abgesperrten Teil nicht gefunden, was sie möglicherweise gesucht hat, und wollte im Loch weitersuchen?«

»Oder sie wurde bei ihrer Suche im gesperrten Teil gestört und später im Loch getötet. In diesem Fall könnte das, was sie gesucht hat, noch im Keller sein. Ich meine, die Tasche, die bei der Leiche gefunden wurde, war schließlich leer«, überlegte Suzanne laut. »Ein potenzieller Mörder könnte den Inhalt der Tasche natürlich auch mitgenommen haben.«

»Natürlich. Aber trotz der kleinen Ungereimtheit mit dem Staub: Ich will Paul nicht Unrecht tun. Eigentlich sieht wirklich alles nach einem Unfall aus. Selbst wenn sie vor ihrem Tod im gesperrten Teil des Kellers gewesen sein sollte«, bekannte Emil.

Er räusperte sich. »Hattest du eigentlich noch einen schönen Abend gestern? Mit Liam?«

»Ja, war ganz nett«, antwortete Suzanne wahrheitswidrig. »Was hast du noch gemacht, als du zu Hause warst?«

»Ich habe mir die Fotos von unserem Mallorca-Urlaub angeschaut.« Seine Stimme klang belegt. »Na ja, aber du kannst ja bald mit Liam auf die Balearen fliegen.«

Suzanne hatte keine Lust, darüber zu sprechen, und wenig später beendete sie das Telefonat. Sie hätte es nicht für möglich gehalten, aber nach dem Gespräch mit Emil war sie noch niedergeschlagener als den ganzen Tag schon. Sie aß die zweite Hälfte ihrer Notfallschokolade und eine kleine Packung Kekse aus der Detektei-Küche. Danach versuchte sie es vom Telefon am Empfangstresen aus erneut bei der Schwester der Kamerafrau. Niemand nahm ab. Sie zwang sich zurück an ihren Schreibtisch.

Noch einmal ging sie im Kopf alles durch. Die Sache mit dem roten Staub war merkwürdig. Sie musste versuchen herauszufinden, ob der »Jackpot«, den Mona Laurent im gesperrten Teil des Kellers gesucht haben könnte, noch dort war. Oder was sie sonst bei den Sandsteinstatuen gemacht hatte.

Suzannes Laune wurde ob der Tatsache, dass sie endlich einen Ansatzpunkt hatte, ein wenig besser. Sie rief Petrow auf seiner privaten Handynummer an und fragte ihn, was Mona Laurent gesucht haben könnte, aber er sagte ihr, er habe keine Ahnung. Schließlich bat sie ihn um den Schlüssel zum Horrorhaus.

Der Regisseur sagte, sie könne ihn ausleihen, wenn er ihn spätestens Montag zurückhätte. »Heute Morgen habe ich mit einem sehr zuvorkommenden Polizisten gesprochen«, fügte er hinzu. »Er meinte, es sei möglich, dass wir nächste Woche weiterdrehen können! Weil es so aussieht, als habe Mona einen Unfall gehabt. Ich finde das zwar ein bisschen vorschnell, aber mir soll es recht sein, wenn die Dreharbeiten endlich weitergehen können. Bitte halten Sie mich nicht für herzlos, aber eine weitere Verzögerung könnte das Ende meines Filmprojekts bedeuten.« Kurz war es still. Dann sagte er ein wenig zögerlich: »Einerseits vertraue ich der Polizei, so ist es nicht, aber natürlich will ich auf der anderen Seite wirklich sichergehen, dass Monas Tod nicht doch auf Hildebrandts Konto … Oder auf das eines anderen verrückten Mörders, der am Ende noch weitere Menschen … Schließlich wissen wir noch nicht einmal, was Mona in jener Nacht wirklich in diesem Keller gewollt hat.« Er klang ängstlich. »Ich würde Ihren Undercoverdetektiv daher, wenn es möglich ist, gerne noch bis zum Ende der Dreharbeiten dabeihaben. Zumal ich mir nach wie vor nicht vorstellen kann, dass es Mona war, die meinen Film sabotiert haben soll. Das muss jemand anders sein.«

»So machen wir das«, bekräftigte Suzanne. »Auch ich halte es für sinnvoll, wenn wir die Untersuchung weiterführen. Es gibt einfach Ungereimtheiten, die wir ausräumen sollten. Halbe Sachen mag ich nicht. Und ich kann den Schlüssel gleich abholen, wenn das für Sie in Ordnung wäre.«

»Sie dürfen aber auf keinen Fall heute noch ins Horrorhaus gehen, es wird bald dunkel!«, beschwor Petrow sie eindringlich. »Versprechen Sie es! Eine weitere Leiche mit gebrochenem Genick können wir uns nicht leisten, und Sie wissen doch, wie steil die Treppen dort sind.«

Sie sagte nichts dazu. Wie und wann sie ihre Arbeit machte, ging niemanden etwas an.

Kurze Zeit später holte Suzanne den Schlüssel ab. Es wurde langsam dämmrig, als sie Richtung Willstätt fuhr, aber sie war entschlossen, noch heute ihrer Spur nachzugehen. Erst als sie in dem nur von einer entfernten Straßenlaterne geisterhaft erleuchteten Nebel in der Dunkelheit auf dem Parkplatz beim Horrorhaus stand, fiel ihr auf, dass sie nicht gerade optimal angezogen war für einen Novemberabend. Und für die Besichtigung des Horrorhauskellers erst recht nicht. Mit den wackeligen Schuhen würde sie sich vermutlich das Genick …

Sie stockte. Sie hatte die Tatsache, dass die Kamerafrau ebenfalls hohe Schuhe getragen hatte, die eigentlich unpassend für die Treppen und den Keller des Horrorhauses gewesen waren, bislang ziemlich vernachlässigt. Warum hatte Mona Laurent das eigentlich getan? Dass sie die Gegebenheiten im Keller des Hauses nicht gekannt hatte, war nicht möglich, denn die Crew drehte ja schon seit geraumer Zeit dort. Hatte sie also gar nicht geplant herzukommen, oder war sie durcheinander gewesen? Genau wie sie selbst im Moment? Vermutlich, denn wenn die Frau unter normalen Umständen vorgehabt hätte, in den Keller des Horrorhauses zu gehen, hätte sie sich zumindest passendes Schuhwerk angezogen. Niemand mit klarem Verstand konnte auf die Idee kommen, mit hohen Schuhen auch nur über diese unebene Wiese bis zum Eingang zu stöckeln.

Suzanne ringelte eine Haarsträhne um ihren Finger. Eine weitere Frage, die sich stellte, war: Wie war Mona Laurent eigentlich zum Haus gekommen an ihrem Todesabend? Denn in der Kleidung, die Henry an der Leiche gesehen hatte – einem Jackett, einer Bluse und den Stiefelchen und ohne dicke Jacke –, war die Frau sicherlich nicht von Kehl nach Willstätt gelaufen. Sie hatte also mit dem Auto kommen müssen. Oder mit einem sonstigen Gefährt. War sie selbst gefahren? Und wo war ihr Fahrzeug jetzt? Denn hätte es am Morgen nach ihrem Tod noch auf dem Parkplatz gestanden, wäre das doch jemandem von den Filmleuten und dann auch der Polizei aufgefallen. Und ob sie mit einem Taxi gekommen war, hatten die bestimmt ebenfalls längst überprüft. Suzanne schürzte die Lippen. Sie würde das in den nächsten Tagen klären. Aber nun musste sie erst einmal ihr eigenes Schuhproblem lösen.

Mittlerweile war es stockdunkel. Wenn sie jetzt noch nach Hause fuhr, um Turnschuhe zu holen, würde sie heute Abend bestimmt nicht mehr zurückkommen. Sie öffnete entschlossen ihren Kofferraum. Ein Paar verdreckte Gummistiefel lachte ihr entgegen, und sie nahm sie heraus. Manchmal war es ein echtes Glück, wenn man vergesslich war. Eigentlich hatte sie diese Ersatzstiefel, die sie vor Wochen an einem besonders matschigen Tag für einen Spaziergang benutzt hatte, schon lange wieder in den Ziegenstall stellen wollen. Sie zog sie an. Was für eine Wohltat für ihre gequälten Füße! Sie fand auch noch einen dicken, alten Wollpulli, in dem sich zwar einiges an Heu und ein paar Ziegenhaare verfangen hatten, der aber warm und gemütlich war. Sie zog ihn über ihre Bluse und den Mantel darüber. Der Mantel saß jetzt so stramm, dass ihre Bewegungen dadurch etwas Roboterhaftes bekamen.

Mühsam holte sie eine der starken Taschenlampen, die sie immer im Auto dabeihatte, heraus. Nach kurzem Überlegen nahm sie auch die hohen Schuhe mit. So konnte sie vielleicht ausprobieren, wie gut man mit sowas an den Füßen im gesperrten Teil des Kellers zurechtkam. Sie wollte gerade noch einmal ins Auto steigen, um Henry anzurufen und ihm zu sagen, wo sie war und was sie vorhatte, als ihr wieder einfiel, dass ihr Handy immer noch bei ihr zu Hause lag. Egal, sie würde ja nicht lange hierbleiben. Nur schnell den Keller anschauen und dann heim. Langsam bekam sie nämlich auch wieder Hunger, und sie hatte heute noch nichts Anständiges gegessen. Es war noch etwas von dem Filet von gestern übrig. Später konnte sie sich mit Henry einen sicherlich netten Abend vor dem Fernseher machen, auch ohne Liam.

Sie schloss das Auto ab und zwang ihre Gedanken fort von Liam und hin zu ihrem neuen Mitarbeiter. Sie war total zufrieden mit Henrys Arbeit. Man konnte über Schwaben einiges sagen, aber fleißig waren sie, und einen Job, den man ihnen auftrug, erledigten sie gründlich. Sie sollte endlich mal ansprechen, ob Henry nicht Lust hatte, auch nach diesem Fall weiter für sie zu arbeiten. Sie brauchte dringend eine weitere Kraft und er wahrscheinlich noch dringender Geld. Er erzählte zwar immer noch gelegentlich von seiner nicht existenten Detektei in Stuttgart, aber die Geschichten wurden seltener. Möglicherweise hatte er ja selbst schon darüber nachgedacht, sie wegen Arbeit zu fragen, sich aber nicht getraut, weil er dann hätte zugeben müssen, dass er pleite war, und das schien ihm ziemlich schwerzufallen.

Der Abend war eisig und der Nebel mittlerweile so dicht, dass Suzanne kaum die Hand vor Augen erkennen konnte. In ihren Gummistiefeln stapfte sie zum Horrorhaus. Jetzt, wo sie ganz alleine hier war, erschien ihr das Gebäude doch recht gruselig. Allerdings, so machte sie sich klar, war das nur in ihrem Kopf. Es gab keine Untoten und auch sonst niemanden, der heute Abend hier war.

Als sie am Haus angekommen war und gerade den Schlüssel aus der Hosentasche gezogen hatte, stellte sie fest, dass das Schloss an der Tür immer noch mit Polizeiklebeband versiegelt war. Sie kniff die Lippen zusammen. Das hätte sie sich aber auch denken können. Vor lauter Liam übersah sie die wesentlichen Dinge. Sie konnte ihre Recherche hier guten Gewissens abbrechen und … Unschlüssig blieb sie an der Tür stehen. Sie wollte jetzt endlich wissen, was Mona Laurent an ihrem Todesabend in dem Haus gemacht hatte und ob es im gesperrten Teil des Kellers irgendein Geheimversteck gab. Was konnte schon passieren, wenn sie trotzdem hineinging? Es war nur ein winziges Stück Klebeband, und falls sie erwischt werden sollte, konnte sie behaupten, es hätte sich gar nicht mehr auf der Tür befunden. Sollten die ihr doch erst mal nachweisen, dass sie das Klebeband entfernt hatte! Abgesehen davon waren die Ermittlungen ja sowieso fast abgeschlossen. Ein ungutes Ziehen in der Magengegend blieb, als sie das Siegel abkratzte, die Stücke säuberlich einsteckte, um sie später auf dem Heimweg unbemerkt zu entsorgen, und die Tür öffnete.

Ein Schwall modriger Luft kam ihr entgegen. Die Härchen auf ihrem Arm stellten sich auf. Sie lauschte für einen Moment ins Haus. Da war nichts. Natürlich nicht, das Schloss war schließlich versiegelt gewesen. Sie schaltete das Licht an. Die Glühbirne vor dem Haus ging zuckend an, und sofort warfen die kahlen Büsche gruselige Schatten, die sich im Nebel zu bewegen schienen. Ein Monster mit einem riesigen Maul und eine Schlange mit Giftzähnen.

Suzanne fröstelte. Sie schaltete das Außenlicht wieder aus und drückte schnell einen weiteren Schalter. Jetzt ging das Licht im

Flur an. Alles sah vollkommen harmlos aus. Es war totenstill. Ein altes, heruntergekommenes Haus, mehr nicht. Sie betrat den Flur und machte die Tür hinter sich zu. Was für eine schwachsinnige Idee, am Abend … Sie konnte morgen früh wiederkommen und … Nein, das war viel zu riskant, sie hatte das Siegel entfernt und hielt sich verbotenerweise hier auf, und wenn jemand sie bei Tag dabei beobachtete, wie sie das Haus betrat … Außerdem würde sie jetzt mit Sicherheit nicht heimfahren und ihren Liebeskummer in Spätburgunder ertränken, weil sie irrationale Ängste hatte. Nur über ihre Leiche. Sie war Detektivin, verflucht nochmal.

Sie schloss die Eingangstür hinter sich. Ihre Gummistiefel machten quietschende Geräusche, als sie den Flur entlang Richtung Keller ging. Schon wieder hatte sie das seltsame Gefühl, beobachtet zu werden.

Sie drehte sich einmal um sich selbst. Der Flur war leer. Sie warf einen Blick in einige Zimmer im Untergeschoss, die vom Korridor abgingen. Da war niemand. Die Pappfensterläden waren nicht mehr an den Fenstern angebracht, aber ansonsten waren die Zimmer genauso schäbig und karg wie bei ihrem ersten Besuch. Ein schaler Geruch nach altem Schweiß und ungewaschener Kleidung lag in der Luft. Sie ging zunächst an der Kellertür vorbei und leuchtete mit der Taschenlampe die baufällige dunkle Bedienstetenstiege hoch, wobei sie sich ziemlich paranoid vorkam. Vollkommen leer und verlassen. Natürlich.

Schließlich knipste sie schweren Herzens das Licht im Flur wieder aus, es war einfach zu gefährlich, dass jemand sie von außen sah, jetzt, wo die Fensterläden weg waren. Im Licht der Taschenlampe kehrte sie zur Kellertür zurück. Das Herz klopfte ihr bis zum Hals. Der Keller lag vor ihr wie das schwarze Tor zur Unterwelt, ein verfluchter Ort, an dem so viele unglückliche Menschen durch Genickbruch zu Tode …

Himmel, was war denn heute mit ihr los? Das hier war nichts als ein alter … Ein leises Knarren ließ sie zusammenfahren. Es hörte sich an, als schliche jemand über den Flur im oberen Stock.

Kapitel 20

Henry war ein nervliches Wrack, als er nach dem Schauspieltraining in Baden-Baden endlich wieder in Neuried-Altenheim ankam. Er hatte in Offenburg versehentlich den falschen Bus genommen, was er leider erst bemerkt hatte, als er fast schon Freiburg erreicht hatte. Da er verdammt nochmal eingepennt war. Nur weil es gestern Abend ein bisschen später geworden war. Er wurde wirklich alt, verdammt. Und er hatte sowas von genug von Ermittlungen im Film- und Schauspielermilieu.

Hoffentlich war Suzanne heute weitergekommen mit ihren Recherchen. Vielleicht hatte sie aufgrund des Fotos, das er ihr hingelegt hatte, bereits mit Bräcker gesprochen, und der Fall war gelöst? Ein wütender Drehbuchautor, der gemeinsam mit einer Kamerafrau versucht hatte, einen Film zu sabotieren, und dabei war die Kamerafrau verunglückt. Oft schienen die Dinge ja anfangs kompliziert zu sein, erwiesen sich dann aber doch als ganz einfach.

Er zog den Reißverschluss seiner Jacke bis obenhin zu und setzte die Kapuze auf. Dieser feuchtkalte Nebel war ekelhaft. Unvorstellbar, dass es Leute gab, die hier im Rheintal wohnten und wahrscheinlich »ihren« Spätherbstnebel noch romantisch fanden, weil man da so gemütlich mit Freunden um den Kamin sitzen und »e Pärle Haiße« essen konnte! Hochnebel gab es in Stuttgart glücklicherweise nicht. In Stuttgart war die Luft vielleicht so schlecht, dass sie tötete, aber dafür sah man weiter als nur die nächsten zwei Meter. In der Landeshauptstadt wäre er mit Sicherheit auch nie versehentlich so weit mit dem Bus gefahren. Und gut, in diesem Kaff mit dem unaussprechlichen Namen, in dem er schließlich aus dem Schlaf hochgeschreckt und ausgestiegen war, hätte er auf die alte Lady hören sollen, die gemeint hatte, wenn er heute von hier aus noch zurück nach Neuried-

Altenheim wolle, solle er besser ganz nach Freiburg und von dort mit dem ICE nach Offenburg und von dort mit dem Taxi …

Aber er hatte ja gedacht, er wisse es besser, und deshalb hatte er nun eine Rückfahrt in diversen Bussen hinter sich, die ihn ausführlich durchs Breisgau und dann noch durch den verdammten halben Schwarzwald geführt hatte. Henrys Schritte hallten laut in dem stillen Dörfchen wider.

Er war vollkommen durchgefroren, als er Suzannes Hof erreichte, und so in seine Gedanken vertieft, dass er die dunkle Gestalt mit dem Koffer, die eilig aus Richtung des Ziegenstalls durch den Nebel auf ihn zukam, erst bemerkte, als sie beinahe zusammenstießen. Henry zuckte zusammen und ging in Verteidigungsstellung, aber bevor er der Gestalt einen linken Haken in den Solarplexus briet, erkannte er, dass es Liam war. Der Sänger trug nur ein T-Shirt und keine Jacke, und seine langen Haare waren voller Heu. Er roch wie eine Ziege. »Gott sei Dank bist du nicht das Sweet… ich meine, Suzanne«, sagte er. »Aber selbst das wäre mir jetzt egal gewesen.«

Henry zog erstaunt die Augenbrauen hoch.

»Ich glaube, wenn ich noch länger in diesem Stall hätte bleiben müssen, wäre ich verrückt geworden«, fuhr der Sänger zähneklappernd fort. Das, was Henry auf den ersten Blick für einen Koffer gehalten hatte, war, wie er jetzt sah, ein Gitarrenkasten.

»Was hast du denn mit einer Gitarre im Stall gemacht?«

Liam zögerte. Dann sagte er niedergeschlagen und bibbernd: »Ich war gerade dabei, meine Sachen zu packen und rauszutragen, da ist mir die Haustür zugefallen. Ich hatte nicht mal eine Jacke. Nur die Gitarre hier. Um nicht zu erfrieren, habe ich die Ziegen vom Sweethea… ich meine, von Suzanne, in den Stall getrieben und mich zwischen sie gesetzt. Ich dachte, sie wärmen mich, aber sie sind ständig an mir hochgesprungen und haben mich geboxt und abgeleckt. Obwohl ich ihnen Futter gegeben habe. Irgendwann habe ich mich, um nicht zu erfrieren, unter eine dicke Schicht Heu gelegt. Und die Gitarre auch. Heu ist niemals wrong, dachte ich, aber ich kam mir vor wie ein eiskalter

Toter, der sich langsam zersetzt und …« Er brach ab. »*Deceased and rotted away in the Hay*«, brach es aus ihm heraus, »Alter, was für ein geiler Titel für einen Song. Perfekt für das regionale Album ›Rheintaltrasse‹. Oder sollte ich lieber *Dead and rotted away* nehmen? Hört sich ›deceased‹ zu vornehm an?«

Henry zuckte mit den Schultern. *Verstorben und verrottet*, ins Mikro gehowlt, dass es einem das Trommelfell zerriss, das hörte sich wirklich verdammt vornehm an.

»Nein, *Rotted away with a Guitar* ist noch besser, weil es dezenter ist«, sinnierte Liam gerade. Er zitterte vor Kälte. »Ich wollte eigentlich schon seit Ewigkeiten weg sein«, fuhr er fort. Jetzt klang er vollkommen fertig. Er hielt seinen Oberkörper mit den Armen umschlungen. »Aber ich musste erst alle Sachen packen und mir ein Auto besorgen, und vielleicht habe ich unterbewusst auch gehofft, dass Suzanne zurück … egal. Ich habe mir einen Wagen gemietet, den grünen da vorne, aber auch die fucking Autoschlüssel und das Handy habe ich im Haus liegenlassen, als die Tür zugeknallt ist, weil ich … egal.« Er warf einen Blick auf seine Armbanduhr. »Drei Stunden. Ich war über drei Stunden in diesem fucking Stall.«

Henry war ein wenig verwundert. »Warum willst du denn schon abreisen?«, fragte er.

»Könntest du bitte die Tür aufschließen?«, sagte Liam, ohne auf die Frage zu antworten. »Es ist really cold. Ich muss nur noch meine Jacke mit dem Autoschlüssel und die restlichen Sachen holen, dann bin ich weg.«

Henry schloss die Tür auf, und der Sänger ging zitternd hinein. »Da wird Suzanne aber sehr enttäuscht sein«, vermutete er, nachdem Liam sich ein knallrotes dickes Sweatshirt übergezogen hatte. Im Flur standen Taschen und eine große Plastiktüte, aus der etwas ragte, das aussah wie ein Teil eines verdammten Stofflampenschirms, der über und über mit *Dieselskandal*-Stickern beklebt war. Totenköpfe mit fluoreszierenden Leuchtaugen, die man kaum anschauen konnte, ohne dass einem schwindlig wurde.

»Das glaube ich nicht«, sagte Liam bitter. »Hilfst du mir gleich, mein Travel Bag zum Auto zu tragen, please? Ich nehme dann die Gitarre und das Keyboard. Und diesen verdammten Lampenschirm. Aber erst muss ich noch kurz den Typen aus Freiburg anrufen. Wegen dem Bus.«

»Wegen welchem Bus?«

»Dem neuen Bandbus für *Dieselskandal.*«

Henry spürte ein unangenehmes Ziehen in den Schultern. *Good Luck*, der alte Bus, war vor Kurzem nach einer wilden Verfolgungsfahrt mit Henry am Steuer in die ewigen Jagdgründe eingegangen. Auch wenn er da nichts dafür gekonnt und Liam nie Schadenersatz von ihm gewollt hatte, hätte Henry gerne einen finanziellen Beitrag zum neuen Bandbus geleistet. Aber im Moment ließ sich das einfach nicht bewerkstelligen. Und er wusste auch nicht, wie er Liam das verklickern konnte, ohne zeigen zu müssen, dass er gerade kein Geld hatte. Das Startgeräusch einer Rakete riss ihn aus seinen Überlegungen. Es war Liams Handy, das klingelte. Der Sänger warf einen Blick darauf. »Ah, das ist der Bus-Typ, hat sich wahrscheinlich gewundert, warum ich seit Stunden nicht zurückrufe. Hoffentlich ist die Karre noch da.« Er roch an seinen Händen. »Boah, ich smell ziemlich nach Ziege, vielleicht sollte ich noch unter die Dusche. Jetzt ist eh alles egal.«

Während Liam telefonierte und danach den Geräuschen zufolge oben im Bad eine kurze Dusche nahm, ließ Henry zwei große Kaffees aus Suzannes Maschine, einen für sich und einen für den Sänger. Auf dem Küchentisch entdeckte er plötzlich das Foto von Bräcker und seine Notiz vom Morgen. Alles sah unberührt aus, sogar die Kulis lagen noch obenauf, offenbar hatte Suzanne das Bild noch gar nicht gefunden, was Henry ziemlich verwunderte. Beim Frühstück hätte sie es doch … Er wollte sie gerade auf dem Handy anrufen, als Liam sich zu ihm an den Küchentisch fallen ließ. Henry hob das Foto hoch. »Ich hatte das hier für Suzanne hingelegt, weißt du vielleicht, ob sie es gesehen hat?«

»Suzanne ist heute Morgen … ziemlich schnell aus dem Haus gegangen«, unterbrach ihn der Sänger. »Ich denke, sie war gar nicht in der Küche. Nur stundenlang im Bad, das hab ich durch die Wand gehört, bevor sie an meine Tür … Wann, glaubst du, kommt sie zurück? Dann sollte ich nämlich spätestens weg sein.«

»Was ist denn passiert?«, fragte Henry und schob Liam den Kaffee hin.

»Nichts«, sagte der kurz angebunden und trank einen Schluck. »Ich brauche einfach mal wieder eine kreative Auszeit. Sweet Home Pforzheim und so, du weißt schon.«

»Sweet Home Pforzheim«, wiederholte Henry. Irgendetwas musste da gestern nach der verdammten Karaoke noch passiert sein. Vermutlich eine andere Frau. Hatte Liam Suzanne etwa davon erzählt?

Der Sänger deutete auf das ausgedruckte Foto von Petrow und Bräcker. »Wie ist es so beim Film?« Er war offensichtlich darum bemüht, das Gespräch von Suzanne weg zu lenken.

Jetzt war es Henry, der ziemlich kurz angebunden reagierte und nur ein »echt cool« herausbrachte.

Liam warf erneut einen Blick auf seine Armbanduhr. »Ich muss wirklich los.«

Henry, der für einen Moment schaudernd an die Dreharbeiten gedacht hatte, kam plötzlich eine Idee. Wenn Liam jetzt sowieso nach Freiburg fuhr, dann konnte er mitkommen und selbst mit Bräcker sprechen. Eine Fahrt mit Liam würde ihm Stunden in öffentlichen Verkehrsmitteln ersparen. Und Suzannes verdammtes Fahrrad, diese »Hämorrhoridaschaukel«, wie seine Oma gesagt hätte, käme für so eine Fahrt auch nicht in Frage, da wäre er wahrscheinlich bis Sonntagmorgen unterwegs, auch wenn es sicherlich ein gutes Cardio-Training wäre.

Der Sänger hatte nichts dagegen, Henry mitzunehmen, und wenig später brausten sie mit dem kleinen Mietwagen durch den Nebel Richtung Freiburg. *Dieselskandal* dröhnte aus den Lautsprechern.

Plötzlich schlug Liam aufs Lenkrad und schrie über die Musik hinweg: »Glaubst du, das Sweetheart kommt wieder mit diesem Emil zusammen?« Er stellte den Sound leiser, während er kurz zu Henry hinübersah. »Ich will deinem jungen Freund mal was erklären«, äffte er den Rechtsmediziner nach, »so sehen Leichen aus, die mit Shotguns getötet wurden.«

»Ich weiß nicht, aber ich glaube eigentlich nicht«, überlegte Henry. »Ich habe nicht den Eindruck, dass sie noch in ihn verliebt ist. Aber ich stecke natürlich nicht in ihr drin.«

Liam kniff die Lippen aufeinander.

»Warum fragst du Suzanne nicht einfach, ob sie ... Manchmal ist die Wahrheit das Beste.« Henry brach ab. Was das Thema Wahrheit anging, war er nicht gerade ein leuchtendes Vorbild mit seinen Geschichten über sein erfolgreiches Detektivbüro. Und was Frauen betraf, war er im letzten Jahr auch nicht gerade eine Aufreißermaschine gewesen, da hatte ihm Liam einiges voraus. Es gab jede Menge weibliche Fans, die den Sänger anhimmelten, das wusste Henry von seinen Jobs bei diversen *Dieselskandal*-Auftritten.

»Das ist sinnlos. Gestern Nacht habe ich es vollständig verbockt. Ich verbocke immer alles.« Liam brach ab. »Wahrscheinlich haben meine Eltern mich deshalb schon als Baby weggegeben.«

»Das ist doch Unsinn«, sagten Henry mitfühlend. »Und was genau ist denn mit Suzanne passiert? Kann ich dir irgendwie helfen?«

Liam schüttelte nur den Kopf, sagte nichts mehr, drehte *Dieselskandal* wieder voll auf und starrte hinaus auf die Autobahn. Seine langen Haare wippten in der Heizungsluft, die aus dem Gebläse strömte.

Der Sänger ließ Henry direkt vor Bräckers Haus aussteigen und fuhr weiter zu seinem Termin mit dem Busverkäufer. Er hatte Henry angeboten, ihn später wieder zurück nach Offenburg mitzunehmen, da er auf seiner Fahrt nach Pforzheim sowieso dort vorbeikam, und Henry hatte gerne angenommen. Wie sagte

Jack Jackson in einem seiner Lieblingsactionfilme sinngemäß so schön: »Echte Freunde sind die, die einen Raketenwerfer dabeihaben, wenn du einen Raketenwerfer brauchst.«

Mit dem Foto aus dem Internet in der Hand, das Bräcker und Mona Laurent bei Petrows Preisverleihung zeigte, klingelte Henry bei dem Drehbuchautor. Wieder wurde ohne Nachfrage die Tür geöffnet, und er betrat das Haus und anschließend die Wohnung. Bräcker war leider nicht »dehaaim«, wie ihm dessen nette Mitbewohnerin mitteilte, er sei »schbadsiere gloffe« und danach sitze er gerne im *Schlappen*, um »ebb's mid Grumbier zu esse« und ein »klaais Weinle vom Kaiserstuhl zu dringe«. Henry ließ sich den Weg zum *Schlappen* erklären, bedankte sich und ging dann etwa zwanzig Minuten Richtung Innenstadt. Er verlief sich einmal ziemlich, kam sogar an der Unibibliothek vorbei und am Martinstor, aber schließlich erreichte er den *Schlappen*. Tatsächlich fand er Bräcker dort, in der Hand ein Buch übers Drehbuchschreiben und vor sich einen großen, leergegessenen Teller.

»Herr Bräcker?«, unterbrach Henry die Lektüre.

Der Mann zuckte zusammen, ließ beinahe das Buch auf den Teller fallen. Unaufgefordert setzte sich Henry zu ihm an den Tisch. Knallte das ausgedruckte Foto vor ihn hin. »Ich habe den Eindruck, wir sollten uns unterhalten.«

Der Drehbuchautor packte hektisch seine Sachen zusammen. »Das denke ich nicht.«

»Warum haben Sie mir erzählt, Sie seien die ganze Zeit in Frankreich gewesen und würden Mona Laurent nicht kennen, wenn das überhaupt nicht stimmt?«

Bräcker stand auf und ging wortlos an ihm vorbei zum Tresen. »Ich würde gerne bezahlen«, hörte Henry ihn sagen. Er wartete, bis der junge Mann der Bedienung Geld hingelegt hatte, und folgte ihm nach draußen. »Herr Bräcker, bitte, ich will nur mit Ihnen reden. Es ist wirklich wichtig.«

»Verschwinden Sie«, fauchte der Drehbuchautor und marschierte los Richtung JVA. »Ich muss und werde nicht mit Ihnen sprechen.«

»Mona Laurent, die Kamerafrau, ist tot. Und ich möchte wissen, warum.«

»Tot?« Bräcker blieb ruckartig stehen und drehte sich um. Er wirkte schockiert und kniff mehrfach die Lippen zusammen. Es dauerte eine Weile, bis er keuchend und nicht sonderlich überzeugend sagte: »Ich habe Ihnen schon einmal gesagt, dass ich die Frau nicht kenne. Und ich sabotiere auch die verfluchten Dreharbeiten nicht.«

Henry hatte das Gefühl, dass Bräcker furchtbare Angst hatte. »Und warum dann die ganzen Lügen?«

»Ich bin Ihnen mit Sicherheit keine Rechenschaft darüber schuldig, wo ich wann warum war.« Damit drehte er sich um und verschwand in eine kleine, menschenleere Seitengasse. Henry folgte ihm. Schließlich blieb Bräcker erneut stehen. »Verschwinden Sie, oder ich rufe die Polizei.«

»Rufen Sie ruhig die Polizei. Dann werde ich denen alles erzählen, was ich weiß«, erwiderte Henry. Was leider nicht sonderlich viel wahr, aber das wusste Bräcker ja nicht.

Der Drehbuchautor fuhr sich mit der Hand über den Nasenrücken. »Ich habe mit dem Tod dieser Kamerafrau nichts zu tun. Ich wusste bis gerade eben überhaupt nicht, dass sie tot ist. Vielleicht war ich bei der Preisverleihung von *Wale weinen bei Sonnenuntergang*, na und? Petrow war mein Idol. Da wusste ich ja noch nicht, dass er ohne Erlaubnis mein Drehbuch verfilmt«, stammelte er.

»Hat Mona Laurent Ihnen das bei der Preisverleihung gesteckt?«

Der Drehbuchautor antwortete nicht.

»Aber Sie kennen sie?«, fragte Henry.

»Nein.«

»Lügen Sie mich nicht an.« Henry hielt dem Mann das Foto erneut vor die Nase. »Das sind Sie. Und die Frau, mit der Sie reden oder streiten, ist Mona Laurent.«

Der Drehbuchautor zog die Schultern hoch. »Von mir aus, ja, ich kenne sie flüchtig. Ich … Ich habe sie auf einer Party kennengelernt, vor einigen Jahren, und dort habe ich ihr von meiner Idee für *Obskures Kastell* erzählt. Sie war es, die mir vorgeschlagen hat, zu Petrow in das Drehbuchseminar zu gehen, um den Stoff weiterzuentwickeln. Ich … ich hatte sie schon längst wieder vergessen, aber dann haben wir uns bei der Preisverleihung wiedergetroffen, und sie hat mir berichtet, dass Petrow jetzt meine Idee verfilmt. Sie meinte, wenn sie das gewusst hätte, hätte sie mir niemals empfohlen, in sein Seminar zu gehen. Deshalb sehe ich auf dem Foto so sauer aus. Ich war nicht sauer auf Mona, sondern auf Petrow.«

Wenn das alles war, gab es keinen Grund, warum Bräcker so panisch wirkte. »Sie verschweigen mir etwas«, behauptete Henry ins Blaue hinein und richtete sich auf. Er wusste, dass er verdammt einschüchternd wirkte mit seinen Muskeln und seiner stattlichen Körpergröße. Er machte einen bedrohlichen Schritt auf den Autor zu. Der schien mehr und mehr in sich zusammenzusinken und zitterte so, dass er Henry richtig leidtat. »Einen Boxer sollte man niemals anlügen«, knarzte er trotzdem mit harter Stimme. Verdammt, der Spruch war schon fast genauso cool wie die Sprüche, die Jack Jackson immer raushaute. Und Bräckers Zittern war auch fast so schlimm wie das der bösen Buben, die Jack Jackson immer verkloppte oder erschoss oder erst verkloppte und dann erschoss auf seinem Weg zum Sieg des Friedens und der Gerechtigkeit. Und das, obwohl Henry nicht einmal vorhatte, Bräcker auch nur ein Haar zu krümmen. Vielleicht waren seine schauspielerischen Fähigkeiten gar nicht so schlecht, wie er gedacht hatte? Henry machte mit grimmiger Befriedigung noch einen bedrohlichen Schritt auf den Mann zu.

»Gut, gut, von mir aus. Es gibt da noch etwas …«, bekannte Bräcker. Er zitterte nun am ganzen Körper. »Also, Mona hat sich einige Zeit nach der Preisverleihung noch einmal bei mir ge… gemeldet und mich um etwas gebeten. U…und deshalb war ich dort.« Er bebte so, dass Henry befürchtete, er würde gleich umfallen. »Bei dem Horrorhaus, meine ich«, fuhr der Drehbuchautor fort. »Vor … also vor ein paar T…Tagen. Ich war stinksauer auf Petrow und … Mona hat mir gesagt, sie könne mir da etwas erzählen, das seinen Ruf vernichten könnte. Ein richtig schmutziges Geheimnis. Sein Schicksal sei ihr egal, das hat sie gesagt.« Er fuhr sich über den Nasenrücken. Auf seiner Stirn hatten sich Schweißtropfen gebildet.

Das hätte Petrow ein ziemlich gutes Motiv gegeben, die Kamerafrau umzubringen, wenn er davon gewusst hätte, schoss es Henry durch den Kopf.

»Als Gegenleistung für die Infos über Petrow hat Mona … Sie hat mich gebeten, etwas für sie zu holen«, fuhr der Drehbuchautor fort. »In dem Haus. Im K…Keller.«

»Was?!« Jeder Muskel in Henrys Körper spannte sich erwartungsvoll an.

»Eine P…Päckchen«, stammelte Bräcker.

»Und was war da drin in dem Päckchen?«

»Das weiß ich nicht. Ich habe nicht …« Er räusperte sich mehrfach. »Also ich habe es nicht g…geschafft, es zu holen. Weil da … weil da etwas war. In der Nacht in dem Haus.« Bräcker starrte Henry mit vor Angst geweiteten Augen an. »Etwas Böses. Hildebrandt. Glaube ich jedenfalls.«

Es dauerte eine Weile, bis sich der Drehbuchautor wieder so weit beruhigt hatte, dass Henry weiterfragen konnte. »Was genau war denn da in dem Haus?«

Ein Zittern lief durch Bräckers Körper. »Ein Untoter. Das Ding hat geleuchtet. G…Grün. Und in diesem Haus leuchtet es immer grün, bevor … bevor jemand … stirbt. So … heißt es in der L…Legende.« Er schien den Tränen nahe zu sein. »Ich hatte mit einem Nachschlüssel, den Mona mir zugeschickt hat, die Tür aufgemacht und war gerade im Flur. Zuerst war da so ein … ein Knarren … Wie wenn jemand im oberen Stock herumschleicht. Und dann habe ich es gesehen. Es kam diese Wendeltreppe für Bedienstete herunter und genau auf mich zu.« Er schlug die Hände vors Gesicht. »Ich bin nicht verrückt«, sagte er dumpf. »Ich bin wirklich nicht verrückt.«

»Wann war das?«

»Sa…Samstag letzte Woche.«

Henry sog pfeifend Luft ein. Das war zwischen dem Verschwinden der Kamerafrau am Donnerstag und ihrem Tod am Montagabend. »Wann genau haben Sie mit Mona Laurent gesprochen?«, fragte er. »Wissen Sie vielleicht sogar, wo sie gesteckt hat, nachdem sie verschwunden ist?«

Der Drehbuchautor schüttelte den Kopf. »Am Mittwoch, glaube ich. Nur am Telefon. Und ihre Informationen über Petrow hat sie mir auch noch nicht gegeben. Ihn zu vernichten kann ich jetzt knicken. Ich … ich habe mich einfach nicht getraut, mit der Polizei zu sprechen. Ich dachte, die halten mich für durchgeknallt. Abgesehen davon bin ich ins Horrorhaus eingebrochen. Und das Päckchen, da war bestimmt nichts Legales drin, bestimmt nicht, so wie Mona mir eingetrichtert hat, dass ich mit niemandem darüber sprechen darf.«

»Können Sie den Untoten näher beschreiben?«, fragte Henry.

Bräcker schüttelte den Kopf. »Ich … ich bin einfach rausgerannt. Ich glaube, das Ding hatte … es hatte einen ziemlich großen, skelettartigen Kopf und zottelige … Haare. Aber ich bin nicht verrückt.«

»Ich glaube Ihnen. Ich könnte mir vorstellen, dass sich jemand als Untoter verkleidet hat. Ich meine, das Horrorhaus ist im Moment ein Filmset, und so, wie ich Petrows Geschmack einschätze, sind da jede Menge Monsterkostüme, die …«

»Nein, das glaube ich nicht.« Bräcker keuchte. »Warum sollte jemand in der Nacht verkleidet in einem leeren Haus herumlaufen?«

»Vielleicht wollte dieser jemand Sie erschrecken und vertreiben?«

Der Drehbuchautor sah nicht aus, als ob er das glaubte. »Wie … wie ist Mona denn ge…gestorben? Ist es im Haus passiert?« Er krümmte sich plötzlich zusammen und bebte.

»Tief durchatmen«, sagte Henry ruhig.

»Wie ist sie …?«, keuchte der Autor. Er sank auf die Knie auf den kalten Boden.

»Sie ist die Treppe hinuntergestürzt. Im Keller des Horrorhauses«, sagte Henry.

Bräckers Mund öffnete sich zu einem gequält klingenden Laut. »Genickbruch?«, brachte er dann heraus. Henry nickte.

Der Drehbuchautor stöhnte. »Oh Gott, und ich habe, bevor ich in das Haus bin, noch so ein blödes Strichmännchen mit gebrochenem Genick auf so eine seltsame Pappkonstruktion gemalt. Als Botschaft an Petrow … Es sollte nur ein Scherz … Ich … ich konnte doch nicht wissen, dass Mona später an Genickbruch…« Der Drehbuchautor packte Henry am Ärmel, rüttelte daran. »Ich habe damit nichts zu tun, das müssen Sie mir glauben. Und das war kein Unfall. Bestimmt nicht. Sie hat sicher selbst versucht, das Päckchen zu holen, und dieses Monster aus dem Haus hat sie …« Er stöhnte.

»Wo genau in dem Keller sollte das Päckchen denn versteckt sein?«, fragte Henry.

»Da gibt es wohl einen … einen abgesperrten Teil mit irgendwelchen Statuen drin, und ganz hinten muss ein … ein altes Regal … Dahinter … Bitte, kann ich jetzt gehen?« Bräcker zitterte so, dass er kaum noch weitersprechen konnte.

Henry klopfte ihm beruhigend auf den Rücken. »Sie müssen Ihre Geschichte unbedingt noch einmal der Polizei erzählen. Später, wenn Sie sich ein wenig beruhigt haben. Rufen Sie dort einfach an«, sagte er schließlich. »Ich bin mir sicher, dass der Untote ziemlich lebendig war. Ich denke, dass Sie da jemandem begegnet sind, der etwas mit dem Tod von Mona Laurent zu tun haben könnte. Deshalb sollten Sie sehr vorsichtig sein.« Er packte Bräcker unter den Achseln und zog ihn zurück auf die Füße. »Dann bringe ich Sie mal heim.« Er stützte den Drehbuchautor am Arm, während sie langsam durch die in der Kälte ausgestorbenen Straßen gingen.

»Hat Frau Laurent sonst noch irgendwas gesagt bei dem Telefonat?«, fragte Henry, als sie schließlich vor dem Haus des Drehbuchautors standen.

»Nur, dass ich niemandem erzählen darf, dass sie mich angerufen hat. Und dass ich am Wochenende oder spätabends ins Horrorhaus soll, weil die dann nicht drehen, und dass es gefährlich ist, bei Einbruch der Nacht in diesem Haus zu sein, weil da viel herumliegt, an dem man sich verletzen kann, und dass ich aufpassen soll und ein starkes Licht brauche. Den U…Untoten hat sie leider nicht erwähnt, sonst wäre ich niemals …« Seine Stimme kiekste weg.

Nachdem er Bräcker zu Hause abgeliefert hatte, versuchte Henry erneut, Suzanne anzurufen. Wieder ging sie nicht ans Handy. Auch auf dem Festnetz war sie nicht zu erreichen, was ihn ein wenig verwunderte. Er versuchte es sogar im Büro, auch dort ging nur der AB ran. Vielleicht war sie gerade bei ihren Ziegen oder ging spazieren?

Er machte sich auf den Weg zu der Pizzeria, in der Liam auf ihn warten wollte. Der Sänger war bereits da, er hatte einen großen Salat und ein Pizzabrot vor sich stehen und unterhielt sich angeregt mit einer jungen braunhaarigen Frau und deren rothaariger Freundin vom Nebentisch.

»… mit ganzem Herzen Musiker. Ich bin der Singer und Songwriter von *Dieselskandal*, Darling«, hörte Henry ihn gerade mit extrem starkem englischem Akzent sagen. »Ich kann dir gerne ein Autogramm geben.« Er zückte einen Stift aus seiner prolligen goldenen Jacke und beugte sich zum anderen Tisch hinüber.

Henry erwartete, dass Liam der kichernden Braunhaarigen und ihrer Freundin seinen Namen ins Dekolleté schreiben und ein Herz dazu zeichnen würde, wie er es damals auch bei Suzanne gemacht hatte, als die zwei sich das erste Mal begegnet waren. Ein Ereignis, bei dem Henry das Pech gehabt hatte, ebenfalls anwesend zu sein. Aber Liam beschränkte sich auf die Unterarme der beiden, und ein Herz malte er auch nicht.

Kapitel 21

Immer noch knarzte es in dem alten Haus, als ginge jemand oben über den Flur. Suzanne sah sich panisch nach einer Waffe um, während sie hastig Richtung Eingangstür zurückschlich. Nichts.

Ihr fiel plötzlich auf, dass sie immer noch ihre hochhackigen Schuhe in der linken Hand trug. Sie konnte vielleicht versuchen, einem möglichen Angreifer einen der Absätze ins Auge … Oder ihm die Taschenlampe über den Kopf … Das wäre ein ziemlich unsicheres Unterfangen, sie war das Gegenteil von einer Kampfmaschine und in ihrem engen Mantel so unbeweglich, dass sie kaum den Arm heben konnte. Ein Angreifer musste ihr wahrscheinlich nur einen Stoß geben, dann würde sie umfallen wie gemähtes Gras und nicht mehr hochkommen. Es würde ein Leichtes sein, ihr das Genick zu brechen.

Sie stieß panisch Luft durch den Mund aus. Sie war gleich an der Tür und im Freien, sie würde zum Auto zurückrennen und … Wieder hörte sie das Knarzen, diesmal gefolgt von einem Scharren, und jetzt wusste sie plötzlich auch, woher all die Geräusche kamen. Sie blieb ruckartig stehen und lachte vor Erleichterung auf. Das Tier vom Dachboden, das sich vermutlich auch in den Fluren herumtrieb. Und alte Balken knarrten ebenfalls. Sie kannte das doch von ihrem Hof. Jetzt fing es auch noch an zu knabbern. Du meine Güte, sie hätte wissen müssen, dass dieses Knarzen zu leise für menschliche Schritte gewesen war. Abgesehen davon war die polizeiliche Versiegelung an der Tür intakt gewesen. Es *konnte* gar niemand hier sein.

Dieses Haus brachte offenbar jeden an den Rand eines Nervenzusammenbruchs. Kein Wunder, dass Petrow nur bei Tag hier drehte. Aber sie würde sich von so einem Unsinn nicht von der Arbeit abhalten lassen, schon gar nicht jetzt, wo sie das Polizeiklebeband entfernt hatte.

Zügig ging sie zur Kellertür, öffnete sie, schaltete dort das Licht an und stieg langsam die Stufen nach unten. Nur ihr keuchender Atem, das Trappeln ihrer Schritte und das Scharren und Knabbern des Tiers waren zu hören. Die Luft roch abgestanden und modrig und ein wenig nach Maschinenschmiere und altem Schweiß. Schließlich erreichte sie den Kellerflur.

Die Falltür, die ins Loch hinunterführte, war verschlossen. Sie ging hinüber. Stellte ihre hohen Schuhe ab, packte die Tür an den Griffen und versuchte, sie hochzustemmen. Keine Chance. Die Klappe bewegte sich nicht einen Zentimeter. Suzanne richtete sich wieder auf. So musste es der Kamerafrau auch ergangen sein, jedenfalls wenn die Falltür wirklich verschlossen gewesen war. Aber Mona Laurent hatte vielleicht so dringend ins Loch hinuntergewollt, dass sie sich davon nicht hatte abschrecken lassen. Nur warum? Denn die Polizei hatte den Keller unter der Falltür mit Sicherheit gründlich abgesucht, und wenn dort etwas von Belang gewesen wäre, hätte Emil das bestimmt mitbekommen.

An der Wand hinter der Falltür, etwas oberhalb von dort, wo sich die Befestigungsvorrichtung befand, war eine nicht sonderlich vertrauenerweckende, rostige Konstruktion angebracht. Das musste der Flaschenzug sein, den Mona Laurent wohl benutzt hatte. Suzanne beleuchtete die Vorrichtung mit ihrer starken Taschenlampe. Das Ganze sah kriminell wackelig aus, und eine der Rollen war beinahe komplett aus der Wand gerissen. Es war leicht vorstellbar, dass die Kamerafrau damit einen Unfall gehabt hatte, dass der schwere Deckel nach unten geknallt und sie in die Tiefe gestürzt war.

Falls das so gewesen war, falls die Kamerafrau allein in diesem Keller verunglückt war, dann musste »der Jackpot« noch irgendwo hier sein, denn ihre Tasche war leer gewesen. Suzanne nahm ihre Schuhe wieder an sich, wandte sich ab und ging langsam den Flur entlang bis zum gesperrten Teil.

Was Liam wohl gerade machte? Hoffentlich saß er in seinem einsamen WG-Zimmer in Pforzheim und biss sich in den Hintern, weil er sie so schändlich behandelt hatte!

Sie beugte sich über das Flatterband durch die Tür und leuchtete mit ihrer Taschenlampe in den verbotenen Teil des Kellers. In dem baufälligen Raum herrschte ein Chaos aus Sand, Gips, Schrott und Steinbrocken. Das große, grasartige Gewirr aus dünnen Drähten, über das Paul gestürzt sein musste, war ebenfalls zu sehen. Einige der Drähte sahen im Licht der Lampe aus wie die Köpfe von bösartigen, langen Schlangen, die sie beobachteten. Keine Ahnung, wie Mona Laurent hier mit hohen Absätzen …

Gut, mit Stiefeln ging das vielleicht, aber mit den Dingern, die sie selbst mitgebracht hatte, war das nicht möglich. Das brauchte sie gar nicht auszuprobieren. Sie legte die hohen Schuhe zur Seite und schlüpfte in ihren Gummistiefeln unter der Absperrung durch. Von dem recht großen Raum, in dem sie sich nun befand, gingen zwei Türen ab. Eine schien aus rostigem Stahl zu sein, von der anderen existierte nur noch der Türrahmen. Vorsichtig, um sich kein spitzes Metallteil durch die Sohlen ihrer Gummistiefel in den Fuß zu treiben oder sich beim Klettern über die Steinbrocken das Bein zu brechen, tastete sie sich zu dem Türrahmen vor. Die Steinklötze auf dem Boden waren wackelig, und einmal verlor sie das Gleichgewicht und wäre fast auf eine kleine, rostige Spitzhacke gefallen.

Sie rappelte sich wieder auf. War da gerade ein leises Klappern im Flur gewesen? Sie lauschte panisch. Im Keller war es totenstill, aber sie verspürte wieder dieses ungute Gefühl. Als ob sie nicht alleine sei und jemand sie beobachtete.

Sie biss sich auf die Wange, als ihr durch den Kopf ging, was ein wahnsinniger Mörder mit einer Spitzhacke in diesem einsamen Keller mit ihr … Vielleicht der Hausmeister, dieser seltsame Winkler? Der den Keller bewachte wie ein Raubtier seine Beute? Was, wenn er wirklich illegale Gründe dafür hatte, niemanden in diese Räume zu lassen? Sie zwang sich weiterzugehen. Der Typ konnte nicht hier sein. Die Eingangstür war versiegelt gewesen.

Die Wände und die Decke hier unten sahen im Licht der Taschenlampe alles andere als vertrauenerweckend aus. Steine fehlten in den gemauerten Wänden, und in einer Ecke des Raums stand eine merkwürdige Konstruktion aus drei schwarzen Balken und einem obenauf liegenden Brett. Offenbar hatte man versucht, dort die sich nach unten neigende Decke ein wenig abzustützen. Im Grunde war es vollkommen nachvollziehbar, dass der Hausmeister nicht wollte, dass hier jemand hineinging. Abgesehen davon hatte die Polizei bestimmt jeden Winkel abgesucht und ...

Suzanne kniff die Lippen zusammen. Sie hatte nicht mal ein Handy dabei, mit dem sie im Notfall ... Hier unten hatte sie eh kein Netz, das war ihr beim letzten Mal schon aufgefallen. Und wenn die Decke über ihr zusammenstürzte, war das Fehlen eines Telefons vermutlich ihr geringstes Problem. Vorsichtig kletterte sie weiter, die Gesteinsbrocken warfen im Licht ihrer Taschenlampe erschreckende Schatten. Einige sahen aus wie riesige Skeletthände, andere ähnelten Drachen, manche erinnerten an in grauenhaften Schmerzen verzerrte Gesichter. Einmal vermeinte sie, den Umriss eines Menschen zu erkennen. Er sah aus wie Petrow, und sie schrie vor Schreck leise auf, aber der Umriss entpuppte sich als Metallklotz, auf dem eine kaputte Büste stand.

Dennoch musste sie plötzlich an den Regisseur denken. Was, wenn ihr erstes Gefühl sie nicht getrogen hatte? Wenn der Mann ihr die ganze Zeit etwas vorgespielt hatte, weil er selbst der Täter ... Und er wusste blöderweise als Einziger, dass sie den Schlüssel hatte und herkommen ... Und versuchte er nicht auch ständig, sie davon abzuhalten, in den Keller ...? Quatsch, was für ein Motiv sollte Petrow denn haben? Der Regisseur war einer der Hauptleidtragenden dieser ganzen Geschichte. Sie musste aufhören, sich solchen Unfug einzureden, sie wurde ja schon wieder panisch.

Endlich erreichte sie den Türrahmen und richtete den Strahl ihrer Taschenlampe in den kleinen Nebenraum, der ebenfalls gefüllt war mit Gerümpel. Er sah dem grauen Staub zufolge, der hier alles dick bedeckte, so aus, als sei schon sehr, sehr lange niemand mehr in ihm gewesen. So viel also zu ihrer Theorie, die

Polizei hätte jeden Winkel durchsucht. Sie betrat den Raum ebenfalls nicht, denn wenn ersichtlich niemand in letzter Zeit dort drin gewesen war, dann auch die Kamerafrau nicht. Stattdessen arbeitete sie sich vorsichtig zu der Stahltür auf der gegenüberliegenden Seite hinüber. Wahrscheinlich würde sie von Steinen blockiert oder abgeschlossen sein, und damit hätte sich ihre Exkursion für heute dann erledigt. Sie gestand sich ein, dass sie darüber gar nicht unglücklich wäre.

Erstaunlicherweise war der Boden rund um die Stahltür aber frei von Gerümpel, ein Halbkreis nackten Erdbodens, was man von der anderen Seite des Raums nicht hatte erkennen können. Die Tür ging lautlos und geschmeidig auf, obwohl sie alt und kaputt aussah. Der Raum hinter der Stahltür war vollkommen leer, eng und klein, und es stank nach Schimmel. Suzanne durchquerte ihn und verließ ihn wieder durch eine weitere Tür, die in ein düsteres Gewölbe führte. Vermutlich war das ein historischer Weinkeller, ganz ähnlich dem auf ihrem Hof. Hier befanden sich wieder Steine auf dem Boden, die offensichtlich aus dem Mauerwerk gebrochen waren, und ein ganzer Berg kaputter Flaschen. Überall lagen Scherben herum, und Suzanne musste höllisch aufpassen, dass ihre Gummistiefel und Füße nicht zerschnitten wurden.

Durch eine weitere, schmale Türöffnung gelangte sie endlich in den hintersten Raum, in dem es aussah wie in einem mittelalterlichen Gefängnis.

Es war unangenehm kalt und klamm. An den gemauerten Wänden waren mehrere Metallringe angebracht, wie sie früher zum Befestigen von Ketten verwendet worden waren. Der Boden bestand aus gestampfter Erde. An der hinteren Wand stand ein krummes schwarzes Regal aus uraltem, modrigem Holz, in dem sich drei gesprungene, mit einer dicken schwarzen Staubschicht bedeckte Einmachgläser und eine kaputte Weinflasche befanden.

In dieser Wand, so ging es Suzanne schaudernd durch den Kopf, musste irgendwo die Stelle sein, an der die eingemauerte mumifizierte Leiche gefunden worden war.

Seitlich des Regals lagen ein alter Rucksack und zwei kaputte Statuen aus einem Material, das aussah wie roter Sandstein. Die musste Emil gemeint haben. Suzanne näherte sich den Statuen. Eine liegende Gestalt, die eine erhobene Stange in der Hand trug und aussah wie ein Stabhochspringer, und eine in mehrere Teile zerfallene Frau, vielleicht eine Madonna.

Sie leuchtete die Teile gründlich ab. Eigentlich nichts Auffälliges. Wobei es schon seltsam war, wie viele Fußabdrücke hier im Staub zu sehen waren, wenn eigentlich niemand in diesen Keller durfte. Wahrscheinlich war das die Polizei gewesen.

Sie ging um die Statuen herum, leuchtete dann das Regal gründlich ab. Nichts. Sie rüttelte sogar daran. Erstaunlicherweise war das Gestell längst nicht so klapprig, wie es aussah, sondern schien sehr fest an der Wand befestigt zu sein. Noch einmal rüttelte sie. Eines der Einmachgläser fiel heraus und zerschellte krachend auf dem Boden. Sie wollte sich gerade umdrehen und die andere Seite des Raums genauer anschauen, als ihr auffiel, dass direkt neben dem Regal ein Mauerstein lose zu sein schien. Neugierig trat sie näher. Vielleicht gab es ja ein kleines Versteck hinter dem Stein?

Aus den Augenwinkeln ahnte sie mehr, als dass sie es sah, dass sich schräg hinter ihr etwas bewegte. Dann fühlte sie, wie jemand sie brutal umklammerte, wie sich ein nasser, stinkender Lappen auf ihren Mund presste. Sie versuchte verzweifelt, sich zu wehren, aber ihr war auf einmal schwindlig, so schwindlig …

Als sie aufwachte, hatte sie keine Ahnung, wo sie sich befand. Ihr Körper schmerzte. Ihr war schlecht und schwummrig. Sie öffnete die Augen. Es blieb pechschwarz. War sie blind geworden? Hektisch fuhr sie mit der Hand über ihr Gesicht. Alles fühlte sich normal an. Warum konnte sie nichts sehen?

Der Lappen. Jemand hatte ihr einen nassen Lappen aufs Gesicht gedrückt. Was für ein Gift war auf diesem Lappen gewesen, was zum Teufel hatte sie da bloß eingeatmet? Wo war sie?

Sie versuchte, sich aufzusetzen, und stieß gegen einen großen, metallischen Gegenstand, an dem sie sich die Hand aufriss. Irgendetwas keilte sie ein. Ihr Herz begann wild zu klopfen. War sie eingesperrt? Was war mit ihren Augen passiert? Sie tastete um sich herum.

Sie lag auf dem Boden. Ein kalter Boden aus rauem Stein. Es war unvorstellbar eng, der Platz war kaum groß genug für sie. An der einen Seite fühlte sie wieder den metallischen Gegenstand, vielleicht ein Blech mit scharfem Rand. Sie tastete weiter, irgendetwas fiel plötzlich auf sie, etwas Weiches, und sie musste sich zwingen, nicht zu stöhnen. Mumifizierte Leichen. War das ein Teil einer mumifizierten Leiche? Wo war sie? In einer Gruft? Einem Grab? Oh Gott, war sie in einem Grab? Unter dem Horrorhaus vielleicht?

Magensäure stieg sauer ihre Kehle nach oben, sie schluckte ein paarmal. Oh Himmel, hatte man sie eingemauert? War es deswegen so schwarz um sie herum? Würde sie in ein paar Jahren als Skelett im Keller des Horrorhauses wieder auftauchen? Oder war sie gar nicht mehr in dem alten Gemäuer?

Sie schrie um Hilfe, schrie und schrie.

Nichts geschah. Nichts regte sich.

Wie viel Luft hatte sie eigentlich? War sie unter der Erde vergraben und würde langsam ersticken?

Wie lange war sie schon hier? Wie viel Zeit blieb ihr noch?

Sie versuchte erneut, sich aufzusetzen. Es klapperte, und wieder fiel irgendetwas zum Glück nicht sonderlich Schweres auf sie herab. Schließlich gelang es ihr, sich aufzurichten, wobei sie sich an eine raue, ungehobelte Holzwand pressen musste und sich einige Spreißel holte.

Wo zur Hölle war ihre Taschenlampe? Erneut klapperte es metallisch, als sie sich bewegte. Sie suchte ihre Jackentasche ab. Die Lampe war weg, sie würde hier allein in der Finsternis … Tief durchatmen, sie musste versuchen, ruhig zu bleiben.

Wieder schrie sie panisch um Hilfe. Ihre Notfalllampe. Sie hatte doch immer eine Notfalllampe dabei. Es gelang ihr schließlich nach mehreren Verrenkungen in dem winzigen Raum, die kleine Taschenlampe aus ihrer Jacke zu pfriemeln. Sie schaltete sie ein.

Das Erste, was sie sah, war ein Galgen. Ein angsterfülltes Fiepen drang aus ihrem Mund. Sie befand sich eingekeilt in einem klaustrophobisch engen, länglichen Raum, kaum breiter als einen halben Meter und höchstens anderthalb Meter lang, einer Art Einbuchtung in der Mauer, die mit einer Holzwand verschlossen zu sein schien. Und neben ihr stand ein Galgen, dessen Schlinge ihr beinahe ins Gesicht baumelte.

Eine Weile schluckte sie nur aufsteigende Magensäure. Dann presste und drückte sie gegen die Holzwand, die sich keinen Millimeter rührte, sosehr sie auch rüttelte und schlug. Irgendwann hörte sie auf, weil ihre Hände so schmerzten, und schrie erneut um Hilfe. Verzweiflung überkam sie in Wellen. Sie versuchte, ruhig zu atmen. Sie musste sich zusammenreißen. Sich konzentrieren. Nachdenken, wie sie hier herauskommen konnte. Sie zwang sich, sich umzuschauen.

An der hinteren Wand lehnte ein mannshohes Blech. In verschiedenen Vertiefungen in der Mauer lagen Päckchen. Und etwas, das aussah wie eine altmodische Kuckucksuhr. Sie betrachtete den Galgen genauer. Eine Attrappe. Das war eindeutig nur eine Attrappe. Sie musste mal wieder runterkommen. Die Dinge rational sehen. Offenbar hatte sie die verschwundenen Requisiten gefunden. Wahrscheinlich war sie immer noch im Keller des Horrorhauses. Was bedeutete, dass spätestens am Montag Petrow, die Schauspieler und die Crew wiederkommen und sie finden würden.

Das würde sie überleben! Wenn der Sauerstoff reichte. Es sei denn … Oh Gott, war Petrow ihr etwa gefolgt? Hatte er sie angegriffen? Es war alles so schnell gegangen. Und wenn es wirklich der Regisseur gewesen war, dann würde er mit Sicherheit dafür sorgen, dass sie nicht bis Montag … Ihr brach der kalte Schweiß aus. Ruhig, sie musste ruhig bleiben. Der Angreifer war bestimmt nicht Petrow gewesen, das ergab überhaupt keinen Sinn. Aber was hatte der Täter oder die Täterin sonst mitten in der

Nacht im Horrorhaus …? Mit den Fingern tastete sie verzweifelt die Ritzen der Holzwand ab. Ihr Magen schmerzte dumpf.

Vielleicht gab es hier in dem Raum etwas, mit dem sie die Tür einschlagen konnte, einen losen Stein oder so. Noch einmal leuchtete sie ihre Umgebung ab. Möglicherweise konnte sie mit der Kuckucksuhr … Oder wenn sie das Blech in die Holzwand rammte, oder die Galgenattrappe … Was waren das eigentlich für Päckchen, die da in den Mauernischen …? Auch auf dem Boden lagen zwei davon. Vermutlich die Dinger, die sie vorhin für Leichenteile gehalten hatte. Sie nahm eines der Päckchen hoch und riss es auf. Eine durchsichtige Tüte mit unzähligen Pillen fiel heraus. Das war nicht gut. Das war überhaupt nicht gut. Sie öffnete das andere Päckchen. Eine Maschinenpistole. Leider ohne Munition. In ihr krampfte sich alles zusammen. Das hier war ein ganz anderes Kaliber als ein paar verschwundene Requisiten. In was für eine miese Geschichte war sie da hineingeraten? Und warum hatte der Besitzer seine Sachen nicht mitgenommen? Plante er oder sie also sowieso zurückzukommen? Sie zu töten? Oder zu warten, bis sie erstickte?

Sie brauchte eine Waffe, irgendetwas, mit dem sie sich verteidigen konnte. Und sie musste mit einem Werkzeug versuchen, die Holzwand aufzubrechen. Sie versuchte, so gleichmäßig es ging zu atmen, aber sie stand kurz vor der Ohnmacht. Schließlich hämmerte sie mit dem Griff der Maschinenpistole gegen die Holzwand. Hämmerte und hämmerte, bis sie ihre Arme ganz taub waren. Es kam ihr vor, als seien Stunden vergangen, bis das Holz an einer Stelle schließlich nachgab.

Leider befand sich hinter dem Holz offenbar eine undurchdringliche Metallplatte. Und irgendein Dämmmaterial. Ihr Atem ging keuchend, Tränen flossen ihr übers Gesicht, als sie sich verzweifelt an die Wand lehnte. Sie würde es nicht schaffen, sie würde hier sterben, sie würde … Ewig stand sie so da, ihre Gedanken rasten. Und dann hörte sie es draußen plötzlich knallen. Sie zuckte zusammen und stieß sich dabei schmerzhaft den Ellenbogen an der Wand. Eine Waffe. Vielleicht ließ sich die

Stange von dieser Galgenattrappe … Es klickte, dann öffnete sich surrend die Holzwand.

Sie sah in das Gesicht eines grünlich leuchtenden Monsters mit wirren Haaren. Es streckte ihr eine Flasche mit einer seltsamen Flüssigkeit entgegen. »Trink!«, befahl es.

Suzanne packte die Galgenattrappe und stieß sie in Richtung ihres Gegenübers. Die Flasche mit der Flüssigkeit knallte auf den Boden, das Monster fluchte. Dann zog es ein Butterflymesser aus der Tasche.

Ganz leise hörte sie nun auch oben im Haus Geräusche. Das Monster kam mit einem schnellen Schritt auf sie zu, packte sie an den Haaren und stieß sie zurück in die Kammer. Knipste ihre Taschenlampe aus. »Wenn du einen Laut von dir gibst, bringe ich dich um«, flüsterte es. Es stank so nach Schweiß, dass Suzanne sich beinahe übergeben musste. Mit einem Surren fuhr jetzt die Tür wieder zu und schloss sie zusammen mit ihrem Peiniger ein. Es wurde finster und eng, so eng, dass sie fast keine Luft mehr bekam. Das stinkende Monster presste sie gegen die Wand, sie spürte das Messer ganz dicht an ihrem Hals.

Kapitel 22

Henry machte es sich nach seiner Rückkehr von seinem Gespräch mit Bräcker mit zwei belegten Broten, einer Apfelsaftschorle und einer geschälten und in Stücke zerteilten Orange in Suzannes Arbeitszimmer gemütlich und hörte eine Klaviersonate von Chopin. Da Suzanne immer noch nicht da war, hatte er sich nicht einfach in ihr Wohnzimmer setzen wollen, obwohl sie eine geniale Stereoanlage mit teuren Lautsprechern und einen riesigen Fernseher besaß. Sowieso musste er einmal darüber nachdenken, ob es eigentlich in Ordnung war, dass er im Moment immer noch bei ihr wohnte.

Er kam mit sich darüber überein, dass es so lange noch anging, wie er diesen Job für sie erledigte. Aber wenn der zu Ende war, würde er verdammt nochmal verschwinden. Keine Ahnung, wohin, wahrscheinlich zunächst einmal zu Achim. Und sobald er wieder ein wenig Geld angespart hatte, brauchte er unbedingt eine Wohnung. Denn wenn ihm etwas richtig fehlte, dann ein eigenes Zuhause. Auf dem Handy checkte er sein Konto und stellte mit großer Erleichterung fest, dass sechshundert Euro eingegangen waren, sein Lohn für die Hilfe beim Musikwettbewerb in München. Ihm war klar, dass er für die paar Stunden höchstens zweihundert Euro hätte bekommen dürfen und dass Achim ihm mal wieder »unauffällig« ein wenig unter die Arme greifen wollte. Das rührte ihn auf der einen Seite, beschämte ihn aber auch. Und natürlich war er trotzdem noch weit im Minus. Er warf das Handy auf seine Schlafmatratze und wärmte sich für seine abendlichen Kraftübungen auf. Ein paar Liegestütze und Crunches und …

Unten in der Küche klingelte Suzannes Festnetztelefon. Das dritte Mal, seit er wieder hier war. Henry unterbrach seine Übungen und schaltete die Musik aus. Er betrachtete es als einen argen

Eingriff in Suzannes Privatsphäre, einen ihrer Anrufe anzunehmen, daher hatte er die ersten zwei Mal versucht, das Klingeln zu ignorieren. Aber irgendwie machten ihn abendliche Anrufe immer ein wenig nervös, auch wenn die hier mit Sicherheit nicht für ihn bestimmt waren. Jeder, der ihn kannte, würde es auf seinem Handy versuchen. Aber vielleicht probierte ja jemand, Suzanne etwas Wichtiges mitzuteilen?

Er sprintete nun doch ins Erdgeschoss und nahm nach kurzem Zögern ab. Aber der Anrufer hatte schon aufgelegt. *Unterdrückte Nummer*, wie Henry nach einem Blick auf die Anrufliste feststellte, wie im Übrigen die zwei anderen Anrufe am Abend auch. Er kehrte in sein Zimmer zurück und beendete sein Training. Das Telefon klingelte nicht mehr. Wenig später beschloss Henry, sich schauspieltechnisch ein wenig fortzubilden. Er schaltete auf dem Rechner seinen absoluten Lieblingsactionfilm an, in dem Jack Jackson allein den Bombenanschlag gewissenloser Schurken auf das Gebäude der Nato verhindern musste, während er nebenher auf seine siebenjährige Tochter aufpasste und versuchte, seine ziemlich verkorkste Ehe zu retten und pünktlich zu einem Date mit seiner Frau zu erscheinen.

Zunächst versuchte Henry, sich die Gesichtsausdrücke und Körperbewegungen der Schauspieler genau anzuschauen, aber nach kurzer Zeit wurde er wie immer so von der Geschichte eingesogen, dass er sich zurücklehnte und nur noch genoss. Es gab einige grandiose Ju-Jutsu-Szenen mit gepfefferten Sprüchen, und boxen konnte Jack Jackson natürlich auch ziemlich gut, sein Aufwärtshaken war einfach fantastisch. Als der Film nach eineinhalb Stunden Kämpfen, Autorennen, Schießereien und heißen Explosionen, die beinahe ganz Brüssel in Schutt und Asche gelegt hatten, zu der Stelle kam, an der Jack beinahe pünktlich zu seinem Date direkt durch die Glasdecke des Edelrestaurants, in dem seine Noch-Ehefrau auf ihn wartete, geflogen kam, mitten auf den Tisch des Oberschurken, den er vor dem hochverdienten Aperitif auch noch erledigen musste, drückte Henry auf Stopp, um sich eine weitere Orange zu holen.

Mittlerweile war es schon ziemlich spät, und erstaunlicherweise war Suzanne immer noch nicht nach Hause gekommen. Die Ziegen brauchten doch bestimmt Futter. Auch wenn er sie mittags nicht erreicht und sie auch nicht zurückgerufen hatte, würde er gleich noch einmal versuchen, sie auf dem Handy anzuklingeln. Als er die Orange gerade halb geschält hatte, knallte es im Obergeschoss. Henry zuckte so zusammen, dass er sich beinahe in den Finger schnitt. Als er gerade dachte, er habe den Film wohl versehentlich doch nicht gestoppt, jaulten E-Gitarren auf. *Dieselskandal.*

Zuerst war Henry vollkommen irritiert, aber als er in den oberen Stock lief, um zu schauen, woher die Musik kam, wurde ihm klar, dass sie aus Suzannes Zimmer drang. Die Tür war angelehnt. Er klopfte an. Niemand antwortete. Die Musik verstummte. »Suzanne?«, fragte er. Nichts.

Erneut knallte es, es klang wie eine kleine Bombenexplosion, und die Gitarren legten los. Was war denn das? Vorsichtig drückte Henry die Tür auf. »Suzanne?«, fragte er erneut. Als die Tür offen war, erkannte er sofort, dass die Geräusche von Suzannes Handy kamen, das leuchtend in der Dunkelheit auf ihrem Nachttisch lag. War Suzanne doch da? Aber warum ging sie dann nicht an ihr Telefon? War sie möglicherweise so schwer krank, dass sie bewusstlos im Bett lag? Und er hatte nichts bemerkt und nebenan seelenruhig Filme geschaut? Er hätte sie gleich nach dem Heimkommen nochmal auf dem Handy anrufen sollen, verdammt. Aber sie war doch eine erwachsene Frau, und es ging ihn ja gar nichts an, wo sie …

Henry knipste das Licht an. Das Bett war gemacht und leer, genauso wie der Rest des Zimmers. Zum Glück. Offenbar hatte Suzanne ihr Handy hier lediglich vergessen. Jetzt klingelte es auch noch unten an der Tür. Was zum Teufel ging hier vor sich? Wer kam so spät noch vorbei? Oder hatte Suzanne etwa ihren verdammten Schlüssel vergessen? Schnell schaltete er das Licht in ihrem Schlafzimmer wieder aus, nicht, dass sie dachte, er spioniere in ihrer Abwesenheit herum, und lief die Treppen hinunter zur Tür.

Draußen stand ein ziemlich entnervter Staatsanwalt Paul. »Henry«, sagte er vorwurfsvoll, »warum geht Suzanne nicht an ihr Handy?«

»Woher soll ich das wissen?«

»An ihr Festnetz geht sie auch nicht, da hat es eine meiner Mitarbeiterinnen schon ein paarmal versucht. Und in der Detektei steckt sie ebenfalls nicht.« Sein Blick wurde plötzlich misstrauisch, sein Tonfall knallhart. »Hat sie gesagt, du sollst mir die Tür aufmachen und behaupten, sie sei nicht da? Deckst du sie etwa?«

»Verdammt nochmal, Paul, es ist spät am Abend, und ich werde, jedenfalls soweit ich weiß, keines Verbrechens beschuldigt. Wäre es vielleicht möglich, dass du dieses Staatsanwaltsgehabe abstellst?«

»Darf ich reinkommen?« Paul sah plötzlich ziemlich erschöpft aus.

Henry trat einen Schritt zurück und ließ den Mann passieren. Der ging, ohne eine weitere Aufforderung abzuwarten, direkt in Suzannes Küche und setzte sich. »Also, wo ist sie?«

»Keine Ahnung.«

Paul schlug mit der Faust auf den Tisch. »Henry, ich habe genug von diesem Unsinn.«

Langsam hatte auch Henry die Schnauze voll. »Woher, verdammt nochmal, soll ich wissen, wo Suzanne ist?! Um was genau geht es eigentlich?«

»Das wisst ihr doch.«

»Wenn ich es wüsste, würde ich dich nicht fragen.«

Paul seufzte tief und schüttelte den Kopf. Dann sagte er: »Trotz einiger … Ungereimtheiten sah es ja eine Weile fast so aus, als sei der Tod der Kamerafrau ein Unfall gewesen, aber heute Nachmittag haben wir neue Hinweise bekommen. Morgen werden wir uns diesen alten Flaschenzug noch einmal genau anschauen. Unser Techniker meinte, dass es für eine einzelne Person nicht möglich sei, damit die Falltür hochzuziehen, schon gar nicht für eine so schmächtige Frau. Das Ding ist anscheinend dermaßen schwergängig, dass man mindestens zwei Leute braucht. Und da wir fünf Zeugen haben, die unabhängig voneinander ausgesagt haben, dass die Falltür am Abend geschlossen gewesen ist, denke ich, dass an Frau Laurents Todesabend jemand bei ihr gewesen sein muss, der ihr mit der Falltür geholfen hat. Jemand, der es nicht für nötig gehalten hat, sich nach ihrem ›Sturz‹ bei uns zu melden oder auch nur einen Krankenwagen zu rufen. Was ich persönlich schon ein wenig verdächtig finde.« Paul zog den schwarzen Mantel, den er über seinem hellgrauen Anzug getragen hatte, aus und hängte ihn hinter sich über die Stuhllehne. »Wir sind gerade dabei, alles auszuwerten, aber auf diesem Flaschenzug und an der Falltür sind so viele Spuren, dass das wohl noch eine Weile dauern wird.«

»Und was hat das mit Suzanne zu tun?«

»Sie hat sich bei Herrn Petrow vorhin den Schlüssel des Horrorhauses geholt, was ich durch Zufall erfahren habe, weil ich noch einige Fragen an den Regisseur … Egal. Er meinte, sie wolle wohl morgen dort in den Keller. Ich würde ja gerne glauben, dass Suzanne sich nicht einfach über eine polizeiliche Absperrung hinwegsetzt, aber ich kenne sie und würde einfach gerne sichergehen, dass sie keinen Siegelbruch begeht. Ich bin ihr wirklich gewogen, aber das ist nun kein Kavaliersdelikt mehr, und ganz ehrlich: Wenn sie nicht ins Haus will, wozu braucht sie dann einen Schlüssel? Außerdem sind noch zwei Anzeigen gegen sie von ihrem letzten Fall offen. Und ein Polizist, mit dem sie sich mal angelegt hat, ist der festen Überzeugung, dass sie sich einiges, was sie bei ihren Recherchen so herausfindet, auf illegalen Wegen beschafft.« Der Staatsanwalt stand auf, holte sich eine Flasche Sprudel aus Suzannes Speisekammer, nahm ein Glas und schenkte sich ein. »Auf jeden Fall will ich jetzt sofort diesen Schlüssel haben.«

Henry runzelte die Stirn. Er kannte das Problem, dass man einen Sachverhalt ermitteln musste, einem als Detektiv dazu aber die Befugnisse fehlten. Nur würde Suzanne so weit gehen, dass sie eine polizeiliche Tatortversiegelung antastete?

»Und wenn der Tod der Kamerafrau ein Mord gewesen sein

sollte«, fuhr Paul fort, nachdem er das Glas Wasser regelrecht hinuntergestürzt hatte, »bedeutet das außerdem, dass ihr Mörder noch auf freiem Fuß ist. Wer auch immer es ist: Suzanne sollte ihm oder ihr nach Möglichkeit nicht zu nahekommen. Vor allem nicht alleine in einem Keller.«

»Ich weiß wirklich nicht, wo sie ist«, bekannte Henry, der langsam anfing, sich ernsthafte Sorgen zu machen. Er erzählte dem Staatsanwalt von dem Drehbuchautor und dem »Monster«, das dieser im Horrorhaus gesehen haben wollte. »Was, wenn Suzanne heute schon in das Haus gegangen und dem Typen begegnet ist?«, endete Henry. »Denn ich kann mir einfach nicht vorstellen, dass sie so lange wegbleibt, ohne mich anzurufen, damit ich die Ziegen füttere und in den Stall treibe.« Er wollte gar nicht daran denken, dass Suzanne etwas passiert sein könnte. Er mochte sie mittlerweile richtig gerne.

Paul stieß angespannt Luft aus. Er schien mit sich zu ringen, schließlich sagte er: »Ich will sie nicht in Schwierigkeiten bringen. Wenn ich jetzt die Polizei rufe, und Suzanne ist tatsächlich ins Horrorhaus eingedrungen …« Er ließ den Satz unvollendet. »Aber wir können auch nicht einfach nichts tun.«

»Wir beide fahren hin«, sagte Henry entschlossen. Er fand Pauls Verhalten Suzanne gegenüber verdammt anständig. »Mit einem potenziellen Mörder werde ich fertig.«

Der Staatsanwalt sah immer noch unsicher aus. Schließlich nickte er. »Glaub mir, Henry, wenn ich denken würde, es bestünde auch nur die geringste Gefahr, dass wir in diesem Haus einem Mörder begegnen, würde ich die Polizei ohne mit der Wimper zu zucken rufen. Aber derjenige, der unserer Meinung nach die Tat begangen haben könnte, wird überwacht, und ich weiß mit hundertprozentiger Sicherheit, dass er sich nicht im Horrorhaus befindet. Komm, wir nehmen mein Auto.« Er stand auf. »Himmel nochmal, es gibt in dieser Gegend eine Vielzahl von Privatermittlern, aber sowas Nerviges wie Suzanne ist mir noch nie untergekommen. Jetzt fange ich selbst schon an, die Vorschriften zu ignorieren. Himmel nochmal.«

Paul fuhr wie eine gesengte Sau, und Henry, der durchaus auch gerne mal das Gaspedal durchdrückte, hatte Herzrasen, als sie schlitternd und Steinchen sprühend vor dem Horrorhaus zum Stehen kamen. Einen richtigen Schock bekam er aber, als er zum Parkplatz hinübersah und dort Suzannes Elektroauto stehen sah. Verdammt nochmal, sie war also tatsächlich in das Gebäude eingedrungen. Plötzlich schoss ihm ein weiterer, beunruhigender Gedanke durch den Kopf: Was, wenn der Regisseur Paul angelogen hatte? Wenn Suzanne die ganze Zeit vorgehabt hatte, noch am Abend ins Haus zu gehen, und Petrow hatte das dem Staatsanwalt nur nicht gesagt, weil er sie auch noch dort töten wollte? War sie heute im Laufe des Tages vielleicht der Information zu nahegekommen, die Mona Laurent Bräcker hatte geben wollen und die Petrow vernichten konnte?

Auch Paul hatte das Auto bemerkt und knurrte etwas durch die Zähne, das sich wie eine böse Verwünschung anhörte. Der Staatsanwalt holte ein Tränengas aus dem Handschuhfach und steckte es in seine Jackentasche. Dann sprang er aus dem Auto und marschierte los. Henry folgte ihm. Die Eingangstür war geschlossen. Wo, verdammt nochmal, war Suzanne?

»Ich fasse es nicht. Sie hat das Siegel tatsächlich entfernt.« Paul klang entrüstet. Er holte einen Schlüssel heraus und schloss die Tür auf. Innen war es totenstill. Und dunkel. »Suzanne«, rief Paul.

Niemand antwortete.

»Suzanne!« Jetzt klang er zutiefst besorgt. Sie gingen den Flur entlang. Henry kontrollierte jeden Raum im ersten und zweiten Stock und die Bedienstetenstiege, während Paul im Flur mit gezücktem Tränengas auf ihn wartete. Es war niemand außer ihnen da. Paul und Henry gingen zum Eingang des Kellers. Die Tür stand offen. »Suzanne«, schrie Paul. Er knipste das Licht an. »Ich informiere jetzt doch die Polizei. Ich habe kein gutes Gefühl. Vielleicht ist sie im Keller gestürzt und hat sich verletzt. Da unten ist es lebensgefährlich. Ich habe mir neulich auch fast den Tod geholt dort.«

»Suzanne, wo bist du?«, rief nun auch Henry und zwängte sich an Paul vorbei, der auf sein Handy starrte und »Himmel, kein Empfang« murmelte.

»Suzanne?«, rief Henry in den Keller. Totenstille. War sie da unten? Hatte sie sich wirklich verletzt? War sie gar tot? Oder war noch jemand dort und hinderte sie daran, sich bemerkbar zu machen? Henry lief die Treppen hinunter und sah sich um. Die verdammte Falltür war verschlossen. Er stürzte auf die Klappe zu. Wuchtete den Deckel ein wenig hoch, das Ding war wirklich höllisch schwer, und knipste das Licht an. »Suzanne?« Nichts. Soweit er das beurteilen konnte, war niemand unten im Loch. Dann musste sie im gesperrten Teil des Kellers sein. Paul war mittlerweile ebenfalls die Treppe hinuntergekommen und stand mit seinem Handy und seinem Tränengas angespannt und unschlüssig auf einer der unteren Stufe.

»Ich würde vorschlagen, du gehst nach draußen und rufst Verstärkung«, sagte Henry zu ihm.

Paul schüttelte den Kopf. »Du kannst da nicht alleine reingehen.«

Rückendeckung schadete natürlich nie, und Paul war zwar ziemlich mager, aber doch ein sportlicher, sehniger Typ. Henry deutete ein Nicken an, ging auf den düsteren Eingang des gesperrten Teils des Kellers zu und zückte sein Handy, um damit zu leuchten, auch wenn das Licht nicht sonderlich hell war. Vor dem Eingang lagen ein Haufen Holz und ein paar ziemlich hohe, silbrig glitzernde Schuhe. Sie kamen ihm irgendwie bekannt vor, hatte sich Suzanne nicht erst neulich so ähnliche gekauft? Hatten die nicht in einem offenen Schuhkarton auf der Ablage im Flur gelegen? Verdammt, er war nie besonders gut darin gewesen, wenn eine seiner Freundinnen ihm den von allen Männern gefürchteten Satz »Na, Schatz, wie findest du *es*?« um die Ohren geschleudert und er verzweifelt überlegt hatte, ob »es« eine neue Frisur, ein neues Kleid oder gar ein neuer Ohrring gewesen war. Und Suzanne war noch nicht mal seine Freundin, sodass er noch weniger wusste, was … Da steckte ein wenig Heu in einem der Schuhe. Dann gehörten sie sicher ihr.

Henry deckte sich mit einer stabilen Holzlatte ein. Wenn hier außer Suzanne noch jemand sein sollte und derjenige nicht gerade eine Schusswaffe dabeihatte, was in Deutschland zum Glück relativ selten der Fall war, dann würde er mit Sicherheit ohne Probleme mit ihm fertigwerden. Und selbst einen Täter mit einer Schusswaffe, der auch nur eine Sekunde zögerte, bevor er abdrückte, würde er problemlos kampfunfähig machen können. Sogar bei mehreren Tätern bestanden gute Chancen. Für einen Moment ging er seine Reaktionen auf diverse Angriffe mit diversen Waffen noch einmal ruhig durch. Innere Mitte.

Dann drang er vorsichtig und hochkonzentriert in den baufälligen Kellerraum vor, bereit, sofort zu reagieren. Jede dunkle Ecke, die einem Angreifer möglicherweise Schutz bieten konnte, und alle Nebenräume mussten abgesucht werden. Henrys Taschenlampe beleuchtete nur spärlich den Boden, und neben einem großen Steinbrocken jagte er sich beinahe einen langen, rostigen Nagel durch den Fuß. Im letzten Moment bemerkte er das Ding zum Glück noch. Hinter ihm fluchte Paul, Steine rollten, er schien Henry tatsächlich zu folgen. Schließlich klapperte es laut, offenbar hatte der Staatsanwalt sein Tränengas oder das Handy verloren.

»Suzanne«, rief Henry erneut. Keine Antwort. Verdammt nochmal. Wo war sie? Warum antwortete sie nicht? War sie etwa gar nicht mehr hier drin? Hatte jemand sie entführt oder …

Er versuchte, schneller über die Steinbrocken zu klettern, stürzte beinahe und riss sich das verdammte Hosenbein auf. Er hatte den ersten Nebenraum erreicht. Der war bis auf vollkommen von Staub bedecktes Geraffel leer, daher machte Henry schnell kehrt und kletterte über Steinbrocken auf eine Stahltür zu, die offen stand und in einen weiteren Raum führte. »Suzanne, wo bist du?«

Diesmal war ein dumpfes Stöhnen zu hören, es schien aus den tiefsten Tiefen des Kellers zu kommen. Suzanne, das musste Suzanne sein, sie musste in einem der hinteren Räume sein.

In der Mitte des ersten Raumes versuchte der Staatsanwalt offenbar immer noch, wieder an sein Tränengas oder sein Handy zu gelangen, das in eine Lücke zwischen einige Steinbrocken gerutscht sein musste. Henry wartete nicht auf ihn, sondern drang weiter in den Keller vor.

Schließlich erreichte er ein Gewölbe, das aussah wie ein ehemaliger Weinkeller und dessen Boden mit Scherben bedeckt war. Dahinter schien eine Art mittelalterlicher Folterkammer zu liegen, in der sich kaputte Statuen und ein Regal befanden. Henry rieb sich über die Stirn. Keine Spur von Suzanne. Das war einfach unmöglich. Es sei denn … Bräcker hatte gesagt, hinter dem Regal … Er hielt seine Holzlatte schlagbereit und leuchtete die Folterkammer aus. »Kommen Sie mit erhobenen Händen raus«, rief er in den menschenleeren Raum, obwohl er sich ein wenig durchgeknallt vorkam. Dann behauptete er laut: »Die Polizei ist hier. Suzanne, wo …«

Ein dumpfer Schrei und ein Knallen. Das Regal an der Wand zitterte. Ein Klick ertönte. Und das Regal öffnete sich plötzlich mit leisem Surren. Zwei Leute taumelten nach draußen. Eine totenblasse Suzanne mit einer grün leuchtenden Lampe in der zitternden Hand und ein Typ, der eine billige Halloween-Gruselmaske über dem Gesicht und eine Perücke mit langem, zotteligem Haar trug. Mit der einen Hand hielt er Suzannes Kopf umklammert und drückte ihr den Mund zu, in der anderen hatte er ein Butterflymesser, das er gegen ihren Hals presste.

»Wenn du mich nicht gehen lässt, bringe ich sie um«, sagte der maskierte Typ.

Henry zögerte keine Sekunde und legte die Holzlatte und seine Handytaschenlampe auf den Boden, um Suzannes Angreifer zu besänftigen. Er hob scheinbar aufgebend die Hände und sprintete dann mit zwei schnellen Schritten auf den Typen zu, packte dessen Waffenarm und bog ihm mit einem schnellen Judogriff schmerzhaft das Handgelenk um, während er ihm gleichzeitig seitlich die Faust gegen den Kopf donnerte. Eine Sekunde später fiel das Messer scheppernd zu Boden. Mit drei weiteren Bewegungen hatte er die andere Hand von Suzannes Kopf gelöst und riss den Typen von Suzanne weg. Ein Schlag in die Magengrube, der Mann stöhnte laut auf, er hatte nicht die geringste Chance. Henry kickte ihm in die Kniekehle. Der Typ ging mit einem Schmerzseufzer zu Boden, wo Henry ihn zum Hinlegen zwang und fixierte.

Mit seiner freien Hand entfernte Henry Maske und Perücke des sich sträubenden Typen. Erst als das Gesicht zum Vorschein kam, fiel ihm auf, dass er den Mann kannte. Es war Erwin Winkler, der Hausmeister des Horrorhauses. Er wimmerte und flehte Henry jetzt an, ihm bitte nichts zu tun.

»Ich war nur zufällig hier«, stöhnte er unter Henrys Griff. Der Geruch nach Maschinenöl und Schweiß, der von ihm ausging, war schwer erträglich. »Ich wollte diese Verrückte davon abhalten, hier in meinem Haus herumzuspionieren, und da ist sie auf mich losgegangen. Ich musste sie festhalten. Sie ist eine Gefahr für sich selbst und für andere.«

Henry schüttelte den Kopf. Das war das Bescheuertste, das er je gehört hatte. Und verdammt feige dazu. Aber das war bei diesem Typen nicht anders zu erwarten gewesen, Henry hatte sein wichtigtuerisches Gehabe vom Set noch gut in Erinnerung. »Außen Gernegroß, innen eierlos«, wie Jack Jackson sagen würde. Oder, wie Henrys Oma es ausgedrückt hätte: »An feiger Arsch lässt koine laude Firz, aber stinga dennse ällemohl.« Ganz erstaunlich, dass Jack Jackson und seine Oma doch zumindest in einem Punkt ähnlicher Meinung gewesen wären, ging es Henry durch den Kopf, während er Winkler festhielt.

Der versuchte jetzt wieder mit aller Kraft, die glücklicherweise nicht sonderlich groß war, sich zu befreien. Henry drückte ihn noch etwas fester auf den Boden. Dann sah er zu Suzanne hinüber, die zu einer der umgefallenen Statuen gegangen und sich daraufgesetzt hatte. Sie sah verdammt blass aus. »Geht's dir gut?«, fragte er.

Suzanne reagierte überhaupt nicht darauf. Sie saß nur zitternd da.

»Bitte, lassen Sie mich gehen«, wimmerte Winkler.

»Vergessen Sie's. Sie sind vorläufig festgenommen«, knurrte Paul, der in diesem Moment ebenfalls in den Raum stiefelte, mit zerrissener Jacke und ohne Tränengas, aber doch ziemlich überzeugend, wie Henry fand. Der Staatsanwalt baute sich vor dem liegenden Winkler auf und zählte eine Reihe von Straftaten auf, derer sich der Hausmeister schuldig gemacht haben konnte. Er belehrte ihn mit donnernder Stimme darüber, dass es ihm freistehe, sich zu den Tatvorwürfen zu äußern, dass er sich nicht selbst belasten müsse und jederzeit einen Verteidiger befragen könne, und noch über einige weitere Dinge.

Eine so verdammt ausführliche Belehrung hatte Henry noch nie bei einer Festnahme gehört. Aber Paul hatte ja alle Zeit der Welt. Er kniete ja auch nicht auf dem arschkalten Boden auf spitzen Steintrümmern und hielt einen zappelnden Mann fest. Erst als der Staatsanwalt mit seinen ellenlangen Hinweisen fertig war, ging er zu Suzanne hinüber, die immer noch zitternd, mit leerem Gesichtsausdruck und totenblass auf ihrem Stein saß. Henry zwang Winkler aufzustehen, während Paul Suzannes Puls fühlte, was sie widerstandslos geschehen ließ. Dann nickte Paul grimmig.

»Danke«, brachte Suzanne heraus. »Euch beiden.«

»Ich fürchte, mit ›Danke‹ ist es diesmal nicht getan. In ein Haus einzudringen, das von der Polizei versiegelt wurde, ist ein ernsthaftes Delikt, Himmelherrgott nochmal. Das wird Konsequenzen für dich haben«, brach es aus Paul heraus, und seine Stimme grollte wie die eines Donnergottes. »Für wen hältst du dich eigentlich, dass du meinst, alle Vorschriften ignorieren zu können?«

Kapitel 23

Nach einem sehr lauten Gespräch in Pauls Büro im Gebäude der Staatsanwaltschaft waren Suzanne und Henry erst spät in der Nacht wieder nach Hause zurückgekehrt. Suzanne schlief schlecht. Immer wieder wachte sie schweißgebadet auf, weil sie von Winkler, der Grabkammer und dem Messer an ihrem Hals träumte. Am Morgen war sie wie gerädert.

Sie hatte keine Ahnung, warum sie sich ständig in so gefährliche Situationen brachte. Und ob sich ihr Verhältnis zu Paul, der es sehr persönlich zu nehmen schien, dass sie seinen staatsanwaltlichen Ermittlungen nicht vertraute und stattdessen illegal ins Horrorhaus eingedrungen war, wieder würde kitten lassen, stand in den Sternen. Außerdem war Liam für immer weg.

Als sie gerade ihre Kuschelkordhose, einen Rollkragenpullover und dicke Wollsocken angezogen hatte und in ihre Gummistiefel geschlüpft war, um die Ziegen mit einer Extraportion Äpfel und Heu zu füttern, als Entschuldigung dafür, dass sie gestern Nacht so lange ohne Futter hatten ausharren müssen, klingelte ihr Handy. Es war Emil.

Er sagte nicht einmal »Hallo«, sondern legte gleich los: »Du bist mitten in der Nacht in dieses lebensgefährliche Gebäude gegangen? Weißt du, wie schnell ein Schädel zerplatzen kann, wenn man auf einen Stein stürzt oder eins übergezogen bekommt?«

Seine Stimme klang besorgt und gleichzeitig bestimmend, was sie ziemlich aufregte. Keine Ahnung, wie Emil von ihrem Ausflug erfahren hatte. Was sie in ihren Nächten machte, ging ihn ja nun wirklich nichts mehr an.

»Schädelfrakturen sind kein lustiger Spaß«, sagte Emil gerade in einem Tonfall, als sei das eine vollkommen neue, unerwartete Erkenntnis. Es folgte eine längere Ausführung, in der explodierende Wassermelonen, Knochensplitter, Hirnmasse und Leichenschauen an weiblichen Körpern vorkamen, der sie aber nur mit halbem Ohr zuhörte, während sie zum Stall hinüberging. Ihre Ziegen rannten zum Gatter und leckten ihre Hand, und sie streichelte ihre niedlichen Köpfchen und kraulte ihre Hälse. Als Emil Luft holen musste, sagte sie schnell: »Emil, bitte, es ist wirklich nett, dass du dir Sorgen machst, aber das hier ist mein Leben. Ich lebe es, wie es mir gefällt.«

»Genau darum geht es ja. Du lebst es bald gar nicht mehr, wenn du so weitermachst.«

Sie legte einfach auf und stopfte das Handy wütend in ihre Hosentasche. In jeder Hinsicht ein voller Erfolg, ihr Ausflug ins Horrorhaus. Eine Weile war nur das Meckern der Ziegen zu hören und das klopfende Geräusch, das ihre kleinen Hufe auf dem Boden machten. Suzanne strich Flecki über den Kopf, während die Zwergziege Liam sie spielerisch boxte und die schon etwas ältere Lotte an ihren Haaren knabberte. Sie legte ihre Wange für einen Moment an Lottes Hals. Schließlich holte sie die Kiste mit den Äpfeln und Karotten vom Regal und schnitt mit einem Messer Obst- und Gemüsestückchen, die sie zusammen mit einer Ladung Heu an die Ziegen verfütterte.

Trotz allem war es ihr durch ihre Rechercheaktion mit ziemlicher Sicherheit gelungen, den Fall zu lösen. Man durfte zumindest davon ausgehen, dass der Saboteur von »Dunkle Gemäuer« mit Winkler endlich geschnappt worden war, denn in der Kammer waren die gestohlenen Requisiten gewesen. Und wenn Mona Laurent wirklich keinen Unfall gehabt hatte, sondern von jemandem getötet worden war, dann war dieser Jemand vermutlich auch der Hausmeister gewesen. Wahrscheinlich hatte sie ihn beim Beiseiteschaffen der Requisiten überrascht oder bei einer anderen, sicherlich ebenfalls illegalen Aktion. Drogen- und Waffenhandel wahrscheinlich.

Suzanne rieb ihre von den Äpfeln feuchten Hände am Heu trocken. Nein, es musste anders gewesen sein. Mona Laurent hatte Winklers Versteck entdeckt. Sie hatte es genutzt, um spurlos zu verschwinden, und dabei herausgefunden, was der Hausmeister dort gelagert hatte. Vielleicht war ihr »Jackpot« einer von Winklers Päckchen gewesen? Hatte sie den Hausmeister in ihrer Todesnacht etwa beklauen wollen? Und der hatte sie erwischt und dafür getötet? Diesen Schluss konnte man wohl mit Fug und Recht ziehen. Suzanne öffnete das Gatter, damit die Ziegen hinüber auf die Weide laufen konnten.

Als sie kurz danach ins Haus zurückkehrte, war Henry bereits in der Küche, mixte sich einen Proteinshake und deckte nebenbei den Frühstückstisch. Er roch nach einem teuren Duschbad und trug eine Designerjeans und ein weißes Hemd. »Na, wie geht's?«, fragte er.

Sie zuckte nur mit den Schultern.

»Wenn du magst, kann ich dir ein bisschen Selbstverteidigung beibringen«, fügte er hinzu, während er einige Scheiben Vollkornbrot abschnitt. »Das klingt jetzt vielleicht nicht sonderlich intellektuell, aber es geht nichts über einen im richtigen Moment eingesetzten linken Haken.«

»Das ist keine schlechte Idee.« Sie ließ sich an den Küchentisch fallen. Sie war immer noch ziemlich fertig.

»Warum hast du mich eigentlich nicht angerufen, bevor du in das Haus bist?«, fragte er freundlich.

»Ich hatte mein Handy vergessen.« Das war nicht der wahre Grund, denn sie hätte ihn ja durchaus vorher von der Detektei aus anrufen können, und sie hatte das Gefühl, dass Henry ihr das ansah. Deshalb fügte sie nach kurzem Zögern hinzu: »Ich hatte Angst, dass du mir was über den Abend mit Liam …« Sie brach ab und schlug die Hände vors Gesicht.

»Was ist da eigentlich los zwischen Liam und dir? Er war völlig fertig gestern.«

»Nichts.«

Henry ließ es dabei bewenden, kam zu ihr herüber und strich ihr freundschaftlich über den Rücken. »Das wird alles wieder«, sagte er. Danach ließ er zwei Cappuccino aus der Maschine und stellte ihr einen hin.

Sie belegte sich ein Brot mit selbstgemachtem Ziegenkäse und getrockneten Bio-Oliven und warf beim Kauen einen Blick durch die Balkontür hinaus auf die Natursteinterrasse, den leeren Pool und den Garten hinter ihrem Haus, der unter einer leichten Frostschicht friedlich in der Sonne glitzerte. Einige Krähen stolzierten auf ihrem Komposthaufen herum und stritten um Obstabfälle. Sie würde sich nicht unterkriegen lassen. Von nichts und niemandem. Sie würde diesen Tag sinnvoll nutzen, egal, was in der vorherigen Nacht geschehen war. Sie konnte zum Beispiel endlich anfangen, auf der Weide ein neues, größeres Klettergerüst für ihre Ziegen zu bauen. Und sie würde tatsächlich eine Unterrichtsstunde in Selbstverteidigung bei Henry nehmen. Entschlossen trank sie einen Schluck Cappuccino.

Um kurz nach elf ging sie in ihrer roten Gymnastikhose, die sich gruselig mit dem rosa-grünen Sportoberteil biss und ihr ein wenig das Aussehen eines wild gewordenen Kindererdbeereises verlieh, hinaus in den Garten. Henry wartete schon schattenboxend im schwarzen Marken-Trainingsanzug auf sie. Seine beeindruckenden Muskeln und seine perfekte Figur zeichneten sich deutlich durch den Stoff ab. Er hatte ein paar verstaubte Matten aus ihrer kurzen Yogaphase aufgetrieben, vermutlich von ihrer Bühne, und auf der Wiese hinter dem Pool in der Wintersonne ausgelegt. Schon nach den Aufwärmübungen, die Henry vormachte, ohne auch nur außer Atem zu kommen, war sie trotz der kalten Luft schweißgebadet. Sie schwor sich, wieder mehr Sport zu treiben und zumindest auf Kekse, Gummibärchen und die Schokolade zwischendurch zu verzichten. Trotzdem fühlte sie sich alles in allem ziemlich gut in Form, als sie schließlich schreiend um sich trat und schlug. Obwohl Henry ein strenger Lehrer war und ihr ständig einschärfte, dass ein echter Angreifer ihr keinen Fehler verzeihen würde, machte das Ganze unerwartet viel Spaß. Sie übten vor allem, wie man sich befreien konnte, wenn man am Handgelenk festgehalten wurde.

»Du musst immer das Gefühl in dir drin spüren, dass nichts und niemand dir etwas anhaben kann«, dozierte Henry. »Innere

Mitte. Mit dieser Haltung und der richtigen Technik bist du verdammt gut gerüstet.«

Sie nickte. Sie fühlte sich stark und selbstbewusst. Nach einer Stunde hatte sie den Dreh raus und konnte sich sogar aus Henrys starkem Griff befreien.

Nach dem Training stand sie zufrieden unter der Dusche. Nachdem sie sich abgetrocknet hatte, föhnte sie den beschlagenen Spiegel und übte noch einmal die Bewegungen und Faustschläge, die Henry ihr beigebracht hatte, während sie ihr Spiegelbild beobachtete. Ihre Wangen waren gerötet, ihre schulterlangen blonden Haare hingen nass und ungekämmt über ihre Schultern. Yeah, sie begab sich vielleicht gelegentlich in gefährliche Situationen und hatte vielleicht nicht ganz Modelmaße, aber sie war eine erfolgreiche Detektivin, die gerade einen schwierigen Fall abgeschlossen hatte.

Sie machte einen Ausfallschritt nach hinten, boxte noch einmal bestätigend in Richtung Spiegel und schlug dabei ihren Zahnputzbecher zu Boden. Ein Becher voller *Dieselskandal*-Sticker, wie ihr beim Aufheben der Scherben auffiel. Liam und Evelyn. Sie knallte die Becherscherben in den Müll. Wieso musste sie ihre wiedergewonnene gute Laune mit Gedanken an diese dumme Kuh zerstören? Traurigkeit überkam sie, aber sie schüttelte entschlossen den Kopf, boxte noch ein paar Mal Richtung Spiegel und zog sich dann wieder ihre bequemen, warmen Klamotten an und föhnte sich die Haare extra strubbelig über den Kopf. Sie musste die Sache mit Liam für sich beenden. Endgültig.

Entschlossen ging sie direkt hinüber zum Gästezimmer, wo sie seit ihrem überstürzten Aufbruch am Vortag nicht mehr gewesen war. Innere Mitte. Sie war stark und bereit, es mit der ganzen Welt aufzunehmen. Nichts und niemand konnte ihr etwas anhaben, nicht einmal ein Horrorhaus-Hausmeister, der ihr ein Messer an den Hals gehalten, oder ein Death-Metal-Sänger, der sie schändlich abserviert hatte. Sie würde jetzt das Gästezimmer aufräumen und alle Liam-Spuren tilgen. Das hier war ihr Haus, und sie würde dieses Zimmer nun wieder zu ihrem Zimmer machen. Sie riss die Tür auf. Der Geruch des Sängers hing noch in der Luft, vor allem der leichte Maracujaduft des Duschbads, das er benutzte, was sie für eine Sekunde wie ein Tiefschlag traf und ein bisschen schwach werden ließ. Aber dann rief sie sich zur Ordnung. Innere Mitte. Sie verdiente etwas Besseres als den Typen!

Sie schaute sich um. Das Zimmer war sauber und aufgeräumt, das Gästebett abgezogen. Liam hatte gestern vor seinem Aufbruch offenbar sogar seine Bett- und Handtücher hinunter zur Waschmaschine gebracht. Sie machte ein paar Schritte in den Raum hinein. Nichts deutete darauf hin, dass eine andere Frau hier gewesen war. Aber was sollte auf so eine Evelyn auch schon hindeuten? Suzanne marschierte durch den Raum, riss die Fenster auf, um den Liam-Geruch zu entfernen, holte den Staubsauger und saugte das bereits saubere Zimmer. Als sie gerade die Tagesdecke über dem Bett ausbreitete, fiel ihr auf, dass nur noch der Fuß und der Ständer der neuen Stehlampe neben dem Bett standen. Der Lampenschirm war verschwunden. Sie hatte das teure Designerteil vor ein paar Tagen extra angeschafft, um Liam zu beeindrucken. Weil sie gedacht hatte, Künstler mochten sowas bestimmt. War das Ding etwa kaputtgegangen, als der Sänger und diese Evelyn heißen Sex gehabt hatten? Wut loderte wieder in ihr hoch. Hatten die einfach ihr Mobiliar zerstört und dann weggeschmissen? Sie schloss die Fenster, verließ den Raum und knallte die Tür hinter sich zu. Innere Mitte! Wegen eines Lampenschirms würde sie sich mit Sicherheit nicht den Tag vermiesen lassen.

Während Henry in Stuttgart für Achim einen Recherchejob erledigte, verbrachte Suzanne die nächsten Tage vor allem damit, sich von ihrem Abend im Horrorhauskeller zu erholen und alle Unterlagen im Fall *Dunkle Gemäuer* noch einmal durchzugehen. Die Polizei, das hatte Henry über seinen ehemaligen Kollegen herausgefunden, ging mittlerweile ebenfalls davon aus, dass der Hausmeister nicht nur der Saboteur war, sondern auch Mona

Laurent die Treppe hinuntergestoßen hatte. »Er ist offenbar kurz davor, auch den Mord zu gestehen«, hatte Henry ihr am Telefon erzählt.

Der Fall war gelöst. Sie konnte einen Abschlussbericht für die Produktionsfirma und Petrow verfassen.

Den Bericht bekam sie aber nicht fertig. Sie konnte nicht sagen, warum, aber irgendetwas störte sie an dem Fall. Allerdings wusste sie selbst nicht, was genau es war. Es fühlte sich an, als habe sie eine wichtige Sache übersehen. Obwohl alles zu passen schien.

Sie telefonierte schließlich mit Bräcker, der ihr zunächst zufrieden erzählte, Petrow habe sich an ihn gewandt und man habe sich wegen der geklauten Drehbuchidee geeinigt. Auf ihre Nachfrage beschrieb er ihr dann den »Untoten«, den er im Haus gesehen hatte. Es war klar, dass auch Bräcker Winkler gesehen haben musste.

Suzanne schüttelte den Kopf über sich selbst. Der Fall war gelöst.

Trotzdem, so beschloss sie, würde sie mit dem Abschlussbericht warten, bis Winkler gestand. Vielleicht würde sie auch noch einmal mit der Schwester der Kamerafrau sprechen. Nur um sicherzugehen, was Mona Laurent wirklich im Keller hatte holen wollen und ob sie Winkler einmal erwähnt hatte.

Außerdem schadete es nicht, wenn Henry noch weiter undercover am Set blieb, solange Winkler der Mord nicht eindeutig nachgewiesen werden konnte. Er sollte sich ruhig noch ein bisschen umhören und auch noch einmal mit Benni Koch sprechen. Denn anscheinend hatte die Staatsanwaltschaft den Schauspieler sogar eine kurze Zeit überwachen lassen, wie sie ebenfalls von Henry erfahren hatte. Petrow hatte die Idee eines weiteren Undercovereinsatzes auch sehr begrüßt.

Von Liam hatte sie in der ganzen Zeit nichts mehr gehört. Sie war zwei- oder dreimal kurz davor gewesen, den Sänger anzurufen und doch noch ein letztes Mal mit ihm zu reden, hatte es dann aber doch jedes Mal gelassen. Seit Evelyn gab es nichts mehr zu besprechen. Langsam fand sie sich damit ab, dass er nun nicht mehr zu ihrem Leben gehörte. Dieses Kapitel war zu Ende, auch wenn das schmerzlich war. Bei Paul hatte sie es auch versucht, aber es war immer nur der AB drangegangen, und auf ihre aufgenommenen Entschuldigungen hatte er leider nicht reagiert. Sie würde sich da wohl etwas überlegen müssen.

Seit ihrem Ausflug ins Horrorhaus war über eine Woche vergangen, und es war ein sonniger Montagmittag. Sie hatte sich freigenommen, weil sie das Ziegenklettergerüst zu Ende bauen wollte, aber bisher war sie noch nicht dazu gekommen, weil sie doch ständig mit Mitarbeitern oder irgendwelchen Klienten und potenziellen Klienten hatte telefonieren müssen. Gegen fünfzehn Uhr, sie hatte gerade die Anfrage eines Ehemannes abgelehnt, der seine junge Frau nonstop überwachen lassen wollte, klingelte es an der Tür, und sie ging in den Flur, um aufzumachen. Henry, der wegen des baldigen Fortgangs der Dreharbeiten zurückgekommen war, stand auf dem Hof und begrüßte sie mit einem freundlichen Grinsen und einer kurzen Umarmung. Sie freute sich ziemlich, dass er wieder da war.

Drei Stunden später stand sie mit Henry, der ihr kurz zuvor noch eine weitere spontane Selbstverteidigungsstunde gegeben hatte, in der es darum gegangen war, einen Schlag sicher und ohne zu zögern auszuführen, in der Küche. Sie bereiteten das Abendessen zu, einen winterlichen Rohkostsalat und selbstgebackenes Bauernbrot. Im Hintergrund lief das Radio. Sie hatte sich immer noch nicht dazu durchringen können, sich für eine Musikrichtung zu entscheiden, die sie statt Death Metal hören wollte. Daher hörte sie einfach das, was der Moderator oder die Moderatorin des jeweiligen Senders so auflegte. Eine ihrer Lieblingssendungen war *Auf dich, kleiner Song, geh'n wir steil*, ein Wettbewerb, für den brandneue und noch unbekannte Songs eingereicht werden konnten. Jeden Tag wurden sechs oft ziemlich abgefahrene Lieder von bekannten und auch weniger bekannten Bands vorgestellt, und am kommenden Sonntag sollte dann der »beste unbekannte Song des Jahres« prämiert werden. Sie hatte vor, sich an der Abstimmung im Internet zu beteiligen, und hatte schon einige Lieblingstitel notiert.

»Hast du eigentlich noch was von deinem Polizistenkumpel gehört?«, fragte sie Henry, während sie ein Kohlräbchen, einen Apfel und zwei Karotten in kleine Stückchen hobelte.

»Er wollte sich melden, wenn Winkler gestanden hat, aber bisher hat er das noch nicht gemacht«, meinte Henry, der eine Zitrone auspresste. Was ziemlich bedauerlich war, wie er fand, denn hätte der Hausmeister ein Geständnis abgelegt, hätte er sich einen weiteren Tag beim Film sicher ersparen können. Dann hätte Petrow nämlich bestimmt auch Ruhe gegeben und keinen Undercovereinsatz mehr gewollt. Das kostete ja auch einiges.

»Glaubst du, Winkler hat Mona Laurent umgebracht?«, fragte Suzanne.

»Er hatte ein Motiv und die Gelegenheit. Und zutrauen würde ich es ihm auch.« Henry verrührte den Zitronensaft mit Naturjoghurt und ein wenig Mayonnaise.

»Ich traue es ihm auch zu, keine Frage. Ich finde nur, es gibt einige Merkwürdigkeiten in diesem Fall. Warum zum Beispiel lagen einige der geklauten Requisiten bei Mona Laurent vor dem Haus? Requisiten, die möglicherweise erst nach ihrem Tod verschwunden sind? Glaubst du, dass das auch Winkler war? Um die Schuld von sich abzulenken?«

»Oder Mona Laurent hat die Plastikäxte aus irgendeinem Grund, der nichts mit der Sabotage des Films zu tun hatte, doch selbst nach Hause geschafft. Und natürlich besteht auch noch die Möglichkeit, dass der Mörder jemand ganz anderes war. Vielleicht doch der Ehemann. Dass er seine Frau umgebracht und die Äxte selbst in seinen Garten gelegt hat, um der Polizei vorzugaukeln, seine Frau habe einen Unfall gehabt, als sie die Dreharbeiten sabotierte. Nach allem, was du erzählt hast, hat er ja offenbar sehr schnell geglaubt, dass seine Frau eine Saboteurin war. Hätte er das nicht eher bestreiten müssen?«

Suzanne nickte nachdenklich. »Eine Freundin der Kamerafrau

hat mir erzählt, dass Dr. Laurent seine Frau anscheinend grundsätzlich gern schlechtgemacht hat«, überlegte sie. »Was mich wundert, ist, dass wir immer noch nicht wissen, wo Mona Laurent in den Tagen zwischen ihrem Verschwinden und ihrem Tod ...« Sie stockte. Kurz war ihr eine Idee in den Kopf gekommen, aber genauso schnell war sie wieder verschwunden. Sie hatte irgendetwas gesehen oder gehört bei ihren Ermittlungen, irgendetwas, das sehr, sehr wichtig für den Fall sein könnte. Nur wo? Und was? Sie hatte es doch gerade beinahe ... Sie fuhr sich über die Stirn. Hatte es mit Winkler zu tun oder ... Die harten Riffs einer tief gestimmten Gitarre rissen sie aus ihren Überlegungen. Jetzt setzte dröhnend ein Schlagzeug ein, und eine Stimme howlte etwas von »fucking gorgeous goats« und »bloody good gooseberries« aus dem Radio.

Es hörte sich an wie *Dieselskandal*, und plötzlich verspürte sie einen derart sehnsüchtigen Stich in der Herzgegend, dass sie sich an der Arbeitsplatte festhalten musste. Sie versuchte, sich wieder auf ihren Salat zu konzentrieren und das Lied zu ignorieren, bis ihr klarwurde, dass der Song nicht nur klang wie *Dieselskandal*, sondern eindeutig *Dieselskandal* war. So genial komponierte, textete und sang nur einer: Liam. Und wenn sie sich nicht völlig verhört hatte, dann hatte er gerade »Neuried-Altenheim« und »Hot Nights in Wellington Boots!« ins Mikro gebrüllt. Sie lauschte wie erstarrt. Der Song endete schließlich mit einem Bassdrumgetöse, das die Küche vibrieren ließ, und als das Schlagzeug verstummte, waren ihre Beine so zittrig, dass sie kaum noch stehen konnte.

»... ganz neu dabei und mit unglaublichen siebzigtausend Likes schon einer der beliebtesten Songs in diesem Jahr«, sagte die Moderatorin in diesem Moment enthusiastisch. »Was für eine aufregende Band! Was für eine aufregend andere Musik!« Noch einmal quietschte schrill eine E-Gitarre auf. »So sexy haben Gummistiefel noch nie geklungen«, machte die Moderatorin weiter, ihre Stimme überschlug sich fast. »Das war *Dieselskandal* mit ›Hot Nights in Wellington Boots‹! Und jetzt wenden wir uns einem Song aus dem hohen Norden ...«

Suzanne wankte mit wackeligen Beinen hinüber zur Ablage und schaltete das Radio aus. Liam hatte also bereits ein Lied über ihre Ziegen komponiert gehabt und es ihr nur noch nicht verraten. Vielleicht sollte sie sich doch noch ein einziges Mal bei ihm melden, um ihm für den wundervollen Song zu danken und ...

Nein, das würde sie nicht! Auf keinen Fall. Aber auch wenn es nun zu spät für eine gemeinsame Zukunft war, freute sie sich trotzdem ganz tief in ihrem Inneren ein bisschen für Liam und die Band. Fantastisch, dass sie eine so hohe Zahl an Likes hatten. Bestimmt würde bald der hochverdiente, richtig große Erfolg kommen. Kein Wunder, das war aber auch ein genialer Song! Brillant. Mit einem vollkommen neuen Beat. Hoffentlich wusste die langweilige Evelyn das auch zu schätzen. Suzanne stiegen Tränen in die Augen.

»Das war Liam«, sagte Henry, dem es fast die Ohren rausgeblasen hatte, schockiert, nachdem Suzanne das Radio ausgeschaltet hatte. »Das muss dieser Radio-Wettbewerb sein, für den Achim den *Dieselskandal*-Song eingereicht hat.« Ein hammerhartes Lied hatte sein bester Freund da ausgesucht, da stellten sich einem vor Grausen ja die Nackenhaare auf. Wenn er, Henry, sich nicht verhört hatte, hatte Liam sogar teilweise auf Badisch gesungen: »Im Drebbehaus isch's zabbeduschder« zum Beispiel. Im Treppenhaus ist es stockfinster. Das musste einer der von dem Sänger angedrohten dialektalen Momente gewesen sein. Heiße Nächte in Verbindung mit Treppenhäusern, Ziegen, Gummistiefeln und Stachelbeeren zu bringen, das konnte auch nur Liam einfallen. Auch wenn Suzanne zugegebenermaßen *trotz* Gummistiefeln und Ziegen wirklich gut aussah. Allerdings nicht im Moment. Sie war blass und wirkte ganz elend. »Ich glaube, ich habe gar keinen Hunger mehr«, sagte sie und rauschte aus der Küche.

In ihrem Schlafzimmer zögerte sie lange. Dann schrieb sie doch einen kurzen Kommentar zu dem Song auf der Internetseite des Radios: *Ich wünsche euch alles Gute. Ich werde für euch stimmen! Großartiger Song! Es war eine schöne Zeit mit euch.* Dann votete sie für »Hot Nights in Wellington Boots« in der Kategorie »Bester Song des Jahres«. Als sie das Handy weglegte, hatte sie das Gefühl, als sei eine Last von ihr abgefallen. Es war immer besser, im Guten zu gehen, ohne Groll. Dann hatte die Vergangenheit keine Schatten, die einen eines Tages einholen konnten.

Am nächsten Morgen wachte Suzanne auf, weil der Geruch nach frischem Kaffee und Rührei mit Speck sie aufweckte. Offenbar hatte Henry Frühstück gemacht. Es war Dienstag, und es ging ihr erstaunlich gut, obwohl sie gestern Abend in ihrem Zimmer doch noch ein bisschen wegen Liam geweint hatte, auch wenn sie ihn eigentlich aus ihren Gedanken hatte ausschließen wollen. Sie würde eine Zeit lang einfach gar keine Musik und kein Radio hören.

Sie stieg unter die Dusche, zog sich Jeans und einen bunten Rollkragenpullover an und stieg die Stufen nach unten. Aus der Küche drang jetzt leises Stimmengemurmel, und für eine winzige, irrationale Sekunde hoffte sie doch, Liam sei wieder hier und sie habe das mit der anderen Frau nur geträumt. Aber als sie die Küchentür öffnete, sah sie zu ihrem Erstaunen Paul in einer metallisch-hellblauen Rennradkluft, in der er ein wenig wie eine sehnige, außerirdische Krabbe aussah. Er saß gegenüber von Henry am Tisch, der wie immer perfekt gestylte Haare hatte und einen enganliegenden schwarzen Pullover über seinem muskulösen Oberkörper trug. Beide hatten einen leer gegessenen Teller, offensichtlich frisch gepressten Orangensaft und eine große Tasse Kaffee vor sich stehen und unterhielten sich angeregt über irgendwelche Actionfilme mit einem Typen namens Jack Jackson. Als sie die Küche betrat, verstummten sie. »Was machst du denn hier?«, fragte sie den Staatsanwalt harscher als geplant.

»Suzanne«, sagte Paul. Er sah aus, als sei ihm seine Anwesenheit hier plötzlich unangenehm. Sie ging zum Herd hinüber und nahm sich von dem Rührei und dem krossen Speck, die dort in der Pfanne lagen. Falls Paul dienstlich hier war und sie wegen Siegelbruchs und all der anderen Delikte, die sie durch ihr Eindringen in das Haus vermutlich begangen hatte, verhaften wollte, würde er sicherlich bis nach dem Frühstück warten. Das gebot die badische Freundlichkeit.

Ein unangenehmes Schweigen senkte sich über die Küche. Suzanne ließ sich neben Henry nieder und fing an zu essen.

»Wenn ich ehrlich bin, wollte ich wissen, wie's dir geht«, bekannte der Staatsanwalt schließlich. »Du sahst nicht gut aus nach unserer … Besprechung in der Nacht neulich und … Natürlich habe ich recht gehabt mit allem, was ich gesagt habe, und du hast dich kriminell und unverantwortlich verhalten, aber deswegen hätte ich dich nicht so anschreien dürfen. Ich bin nur … beruflich gerade ziemlich eingespannt und … Himmel nochmal, ich hatte ehrlich gesagt an meinem Samstagabend etwas Besseres vor, als eine Detektivin aus einem Horrorhaus zu retten!«

»Eigentlich habe *ich* sie ja auch gerettet«, warf Henry ein. »Während du dein Tränengas gesucht hast.«

Paul bedachte ihn mit einem strengen Blick, erwiderte aber nichts darauf, und Suzanne ging durch den Kopf, dass nun vermutlich all die Jahre, in denen sie versucht hatte, ein bisschen Frauenpower und Gleichberechtigung in Pauls Gedankenwelt zu pflanzen, umsonst gewesen waren, weil sie von einem muskulösen Mann aus einer gefährlichen Situation gerettet worden war. Wie in einem dieser Jack-Jackson-Filme vermutlich. Sie würde wieder ganz bei null anfangen müssen. Dabei spielte es bei wahrer Gleichberechtigung doch überhaupt keine Rolle, wer von wem gerettet wurde.

»Ich wollte Frieden mit dir schließen, Suzanne«, fuhr Paul fort.

Suzanne hörte auf zu kauen. Das war nun richtig nett von ihm, auch, dass er deswegen vor der Arbeit extra durch die Kälte von Offenburg bis hierher geradelt war. Das war eine längere Tour. Sie musste lächeln und wollte gerade das Rührei schlucken und sich ebenfalls für ihr Verhalten und ihre lauten Worte entschuldigen, als Paul sagte: »Ich will, dass du weißt, dass es nichts Persönliches ist, wenn ich einen Strafbefehl gegen dich beantragen werde.«

Sie verschluckte sich und hustete. Auch Henry sah ein wenig perplex aus. »Ich habe gedacht, du wolltest der Polizei das mit dem Siegelbruch gar nicht sagen, weil du Suzanne nicht in Schwierigkeiten bringen wolltest«, merkte er an.

»Ich habe die ganze Woche nicht geschlafen, weil ich so ein schlechtes Gewissen hatte, aber jetzt weiß ich wieder, dass ich das Richtige tun muss, wenn ich ein guter Staatsanwalt sein will. Und das Richtige ist, alle Menschen gleich zu behandeln. Auch dich, Suzanne.« Paul stand auf und ging zur Tür. Er sah so mitgenommen aus, dass sie beinahe Mitleid mit ihm hatte.

»Wer sagt denn eigentlich, dass ich dieses Klebeband entfernt habe? Wie wollt ihr das denn beweisen?«, fragte sie. »Und ich bin davon ausgegangen, dass ihr eure Untersuchungen abgeschlossen …«

Paul blieb stehen. »Du kannst ja Einspruch einlegen und alles mit dem Richter diskutieren. Aber eins will ich dir noch sagen. Wir vernehmen diesen Hausmeister nun seit Tagen, und er hat zugegeben, dass er vorhatte, dich zu ›beseitigen‹, wie er es ausgedrückt hat. Weil du sein Versteck gefunden hattest. Alleine deshalb ist er in der Nacht nochmal zurückgekommen. Nur weil Henry und ich in dem Moment zufällig ebenfalls im Horrorhaus waren, hat er sich überlegt, dass du ihm lebendig als Geisel vielleicht mehr nützt. Und deine Angestellte, die in der Nacht, als sie das Haus observieren sollte, so krank geworden ist, kann wohl auch von Glück sagen, dass sie das Getränk, das Winkler ihr angeboten hat, ohne größere Schäden überstanden hat. Da war ein Pilzgift drin. Er behauptet zwar, dass es sie nicht töten, sondern nur ausknocken sollte, aber ob das stimmt …«

Paul räusperte sich. »Der Typ hat einige Zeit in den USA an einem geheimen ›Überlebenscamp‹ teilgenommen. Sowas wie tödliche Pilzgifte herstellen, Menschen mit Butterflymessern die Kehle durchschneiden, Betäubungsmittel zusammenmischen und sicher auch Genicke zu brechen hat bei denen wahrscheinlich zum Ausbildungsprogramm gehört.« Er schüttelte den Kopf. »Es hat sich bei unseren Ermittlungen dann auch noch rausgestellt, dass zwei der Typen, mit denen er in dem Camp näher zu tun hatte, unter bisher ungeklärten Umständen nach einem Streit mit ihm von einem Felsen in einen Creek gestürzt und umgekommen sind. Wir haben da für die Amerikaner ein bisschen nachgebohrt, und siehe da, er hat zugegeben, dass er bei dem Vorfall die Hände im Spiel hatte.«

Paul fuhr sich durch die kurzen Haare. »Ich denke, der Fall der toten Kamerafrau ist damit endlich gelöst. Der Mann streitet den Mord zwar im Moment noch ab, aber im Hinblick darauf, dass er den ganzen Kofferraum voller Chrystal Meth, Ecstasy und Koks hatte, ganz abgesehen von den drei illegalen Schnellfeuerwaffen, denke ich, dass er ein ziemlich gutes Motiv hatte, die Frau zu töten. Was die Spuren angeht, spricht alles dafür, dass Mona Laurent sein Versteck entdeckt und später versucht hat, ihn zu erpressen oder zu beklauen, oder vielleicht auch schon beklaut hatte. Und da ist er durchgedreht und hat sie die Treppe hinuntergestoßen. Das erklärt auch, warum sie im Loch gestorben ist, denn Winkler wollte uns natürlich so weit wie möglich von seinem Versteck weglocken.« Paul sah sie mit angespanntem Gesichtsausdruck an und fügte streng hinzu: »Und du kannst von Glück sagen, dass du nicht auch dort unten gelandet bist.«

Suzanne wurde ein wenig mulmig.

Kurz war es still, dann fuhr der Staatsanwalt fort: »Offenbar betreibt Winkler schon seit seiner Rückkehr nach Deutschland einen großen Onlineversand im Darkweb. Ausgesprochen lukrativ. Wir haben seine Geschäftsbücher gesehen. Die Buchführung ist zum Glück so detailliert und sauber, dass wir ihm alles nachweisen können. Der Typ hat sogar einen Business-Plan.« Paul schüttelte den Kopf. »Er hat seine Ware in den letzten Jahren im Horrorhaus gelagert, in diesem geheimen Kellerversteck, das eigentlich vor Jahrzehnten wieder zugemauert worden sein sollte. Nicht mal uns ist die Geheimtür aufgefallen, und wir haben uns den gesamten Keller nach dem Tod der Kamerafrau gründlich angeschaut. Eine geniale Technik, die er da in das Regal eingebaut hat, damit es scheinbar fest an der Wand steht. Die Mechanik, um die Riegel zu lösen, ist sehr ausgefeilt, das muss ich zugeben. Bistabile Hubmagneten, ich wusste bisher gar nicht, dass es sowas gibt. Von außen kann man das Ding mit einem Schalter hinter einem losen Mauerstein öffnen. Und es geht auch mit einer Fernbedienung. So hat er das wohl gemacht, um sich mit dir zusammen einzuschließen. Die Amis kennen sich aus mit schrägen Geheimverstecken. Hat da wahrscheinlich jeder, der was auf sich hält, unter der Treppe.« Er grinste schwach.

»Und was Winklers Geschäft anging: Da er der Hausmeister des Horrorhauses ist und das Gebäude ja zudem recht einsam gelegen ist, ist es nie jemandem aufgefallen, wenn er Schmugglerware gebracht oder abgeholt hat. Erst als die Filmleute kamen, hat das seine Arbeit extrem erschwert. Deswegen hat er die Dreharbeiten sabotiert. Damit sie so schnell wie möglich wieder abhauen. Denn Petrow hat dem Hausmeister gegenüber anscheinend angedeutet, dass er plant, eine ganze Horrorserie in dem Haus zu drehen. Da wollte Winkler wohl gleich den Anfängen wehren. Womit er nicht gerechnet hatte, waren der Wachdienst und deine Detektivin. Aber die ist er ja schnell wieder losgeworden. Außerdem hat er die verschwundenen Requisiten ja auch immer im Keller versteckt, sodass niemand, der das Haus von außen beobachtet hat, etwas davon mitbekommen konnte. Er hatte ein Exemplar des Drehbuchs geklaut, und da er zudem tagsüber ständig zwischen den Filmleuten rumgewuselt ist und sich umgehört hat, wusste er, was für Requisiten er stehlen musste, um den größten Effekt zu erzielen. Er hat angefangen, bei seinen nächtlichen Missionen Maske zu tragen und eine grüne Taschenlampe zu benutzen, nur für den Fall, dass ihn jemand sehen sollte. Damit niemand sein Gesicht erkennt und um die Angst vor Hildebrandt zu schüren. Er hat mit ziemlich herablassendem Tonfall durchscheinen lassen, dass er denkt, Petrow und einige andere aus der Crew würden an Geister glauben. Das scheint zu stimmen und hat ihm in die Hände gespielt. Und natürlich kam es Winkler entgegen, dass der verbotene Teil des Kellers ja wirklich gefährlich ist und gesperrt werden musste.

Der Hausmeister ist seiner Pflicht, niemanden hineinzulassen, einfach gründlich nachgekommen.« Paul schüttelte erneut den Kopf. »Nach außen hin hat Winkler sowieso ein perfektes Spießerleben geführt. Im gleichen Haus mit seinen Schwestern. Ist in Deutschland noch nie mit der Polizei in Konflikt geraten. Nicht mal Strafzettel oder falsch Parken. Ganz im Gegenteil: Winkler ist in seiner Nachbarschaft sogar bekannt dafür, dass er Leute, die sich auch nur ein bisschen ordnungswidrig verhalten, sofort anzeigt. Das hat uns eine der Schwestern erzählt, die völlig fassungslos über die Festnahme war.« Paul lächelte zufrieden.

»Allerdings war es wohl schon so, dass der Haussegen im Hause Winkler gelegentlich schief hing, und wenn der Hausmeister seine Schwestern gar nicht mehr ertragen hat oder sie ihn, dann hat er einfach im Horrorhaus übernachtet. Es steht ja seit Jahren leer. Er war als ehemaliger Prepper auf alles vorbereitet, hatte Essen und Trinken, einen Schlafsack und eine Matte ständig im Auto und sogar selbstkühlendes Bier. Er hatte einen Schlüssel zum Horrorhaus, und wenn er den mal vergessen hatte, wusste er außerdem, dass eines der Fenster im Untergeschoss nicht richtig schließt und wie man das öffnen kann. So ist er im Übrigen auch an dem Tag reingekommen, an dem er dich angegriffen hat. Weil das Schloss ja versiegelt war.« Er schaute Suzanne mit strengem Blick an.

»Winkler war gerade beim Abendessen im oberen Stock, hat dich kommen hören, sich versteckt und dich dann beobachtet.« Paul schüttelte erneut den Kopf. »Jedenfalls hat Winkler kein Alibi für den Abend, an dem Mona Laurent gestorben ist, so viel wissen wir schon. Er war ›unterwegs‹. Und an der Falltür wurden unzählige Fingerabdrücke von ihm gesichert. Ich denke, die Kollegen von der Kripo werden ihn bald knacken.«

»Warum gesteht er eigentlich alles, nur den Mord an Mona Laurent nicht?«, fragte Suzanne.

»Weil er den Rest auch immer erst dann gestanden hat, wenn die Beweislage zu erdrückend wurde. Und bei Mona Laurent waren wir bisher noch nicht so weit. Aber heute oder morgen dürfte sich das ändern.«

»Wie, glaubt ihr, sind die Plastikäxte zu der Kamerafrau nach Hause gekommen?«

»Da sind wir auch dran, aber die Äxte haben eh nie so richtig in die Geschichte reingepasst. Vermutlich haben die mit ihrem Tod nicht das Geringste zu tun.«

»Wisst ihr schon, was Mona Laurent in den Tagen zwischen ihrem Verschwinden und ihrem Tod gemacht hat und wo sie war?«

»Vielleicht«, antwortete Paul. »Aber im Moment ermitteln wir noch, und ich habe dir sowieso schon wieder viel zu viel erzählt. Was wir wissen, ist, dass Winkler zumindest anfänglich wohl glaubte, dass sein Versteck unauffindbar sei. Als Mona Laurent verschwunden ist, hat er daher anscheinend nicht eine Sekunde in Betracht gezogen, dass sie sich dort aufhalten könnte. Er ging davon aus, Benni Koch habe ihr geholfen, das Haus ungesehen zu verlassen. Sonst, so denke ich, hätte er sein Versteck noch am gleichen Tag geleert. Dann wäre Mona Laurent vermutlich noch am Leben.«

»Und was sagt Benni Koch dazu?«

»Kein Wort. Keine Ahnung, wieso er nicht redet. Anscheinend weiß er von gar nichts.« Paul wandte sich wieder zur Tür um.

»Also mir hat Koch erzählt, Mona Laurent und er hätten vorgehabt, von jemandem Geld zu erpressen«, meinte Henry.

»Ja, ich weiß.«

»Wen die erpressen wollten, hat er leider nicht gesagt. Ich dachte zuerst, ihren Mann. Aber es wäre natürlich auch möglich, dass Mona Laurent und Benni Koch von der Tätigkeit des Hausmeisters wussten und ihn erpresst haben.«

»Wir haben Kenntnis davon und gehen dem nach«, schnarrte Paul.

»Wie ist Mona Laurent eigentlich an dem Abend zum Horrorhaus gekommen?«

»Sie hatte einen Mietwagen in Willstätt stehen.«

»Und wieso hatte sie so hohe Schuhe an?«

»Wissen wir noch nicht.« Er schaute sich noch einmal um. »Es ist so still hier. Wo ist eigentlich dieser Sänger mit den langen Haaren? Der war doch in letzter Zeit ständig hier.«

»Ich nehme an, bei sich zu Hause«, sagte Suzanne.

Paul nickte nur. »Dann fahre ich mal wieder. Und wie gesagt: Nimm mir das bitte nicht krumm mit dem Strafbefehl.«

Kapitel 24

Am Mittwochmorgen verließ Henry das Haus zu nachtschlafender Zeit, da die Dreharbeiten weitergingen. Suzanne frühstückte wenig später in ihrer gemütlichen Landhausküche. Sie notierte sich auf einem Zettel, dass sie Achim noch wegen des Strafbefehls anrufen musste, und fuhr schließlich durch die morgendliche Dunkelheit nach Kehl/Kork, um die Schwester der Kamerafrau noch vor der Arbeit abzupassen. Weil sie einfach nicht sicher war, ob der Fall mit Winklers Festnahme wirklich gelöst war.

Die Tür wurde nach dem zweiten Klingeln geöffnet. Eine offensichtlich angespannte Camille Roux stand in der Öffnung. Sie hielt einen Pinsel, ihre zitternden Hände waren voller Farbspritzer. »Was wollen Sie denn schon wieder?«, fragte sie. »Die tollen Bullen haben den Fall doch gelöst.« Sie lachte herablassend. »Aber wen auch immer sie verhaftet haben, es war der Falsche.« Sie hatte wieder gerötete Augen, als habe sie geweint.

»Darf ich reinkommen?«, bat Suzanne.

»Was soll mir das bringen?«

»Ich könnte Ihnen alles erzählen, was ich bislang herausgefunden habe.«

»Das kann ja nicht sonderlich viel sein. Sonst würden Sie wohl kaum vor meiner Tür stehen.«

»Ich kann Ihnen zum Beispiel verraten, wer verhaftet wurde. Ich war dabei. Sie sind eine nahe Verwandte, daher finde ich, Sie sollten diese Dinge wissen.« Vermutlich würde Paul sie dafür umbringen, aber das konnte sie jetzt auch nicht ändern.

Camille Roux zögerte, aber schließlich trat sie ein paar Schritte zurück. »Von mir aus.« Ihre Augen wirkten vollkommen leer. Für einen winzigen Moment ging Suzanne durch den Kopf, dass Camille Roux kurz vor dem Tod ihrer Schwester mit dieser noch einen Quinoasalat gegessen hatte und deren Alleinerbin war.

Und falls Winkler unschuldig und der Tod der Kamerafrau kein Unfall gewesen war, hätte sie mit Sicherheit auch die Gelegenheit gehabt, ihre Schwester ins Loch hinunter … Sie kniff unwillig die Lippen zusammen. Die Frau sah nicht sonderlich gefährlich aus.

Sie stiegen eine schmale Treppe mit grauen Stufen hoch. Es roch nach abgestandenem Bier und Zigarettenrauch. »Warum glauben Sie, dass die Polizei den Falschen verhaftet hat?«, fragte Suzanne ein wenig außer Atem.

»Na, weil ihr Mann noch draußen rumläuft.« Roux hielt sich bei jedem Schritt am Geländer fest, trotzdem stieg sie zügig nach oben.

»Sie denken also, dass Gerard Laurent seine Frau umgebracht hat? Obwohl er ein Alibi hat?«

»Spielt es irgendeine Rolle, was ein kaputter, alter Junkie denkt?«

»Sie sind Monas Schwester. Natürlich ist wichtig, was Sie denken.«

»Was für ein Alibi behauptet er denn zu haben?«

»Er war zu Hause, und ein unter Schlaflosigkeit leidender Nachbar kann das anscheinend bestätigen.«

»Wer's glaubt, wird selig.«

Sie erreichten eine Tür, die wohl einmal weiß gewesen war, jetzt aber grau-braun aussah, und betraten ein nach Rauch und irgendeinem Lösungsmittel stinkendes Atelier unter dem Dach, in dem sich eine Staffelei, Bilder, ein Tisch mit Farben, Pinseln und Gläsern, ein alter Sessel und ein farbbekleckerter Stuhl befanden. Mit einer fahrigen Bewegung ihrer geschwollenen Finger wies Roux auf den alten Sessel, und Suzanne setzte sich. Die Schwester der Kamerafrau blieb vor der Staffelei stehen, auf der ein halbfertiges und ziemlich realistisches Bild des *Willstätter Horrorhauses* prangte, legte den Pinsel auf den Tisch und zündete sich eine Kippe an. Ihre Finger zitterten so, dass sie kaum das Feuerzeug anbekam. »Ein Überbleibsel von diesen Scheißdrogen«, erklärte sie und deutete mit einem Kopfnicken auf ihre

Hände. »Ich bin seit Jahren so gut wie clean, aber was kaputt ist, ist kaputt.« Schließlich gelang es ihr, die Zigarette zu entzünden, und sie nahm einen tiefen Zug. »Also, wen haben die Bullen festgenommen?«

»Den Hausmeister des Horrorhauses«, sagte Suzanne.

Camille Roux lachte rau auf. »Erwin Winkler? Das habe ich mir gedacht. Scheiße, genau das habe ich gedacht.«

»Wieso?«

»Weil er ein Dealer ist und weil er einen guten Grund gehabt hätte, Mona zu töten«, bemerkte die Frau, als sei das sonnenklar.

Suzanne war erstaunt. »Woher wissen Sie das? Kennen Sie ihn?«

Camille Roux zuckte mit den Schultern.

»Bitte, sagen Sie mir alles, was Sie wissen. Winkler hatte Drogen und Waffen im Keller des Horrorhauses versteckt. Er hat kein Alibi, und ich denke, dass Ihre Schwester mit ihm Geschäfte gemacht hat. Oder dass sie ihn erpressen oder beklauen wollte. Es wäre doch wirklich möglich, dass Winkler sie deshalb getötet hat«, sagte Suzanne eindringlich.

Camille Roux legte ihre Kippe ungeschickt in einen Aschenbecher. Suzanne sah, dass sie leise weinte. Schließlich wischte sie sich mit dem Ärmel ihres Pullis über die Augen und schniefte: »Winkler ist das letzte Stück Dreck, verstehen Sie mich nicht falsch. Die meisten Dealer sind Dreck, und Winkler hat jeden Tag Knast, den er hoffentlich bekommen wird, redlich verdient. Aber er hat meine Schwester nicht getötet. Trotzdem werden die Bullen ihn am Ende dafür einbuchten.« Sie lachte erneut rau und herablassend auf. »Wenn die die Wahl haben zwischen einem mordverdächtigen Zahnarzt mit einem teuren Verteidiger und einem beschissenen Dealer, dann nehmen die den Dealer. Fall abgeschlossen.«

Sie griff nach ihrer im Aschenbecher beinahe abgebrannten Kippe und saugte zweimal daran. Asche fiel auf den Boden. »Die Bullen kriegen bei Dealern immer so einen Tunnelblick, wissen Sie? Bei ehemaligen Junkies wie mir übrigens auch. Die wollten plötzlich nur noch darüber reden, wie es denn sein kann, dass ich die Offenburger Drogenszene und die aktuellen Preise für Gras noch so gut kenne, wenn ich doch anscheinend seit Jahren clean bin und so.«

Sie drückte die Zigarette aus, dabei stürzte der Aschenbecher um, Asche und Kippenstummel ergossen sich auf den Tisch. »Selbst wenn die recht haben sollten und ich gelegentlich noch den einen oder anderen Joint rauche, heißt das noch lange nicht, dass ich lüge, wenn es um meine Schwester geht.« Sie kehrte die Asche und die Stummel ungeschickt wieder zurück in den Aschenbecher, ihre Handfläche war nun ganz grau, was ihr gar nicht aufzufallen schien. »Himmel nochmal, was habe ich versucht, denen zu erklären, dass Monas Sturz kein Unfall war. Dass es Gerard war, der sie ermordet hat. Auf mich hört nur niemand. Die Junkietussi, was weiß die schon, die hat sich das ganze Gehirn rausgekokst. Hatte vor Jahren mal Stress mit ihrem Schwager und will ihn jetzt reinreiten. So reden die Scheißbullen mit mir. Und dann wundern die sich, dass man denen nicht die ganze Geschichte erzählen kann.«

»Was ist denn die ›ganze Geschichte‹? Und warum sind Sie so sicher, dass es nicht Winkler war?«, fragte Suzanne, als Camille Roux geendet hatte. Die Schwester der Kamerafrau schien genau wie Leila Hofreiter keinen Zweifel daran zu haben, dass Gerard Laurent der Mörder war.

Camille Roux sah aus dem Fenster. »Ich weiß es eben. Glauben Sie's mir oder lassen Sie's. Aber wenn ich Ihnen die Wahrheit erzähle, dann erfahren es bestimmt die Bullen, und wenn die Winkler rauslassen, dann buchten diese Arschgeigen mich ein. Nicht Gerard, sondern mich. Dann behaupten die, dass ich Mona getötet habe. Weil ich sie … weil ich sie als eine der Letzten gesehen habe. Weil sie bei mir war und wir diesen Salat gegessen haben. Weil ich an dem Abend unterwegs war und ich ihr Geld und die Wohnung in Paris erbe. Angedeutet haben die das bereits. Sie haben mich kurz nach Monas Tod sogar überwachen lassen.« Sie drehte sich zu Suzanne um. In ihren Augen war nichts als die nackte Panik.

»Ich glaube nicht, dass Sie Ihre Schwester getötet haben«, beruhigte sie Suzanne, was der Wahrheit entsprach, wie ihr im selben Moment klar wurde. »Und ich kann versuchen, Sie so gut wie möglich aus der Geschichte rauszuhalten. Wobei ich Ihnen nicht versprechen kann, dass ich nicht mit der Polizei reden muss. Bitte erzählen Sie mir alles, was Sie wissen. Wo Ihre Schwester in der Zeit war, als sie ›verschwunden‹ war. Und warum sie an dem Abend, als sie gestorben ist, ins Horrorhaus gegangen ist. Was Sie damit zu tun haben. Und auch, warum Sie glauben, dass ihr Mörder der Ehemann und nicht der Hausmeister ist.«

Camille Roux kratzte sich mit ihren aschebestäubten Händen in den wirren Haaren und schwieg. Sie schien nachzudenken.

»Ich kann Ihnen ja mal erzählen, was ich denke, wie es gelaufen ist«, machte Suzanne weiter. »Und vielleicht können Sie mir dann sagen, ob das in etwa der Wahrheit entspricht oder ob ich vollkommen danebenliege.«

Camille Roux deutete ein Nicken an, und Suzanne fuhr fort: »Ihre Schwester hat es geschafft, im Horrorhaus zu ›verschwinden‹ und dann unterzutauchen. Sie hatte sich in einer Geheimkammer im Keller versteckt, bis die Filmleute nach Hause gegangen waren. In den Tagen danach hat sie sich irgendwo verborgen gehalten, vielleicht bei Ihnen. In dieser Kammer hat sie etwas entdeckt, ich denke Drogen. Sie hat aber nichts oder nur wenig mitgenommen und stattdessen später einen jungen Mann damit beauftragt, ein Päckchen der Drogen aus diesem Keller zu holen. Maximilian Bräcker, einen Drehbuchautor, der noch ein Hühnchen mit dem Regisseur des Films zu rupfen hatte. Als Belohnung hat sie ihm versprochen zu helfen, den Regisseur fertigzumachen. Aber Bräcker trifft im Eingangsbereich des Hauses auf Winkler, der immer eine Maske trägt, um nicht erkannt zu werden, und bekommt es mit der Angst zu tun. Jedenfalls lässt er das Päckchen, wo es ist. Ihre Schwester will das Päckchen aber unbedingt haben, weil sie Geld braucht, um ihren gewalttätigen Mann verlassen zu können.«

Camille Roux sagte nichts, deshalb fuhr Suzanne fort: »Damit niemand sie sieht, geht Ihre Schwester also in besagter Nacht zum Horrorhaus, um sich das Päckchen selbst zu holen. Warum sie dabei ziemlich unpassende Schuhe trägt, weiß ich noch nicht. Und wenn das Ganze nicht doch ein Unfall war, wird sie dort von irgendjemandem die Kellertreppe hinuntergestürzt und stirbt.«

Als Suzanne geendet hatte, schaute Camille Roux lange aus dem Fenster. Dann drehte sie sich zu Suzanne um und griff erneut zu ihrer Kippenschachtel. »Mona war die letzten Tage vor ihrem Tod tatsächlich öfter bei mir. Das erste Mal, seit Mutter gestorben ist. Aber das war nicht nur, damit ich ihr beim Verkauf der Drogen helfe«, bemerkte sie sehr leise. Wieder fing sie an zu weinen, drückte ihre zitternden, geschwollenen Hände auf ihre Augen.

»Wir … wir hatten in den letzten Jahren eine sehr schwere Zeit, Streit und alles, aber … Mona hat gesagt, dass es ihr leidtut, wie sie mich damals behandelt hat, als Mutter gestorben ist. Sie hat gesagt, dass sie niemand anders mehr hat als mich. Und wir sind doch immer noch Schwestern, verstehen Sie? Außerdem hat sie gesagt, dass sie mir alles zurückzahlen will, was sie damals bei Mutters Tod zu viel bekommen hat.« Sie schluckte und wischte erneut mit dem Ärmel über die Augen. Zündete sich eine Zigarette an. »Mona hat mir erklärt, dass nur ihr Mann schuld daran ist, dass wir zwei Schwestern uns so entfremdet haben. Sie wollte das nämlich überhaupt nicht. Aber sie hat Angst vor ihm gehabt, und er hat ihr damals verboten, dass sie mir was von Mutters Erbe abgibt. Gerard hat gemeint, ich würde es nur verkoksen, und deshalb hat er Mutter kurz vor ihrem Tod im Altersheim besucht und überredet, dass sie das Testament ändert. Nur zu meinem Besten natürlich.« Camille Roux lachte bitter auf. »Er hat ihr gegenüber behauptet, Mona und er würden die Kohle nutzen, um meine Miete und meinen sonstigen Lebensunterhalt zu bezahlen. In Wirklichkeit hat er alles selbst behalten und wahrscheinlich in seine Praxis gesteckt.«

Sie saugte gierig an ihrer Kippe. Behielt den Rauch im Hals, als sie herausbrachte: »Mieses Schwein, der Typ. Ich wollte mich wehren, mit einer Anwältin, aber da … Er hat mich abends besucht, mir viertausend Euro in die Hand gedrückt und mir klargemacht, was passiert, wenn ich das mit Mutters Erbe nicht akzeptiere. Dann verpasst er mir eine Überdosis, hat er gesagt. Da fragt doch keiner nach, wenn ein Junkie rückfällig wird. Und wenn Gerard mit sowas droht, dann macht der das auch. Der hat Spaß daran, anderen wehzutun. Keine Ahnung, warum er es nicht gleich an dem Abend getan hat. Vermutlich nur deswegen, weil ihn meine Nachbarin in mein Haus hat reingehen sehen und ihm die Sache wegen des Erbstreits zu heiß wurde. Vielleicht hätte da doch jemand angefangen, Fragen zu stellen. Vor allem, weil er ja schon einmal ein Gerichtsverfahren wegen einer Erbsache hatte. Wie auch immer, ich habe alles akzeptiert. Wo hätte ich hinsollen? Zu den Scheißbullen? Damit die mir erklären, wie verantwortungsbewusst es doch von Gerard ist, dass er mich das Geld nicht verkoksen lässt?«

Sie hustete und schüttelte den Kopf. »Mona will ihn seit Jahren verlassen, aber sie hat panische Angst vor ihm. Er hat damit gedroht, dass er sie umbringt, wenn sie es tut, und er hat ihr schon einige Kostproben von dem gegeben, wozu er fähig ist. Gewalttätiges Dreckschwein.« Erneut fuhr sie sich mit ihren Aschehänden durchs Haar. »Jedenfalls hat sie eines Tages einen alten Freund wiedergetroffen. Einen Schauspieler. Lenni. Nein, Benni. Auch ein mieser Typ, wenn Sie mich fragen, der bei den falschen Leuten Schulden hat und Mona nur ausnutzen wollte. Was Männer angeht, hatte sie einfach einen Scheißgeschmack.« Wieder liefen Tränen über Camille Roux' Wangen. Sie drückte ihre Kippe aus.

»Dieser Benni hat sie überredet, sich auf einen scheinbar narrensicheren Plan einzulassen. Die wollten Gerard vorspielen, dass Mona entführt worden ist. Viel Lösegeld fordern und sich dann mit falschen Pässen vom Acker machen. Dass das niemals klappen würde, das war sowas von klar. Aber Mona war schon immer eine Träumerin.« Sie schüttelte den Kopf. »Dieser Benni und Mona haben jedenfalls gemeinsam bei einem Filmprojekt mitgemacht. Um in Ruhe ihren Plan auszuarbeiten und in die Tat umzusetzen. Denn Gerard hat Mona ständig überwacht. Die einzige Zeit, in der sie sich mehr oder weniger frei bewegen konnte, war bei der Arbeit. Zunächst war geplant, dass Mona bei einem Ausflug nach Freiburg ›entführt‹ wird. Aber dann, als sie sich im Herbst das erste Mal die Drehorte angeschaut haben, hat Mona festgestellt, dass sie den Horrorhaus-Hausmeister von früher kannte. Er war einer meiner Dealer.

Ein schmieriger Typ. Einmal hatte er seine Drogen so gepanscht, dass ich zusammengebrochen bin. Wäre das nicht passiert, als Mona gerade bei mir war, hätte ich vermutlich nicht überlebt. Mona hat das Schwein angezeigt, aber das Verfahren wurde eingestellt, weil man ihm nichts nachweisen konnte. Und nicht nur das, der Typ war so frech, dann auch noch gegen Mona und mich wegen Verleumdung vorzugehen. Mit Erfolg! Das hat Mona nie vergessen. Winkler hingegen hatte aber wohl keinen blassen Schimmer mehr, wer Mona war. Sie sah damals ja vollkommen anders aus, als sie noch in der linken Szene aktiv war. Sie hat Winkler zutiefst verachtet und deshalb diesen Benni auf ihn angesetzt. Hat gehofft, dass er eine schmutzige Geschichte über ihn ausgräbt, die man vielleicht auch zu Geld machen könnte. Mit Gerard und Winkler gleichzeitig abzurechnen, das fand Mona verlockend. Und dieser Benni hat dann tatsächlich herausgefunden, dass Winkler im Keller von diesem Horrorhaus ein Geheimversteck für illegale Waren hat. Das Versteck war groß genug für einen Menschen und … Na ja, keine Ahnung, da dachten sie wohl, dass sich Mona darin verstecken könnte, wenn sie ihr Entführungsding durchziehen. Ein ›übernatürliches‹ Verschwinden als zusätzlichen Schlag in Gerards Gesicht. Denn der Herr Zahnarzt fühlt sich durch und durch als Naturwissenschaftler, wissen Sie, und es regt ihn nichts mehr auf als etwas, das er sich nicht erklären kann. Und Monas Verschwinden konnte er sich nicht erklären. Er war deshalb sogar bei mir. Am gleichen Abend noch. Aber zu dem Zeitpunkt wusste ich auch noch nichts. Glücklicherweise.«

Sie rauchte mehrere Züge schweigend und drückte die Zigarette schließlich in dem übervollen Aschenbecher aus. Dann zog sie ihr farbverspritztes Shirt hoch und zeigte Suzanne ihren Oberkörper und ihre Arme, die mit verblassenden blau-grünen Flecken und einigen roten Stellen, die wohl von auf der Haut ausgedrückten Zigaretten stammten, übersät waren. »Er wollte die Wahrheit aus mir rausprügeln. Genau so ist er. Und ich bewundere Mona zutiefst, dass sie es gewagt hat, sich gegen ihn aufzulehnen. Wenigstens konnte sie mit erhobenem Kopf sterben!« Sie spielte mit dem Kippenstummel herum.

»Mona und dieser Benni hatten jedenfalls alles genau geplant. In dem Haus sind anscheinend schon ganz viele Leute gestorben, und davor hat immer so ein grünes Licht geleuchtet. Genau so haben die beiden das dann auch gemacht. Mona hat ein gruseliges Licht besorgt, so eine Art Taschenlampe, mit der sie sich angestrahlt hat, als Gerard sie abholen wollte. Dann ist sie in den Keller gehuscht und hat sich dort versteckt. Und Benni hat so getan, als habe er nicht die leiseste Ahnung, wo sie sein könnte, und als sei es unmöglich, in diesem Haus zu verschwinden. Er ist Schauspieler, habe ich das schon erwähnt? Ist ihm bestimmt leichtgefallen, sowas zu spielen. Mona meinte, er sei ziemlich gut in seinem Job.« Sie lächelte traurig.

»Meine Schwester hat mir gestanden, dass sie im Grunde ihres Herzens nicht geglaubt hat, dass es funktioniert. Sie hat Todesangst ausgestanden, weil sie dachte, dass Gerard sie dafür umbringen wird. Sie ist natürlich auch furchtbar erschrocken, als dann auch noch die Bullen dazugerufen wurden und in dem Haus nach ihr suchten. Aber zu ihrem großen Erstaunen hat sie wirklich niemand gefunden. Während sie in der Kammer gewartet hat, hat sie die Drogen und die Waffen gesehen. Zuerst wollte sie Winkler gar nicht beklauen, sondern erpressen, sobald sie dieses Entführungsding durchgezogen hätten. Sie hatte daher erst auch Schiss, dass Winkler ahnen könnte, dass sie in seinem Versteck war. Aber Benni ist es wohl gelungen, den Hausmeister davon zu überzeugen, dass Mona am Tag ihres Verschwindens mit seiner Hilfe lediglich ungesehen das Haus verlassen hat. Wie gesagt, Winkler hält sich ja für genialer als alle anderen, es dürfte ihm also nicht schwergefallen sein zu glauben, dass sein Versteck einfach zu gut war, um entdeckt zu werden.«

Sie schüttelte erneut den Kopf. »Nachdem Mona an dem Abend nach ihrem Verschwinden in einem Wohnwagen übernachtet hat, der einem Freund von diesem Benni gehört, hat sie dann plötzlich kalte Füße bekommen, was die Lösegeldgeschichte angeht. Gerard war ihr doch zu gefährlich. Und da ist ihr eingefallen, dass sie ja eine Schwester hat, die die richtigen Leute kennt und einen Beutel Drogen ohne Weiteres zu Geld machen könnte. Sie dachte, das sei vielleicht noch lukrativer, als den Hausmeister nur zu erpressen. Und von diesem Benni hatte sie auch die Schnauze voll, mit dem wollte sie nicht mehr teilen. Dem hat sie die letzten Tage nur noch was vorgespielt, damit er ihre neuen Pläne nicht erahnt und durchkreuzt. Sie ist zu mir gekommen, und wir haben unsern Plan geschmiedet, wie wir die Drogen klauen wollten.

Verstehen Sie mich nicht falsch, alle Dealer sind Dreck, und ich fühle mich nicht gut dabei, wenn ich sage, dass ich selbst gelegentlich … Aber es wäre das letzte Mal gewesen. Und ich verkaufe nicht an jeden, schon gar nicht an Kinder. Mona wollte nach Paris. Für immer. Sie hatte da wohl die Möglichkeit, bei irgendeinem Film mitzuarbeiten. Und sie hat gesagt, sie will mich mitnehmen. Wir beide gegen den Rest der Welt. So wie früher als Kinder. Dafür brauchten wir aber Geld. Viel Geld. Auf Dauer hätten wir auch versuchen müssen, uns neue Papiere zu beschaffen. Vielleicht verstehen Sie jetzt, warum ich den Bullen nicht die ganze Wahrheit erzählen kann …«

»Und was war mit Benni?«, fragte Suzanne.

»Dem hat Mona am Tag vor ihrem Tod gesagt, dass sie keinen Bock mehr hat auf ihn und von jetzt an alleine weitermacht.«

»Und wie hat er reagiert? Wissen Sie das?«

Camille Roux räusperte sich. »Na ja, er war ziemlich sauer, das können Sie sich vorstellen. Ich habe ihn am Telefon brüllen hören. Hat damit gedroht, dass er trotzdem Lösegeld von Laurent fordern wird und Schweigegeld von Winkler. Benni steht das Wasser wohl bis zum Hals. Die Typen, denen er was schuldet, die lassen nicht mit sich reden, so wie ich Mona verstanden habe. Haben damit gedroht, ihn umzulegen. Und seine Frau gleich mit. Mona hatte ihm auch schon ein paarmal Geld geliehen, damit er nicht getötet wird.« Das Feuerzeug leuchtete zitternd auf, die nächste Zigarette glühte und qualmte.

»Jedenfalls hat Mona dann diesen Autor aus Freiburg dazu überredet, für sie in das Haus zu gehen. Sie hat ihm versprochen, sie liefert ihm irgendwelche vernichtenden Infos über Petrow, dabei gab es da gar nichts, was sie hätte liefern können. Egal, der Typ hat es ja eh nicht gebracht. Nachdem er sich geweigert hat, nochmal in das Haus zu gehen und die Pillen zu holen, ist Mona eben selbst gegangen. In der Nacht. Und sie kam nie wieder zurück.«

Die Schwester der Kamerafrau schluchzte leise, legte die brennende Zigarette ab und holte ein gebrauchtes Papiertaschentuch aus ihrer Hosentasche. Schnäuzte sich laut.

»Wir haben gedacht, wir machen es besonders clever«, schluchzte sie. »Sie hat einen Mietwagen gemietet und ihn einen Tag vorher in Willstätt geparkt. Damit ihr Fluchtwagen nicht auf dem Parkplatz herumsteht und irgendwelche Dorfbewohner misstrauisch werden und die Bullen rufen oder so. An dem Abend habe ich sie vor dem Haus abgesetzt. Dann bin ich nach Offenburg gefahren, um Winklers Wohnung zu beobachten. Eine Stunde später habe ich Mona angefunkt und ihr gesagt, dass sie jetzt mit dem Dietrich ins Haus reingehen kann. Denn dieser Winkler ist an dem Abend mit einigen Typen zum Kegeln gefahren, und ich habe ihn die ganze Zeit beobachtet. Auch als er drei Stunden später wieder heimgefahren ist. Es war ausgemacht, dass ich an ihm dranbleibe, bis Mona sich bei mir meldet. Ich bin … Ich bin die halbe Nacht vor der Kegelbahn und später vor Winklers Haus herumgesessen. Ich hatte den Typen die ganze Zeit durchs Fenster im Blick. Er kann Mona nichts getan haben.«

»Das müssen Sie unbedingt der Polizei erzählen. Dass sie selbst mithelfen wollten, die Drogen zu verkaufen, können Sie ja weglassen.«

»Ich weiß.« Für eine Sekunde war es still. Dann sagte Camille Roux: »Irgendwann in der Nacht habe ich versucht, Mona anzufunken. Wir hatten Funkgeräte, weil es in dem Keller kein Handynetz gibt. Sie ist nicht drangegangen. Ich wusste nicht, was ich tun sollte. Ich dachte natürlich, irgendwas hat sich verzögert, vielleicht weil die von der Filmcrew doch wieder einen Wachdienst organisiert haben oder sowas. Aber schließlich bin ich selbst zu dem Haus gefahren.« Sie sah ein wenig peinlich berührt aus, als sie sagte: »Ich … ich habe gedacht, Mona wäre abgehauen. Ohne mich. Denn sie war leider in solchen Dingen nicht sonderlich zuverlässig. Vielleicht hat sie sich doch wieder für die Lösegeldsache und die Erpressung entschieden, so dachte ich. Früher hätte sie sowas nämlich ohne mit der Wimper zu zucken gemacht.« Eine Träne lief ihre Wange hinunter. »Ich habe sie verdächtigt, dabei war sie zu dem Zeitpunkt wahrscheinlich schon tot. Ich bin nicht mal auf die Idee gekommen zu kontrollieren, ob ihr Mietwagen noch in Willstätt parkt.« Sie schniefte und wischte sich über die Augen. »Es war vermutlich bescheuert von uns, dass ich bei Winkler und nicht vor dem Horrorhaus gewartet habe, aber Mona wollte das so. Sie hat gesagt, wenn ich vor dem Haus warte und Winkler kommt, dann haben wir keine Zeit mehr abzuhauen. Dann kann ich sie nicht frühzeitig warnen. Da hatte sie natürlich recht. Trotzdem hätte ich wenigstens früher hinfahren sollen. Ich bin schuld, dass Gerard sie getötet hat.«

»Aber wie kommen Sie darauf, dass es Gerard war?«

»Wer sollte es denn sonst gewesen sein?«, fragte Camille Roux.

»Es könnte sein, dass Winkler einen Komplizen hatte. Oder dass Benni Koch Ihrer Schwester etwas angetan hat«, antwortete Suzanne.

»Benni.« Sie schniefte geräuschvoll. »Das wäre auch eine Möglichkeit, das stimmt. Jetzt, wo Sie es sagen ... So wie Mona über ihn gesprochen hat, war er ein merkwürdiger Kerl. Stand auf Frauen, die sich als Vampire verkleiden. Und er war richtig wütend auf sie, nachdem sie aussteigen wollte.«

Suzanne nickte. »Kommen wir noch einmal auf Gerard Laurent zurück: Woher hätte er wissen können, dass seine Frau mitten in der Nacht in einem einsamen Horrorhaus ist?«

Camille Roux biss auf ihrer Lippe herum. »Er hat sie öfter beobachtet. Allerdings ... Sie haben schon recht mit den weiteren Verdächtigen, wenn ich jetzt so darüber nachdenke, denn ich glaube, wenn Gerard gewusst hätte, wo Mona ist, nachdem sie ›verschwunden‹ war, dann hätte sie keine ruhige Minute mehr gehabt. Vor allem nicht, wenn er erfahren hätte, dass sie auswandern wollte. Er hätte alles getan, um sie davon abzuhalten. Das spricht wohl dafür, dass er es nicht gewusst hat. Und dann kann er auch nicht gewusst haben, dass sie in der Nacht in diesem Horrorhaus war.«

»Und Benni Koch? Könnte der das gewusst haben?«

Camille Roux zögerte eine Weile. Schließlich nickte sie langsam: »Vielleicht. Ja, es wäre möglich. Vielleicht hatte sie nach dem Telefonat, bei dem sie ihm gesagt hat, sie hätte genug von ihm, doch noch einmal mit ihm Kontakt.«

Eine Zeit lang war es still. Schließlich sagte die Schwester der Kamerafrau mit einem traurigen Lächeln: »Wissen Sie, viele Leute haben Mona für eingebildet oder biestig gehalten. Aber in Wirklichkeit war sie nur ein unsicheres kleines Mädchen. Sie hat gebellt und gebissen, weil sie Angst hatte, dass sie sonst selbst gebissen wird, verstehen Sie?« Tränen liefen nun ungehindert ihre Wangen hinunter. »Sie haben sich doch vorhin gewundert, warum Mona so hohe Schuhe anhatte. Das lag daran, dass sie bei ihrer Flucht vor Gerard nicht viele Kleider mitnehmen konnte. Die Turnschuhe, die sie dabeihatte, haben farblich nicht zu ihrem Blazer gepasst. Und sie hatte Angst, das hat sie mir gesagt, sie hatte wirklich Angst, dass ihr etwas passieren könnte und man ihre Leiche dann in hässlichen Kleidern finden würde.« Die Worte gingen in einem Schluchzen unter.

Suzanne stand auf und streichelte ihren Arm.

»Wissen Sie eigentlich, was mit Monas Funkgerät passiert ist?«, fragte Camille Roux, als sie sich wieder etwas beruhigt hatte.

»Was soll denn damit passiert sein?«

»Na, die Bullen haben mir gesagt, dass sie kein Funkgerät bei sich hatte. Aber wir hatten am Abend ja schon gefunkt, sie muss es also dabeigehabt haben. Wie hätte sie sich denn auch sonst bei mir melden sollen, wenn sie den Stoff geholt hätte?«

Suzanne schürzte die Lippen. Das war in der Tat merkwürdig. Möglicherweise hatte der Täter das Funkgerät mitgenommen. »Sie müssen auch das unbedingt der Polizei erzählen. Denn das verschwundene Funkgerät könnte ein weiterer Hinweis darauf sein, dass Ihre Schwester keinen Unfall hatte, sondern ermordet wurde.«

»Ich weiß.« Camille Roux sah zu Boden. »Ich hätte von Anfang an die Wahrheit sagen sollen. Aber ich hatte einfach Angst.«

»Und zeigen Sie Dr. Laurent an. Er hat Sie misshandelt.«

Camille Roux lachte nur bitter auf. »Vergessen Sie's. Es ist sinnlos. Nicht nur deswegen, weil der Typ wahrscheinlich sowieso bald in eine Südseeoase ausgewandert sein wird. Er hat da wohl irgendwo weit weg einen Unterschlupf, und Geld hat er auch schon auf die Seite geschafft.« Wenig später musste die Schwester der Kamerafrau zur Arbeit, und Suzanne sprach erst Paul eine Nachricht auf den AB, in der sie ihm von Winklers Alibi erzählte, dann schickte sie eine WhatsApp-Nachricht an Henry. Darin beschrieb sie alles, was sie gerade gehört hatte, um ihm noch mehr Hintergrundinformationen für sein Gespräch mit Benni Koch am Set zu geben. Schließlich fuhr sie nach Kehl, um sich Dr. Laurent noch einmal vorzunehmen. Sie würde allerdings nur dann versuchen, mit dem Zahnarzt zu sprechen, wenn er in der Praxis war. Vor seinen Angestellten würde er ihr bestimmt nichts tun, sollte er der Mörder sein. Sie wollte Laurent mit Camille Roux' Vorwürfen konfrontieren. Sie würde auch sein Alibi noch einmal genauestens überprüfen. Und danach würde sie zu Benni Koch nach Hause fahren und mit dessen Frau sprechen. Denn wenn der Hauptdarsteller wirklich mit Mona Laurent hatte weggehen wollen oder auch nur eine Affäre mit ihr gehabt hatte, dann hätte auch Benni Kochs Frau einen Grund gehabt, Mona Laurent umzubringen.

Kapitel 25

Am gleichen Morgen in aller Herrgottsfrühe, als Suzanne sich gerade aus dem Bett schälte, bereute Henry es dann doch ein bisschen, dass er zugesagt hatte, nochmal undercover bei den Dreharbeiten mitzuwirken. Vor allem deswegen, weil die Szene mit dem Eselkarren als Erstes in der Morgendämmerung gedreht werden sollte und er bei der Fahrt auch noch eine brennende Fackel in der Hand halten musste.

Das kurze Hochgefühl, das er verspürt hatte, weil er mit seinem Porsche zum Horrorhaus hatte fahren können, den er mit einem Teil des Geldes vom Death-Metal-Wettbewerb wieder aufgetankt hatte, war bereits gedämpft worden, als er in der Nähe des Parkplatzes Nikita erspäht hatte, die im Scheinwerferlicht an einem Heuballen nagte und schon wieder so aussah, als würde sie fies grinsen. Die unerträgliche Kälte, die er verspürte, als er erneut das Kostüm des namenlosen Müllers trug, und die Tatsache, dass es ihm noch nicht gelungen war, Benni Koch aufzuspüren, mit dem er vor dem Dreh eigentlich noch hatte sprechen wollen, taten ihr Übriges, und als er geschminkt war und seine Decke übergeworfen hatte, ging er ziemlich angespannt zum Cateringtisch, auf dem der Kaffee stand.

Wenig später rauschte Carlotta kopfschüttelnd ins Zelt. »Heute geht aber wirklich alles schief. Ich dachte, Petrow hätte schon lange geklärt, ob wir in das Horrorhaus überhaupt reindürfen«, sagte sie zu Henry und holte sich eine Tasse vom Cateringtisch. Als eine der Insassinnen des Siechenhauses trug sie einen löchrigen Nachthemd-Fetzen, den man vermutlich nur dann als Kleidungsstück ansehen konnte, wenn man früher Pornos gedreht hatte. Normalerweise hätte ihm eine wunderschöne, halbnackte, eingeölte und ziemlich nette Frau, die sich mit einem Kaffee an seinen Tisch stellte und ihn mit einem Küsschen begrüßte, bei der ihr beinahe die Brüste aus dem Nachthemd quollen, sicherlich verdammt gut gefallen. Aber heute konnte er das in Anbetracht der Umstände nicht so richtig genießen. Er würde gleich dran sein, und sein verdammter Auftritt würde eine Katastrophe werden, das sah er deutlich vor sich. Der Schauspieler, der den Jack Jackson spielte, hätte in so einer Situation bestimmt einen coolen Spruch abgelassen, sowas wie: »Wenn ich schon Scheiße bauen muss, dann bau ich wenigstens richtig gute Scheiße.« Aber er war eben leider nicht der Schauspieler, der den Jack Jackson spielte.

Henry ballte die Hand zur Faust und zog die Decke enger um seinen öligen Körper, während er so tat, als höre er zu, was Carlotta ihm über Method Acting erzählte. Ein Trick beim Boxen war es, sich auszumalen, was schlimmstenfalls bei einem Kampf passieren konnte, damit man erkannte, dass das in Wirklichkeit gar nicht so schlimm war und man die Angst davor verlor. Aber beim Boxen war der Worst Case ja auch nur, dass man halt verlor. Wenn man mal von den Fällen absah, dass einem dabei das Nasenbein in den Schädel gerammt wurde oder man an einer Gehirnblutung starb. Diese Fälle stellte man sich natürlich nicht vor. Nur die häufigsten Worst-Case-Szenarien. Henry schluckte. Was waren die häufigsten Worst-Case-Szenarien bei einer Fahrt auf einem Eselkarren? Man stürzte hinunter. Das hatte er beim letzten Mal ja bereits erlebt, und richtig schlimm war es nicht gewesen, er hatte nur eine kleine Schramme davongetragen.

Er versuchte, den Sturz zu visualisieren, um ihm den Schrecken zu nehmen. Keine Chance, weil ihm ständig der Gedanke dazwischenkam, dass diese verdammte Nikita mit ihm die Böschung zur Kinzig hinunterspringen und er ins eisige Wasser geschleudert werden würde, wobei er einen Herzstillstand … Er umklammerte seinen Becher und versuchte es mit der gegenteiligen Methode. Sich den Sieg vorstellen. Innere Mitte. Gelassenheit. Er würde strahlend mit dem Eselkarren zum Haus hinüber …

»Henry?« Emilies Stimme vom Eingang her riss ihn aus seinen

Gedanken, und auch ohne das eisige Wasser der Kinzig blieb sein Herz für eine Sekunde beinahe stehen. Oh Gott, jetzt ging es wirklich los.

»Wir proben das durch, solange es noch dunkel ist, damit wir in der Dämmerung dann bereit sind«, sagte sie gut gelaunt. »Carlotta, Jean-Eric soll dir noch ein paar Pestbeulen oder sowas aufs Gesicht schminken. Du siehst viel zu gesund aus. Und wo zur Hölle steckt Benni? Er hat mir vorgestern am Telefon geschworen, dass er heute pünktlich ist.«

Carlotta murmelte etwas und verschwand eilig aus dem Zelt. Henry folgte Emilie. Draußen war es kalt und feucht, und der dunkle Himmel sah aus, als würde er in nicht allzu ferner Zukunft seine Schleusen öffnen. Vielleicht würde bei einem Regenguss die Szene noch einmal verschoben werden? »Und er hätte die Gelegenheit, sich vorher Benni Koch noch einmal zur Brust zu nehmen und womöglich den Fall aufzu…«

»… lebensgefährlich. Daran musst du dich unbedingt halten«, sagte Emilie gerade beschwingt, während sie langsam zu Nikita hinübergingen.

Lebensgefährlich? Henry hatte überhaupt nicht zugehört. »Sorry«, sagte er unruhig. »An was muss ich mich halten?«

Emilie blieb stehen und sah ihn streng an. »Wo bist du mit deinen Gedanken? Die brennende Fackel darf auf gar keinen Fall in die Nähe von Nikita kommen«, erklärte sie. »Außerdem musst du sie so halten, dass der Rauch von ihr wegzieht. Ansonsten dreht das Tier durch. Ich bin ja absolut dagegen, bei diesem speziellen Esel mit offenem Feuer zu drehen, aber Petrow hat hier das Sagen, also …« Sie verzog schicksalsergeben das Gesicht und ging weiter.

»Was meinst du mit ›speziellem‹ Esel?«, fragte Henry ein bisschen zittrig.

»Ach, nichts«, sagte Emilie.

»Was meinst du damit?«, wiederholte er deutlich schärfer als geplant.

Sie schaute ihn prüfend an. Dann zuckte sie mit den Schultern.

»Na ja, Nikita ist ja öfter bei Drehs dabei, und ihre Tiertrainerin hat mir erzählt, dass sie ... Na ja, bei einem Dreh für einen Kinderfilm neulich sollte ein romantisches Lagerfeuer an einem See in der Nähe einer alten Scheune brennen. Badevergnügen, Grillwürstchen und Gitarren und so. Aber der Pyrotechniker hat sich einen dummen Spaß erlaubt, und irgendwas ist schiefgegangen. Jedenfalls ist nicht nur das Feuerholz, sondern auch noch die halbe Kulisse mit abgefackelt. Und da ist Nikita durchgedreht, die ganz in der Nähe des Feuers auf einer kleinen Weide stand. Sie hat gebockt und ausgeschlagen und ... na ja, es wirkte auf einige Kinder wohl so, als habe sie ganz bewusst versucht, besagten Pyrotechniker totzutreten, der von der Weide aus mitgeholfen hat, das Feuer zu löschen. Aber ganz ehrlich, das ist totaler Unsinn, sowas macht ein Tier ja nicht absichtlich. Die Eselin war einfach völlig panisch, und es war Zufall, dass ihr Verhalten strategisch gewirkt hat. Der Techniker konnte sich schließlich ja auch mit einem Hechtsprung über den Lattenzaun retten und hat sich nur ein paar Huftritte eingefangen und den Fuß und vier Rippen gebrochen. Und das Feuer war kurz darauf auch gelöscht. Also alles halb so tragisch.«

»Das ist wirklich tröstlich«, brachte Henry heraus, der mittlerweile trotz der Kälte schweißgebadet war. Sie waren bei der Eselin angekommen, die immer noch ungerührt Heu fraß.

»Seither hat Nikita ein kleines Trauma. Bei Feuer, meine ich«, fuhr Emilie fort.

»Das mit der Fackel müssen wir dann lassen«, stieß Henry hervor und zwang sich, Nikita zu tätscheln, die mit dem Kopf unsanft seine Hand wegschlug. »Ich meine, ich werde doch nicht einen armen Esel mit einer Fackel verängstigen.« Und er selbst würde es auch nicht durchstehen, wenn dieses Tier – strategisch oder nicht – versuchte, ihn totzutreten, aber das nur am Rande.

»Das ist echt süß von dir«, sagte Emilie. »Aber wie gesagt, Petrow hat hier das Sagen. Und bei sowas kennt der nichts. Halt die Fackel eben weit weg von ihr und nimm dich in Acht, dass sie nicht durchgeht, beißt oder ausschlägt. Ich meine, es ist ja gut, wenn sie wieder lernt, mit Feuer zu arbeiten.«

Wenn sie wieder lernt, mit Feuer zu arbeiten. Verdammt. Henry hatte plötzlich das glasklare Bild vor Augen, wie er versehentlich die Fackel senkte, den verdammten Karren in Flammen setzte und in einem brennenden Inferno mit einer vor Angst wild gewordenen Nikita durch die Gegend raste und auf der Landstraße drüben mit einem Laster kollidierte. Seine Eltern würden nur noch einen Sack mit seinen abgetrennten, verkohlten Körperteilen beerdigen können, gemischt mit denen des Esels vermutlich. Was für eine Inschrift würde da auf seinem Grabstein …? Er schluckte panisch.

Emilie schirrte Nikita an, die weiterfraß und nur gelegentlich zuckte, als wolle sie das lästige Geschirr abschütteln.

»Wo ist denn die Tiertrainerin?«, fragte Henry aufgewühlt. Vielleicht konnte man den Regisseur mit ihrer Hilfe zur Raison bringen.

»Im Krankenhaus«, sagte Emilie kopfschüttelnd. »Anscheinend hat Nikita sie gestern so heftig in die Hand gebissen, dass sie beinahe einen Finger verloren hat. Nur weil sie dem Tier keine Leckerlis mehr geben wollte. Wenn du mich fragst, ist das vorgeschoben, und die Frau hatte einfach keinen Bock, bei dem Wetter den ganzen Tag hier draußen zu arbeiten. Verständlich, es ist ja auch saukalt. Und dazu Eisregen angesagt.« Sie zog ihre dicke Daunenjacke enger um sich, dann zurrte sie die letzten Gurte fest. »So, der Karren ist angeschirrt. Streng dich bitte an. Ich habe ehrlich gesagt auch keine Lust, hier länger als nötig in der Kälte abzuhängen. Franziska?!«, rief sie Richtung Haus hinüber. »Bringst du bitte mal eine von den Fackeln rüber und den Anzünder? Und ist Benni endlich eingetroffen?«

Es brauchte drei Crewmitglieder, um die tänzelnde und bockende Nikita festzuhalten, nachdem die Fackel angezündet worden war. Sie schrie, verdrehte die Augen, trat um sich und war ganz verschwitzt, und plötzlich tat sie Henry richtig leid. Ihr ging es offensichtlich noch viel schlechter als ihm. »Wir können das wirklich nicht machen!«, rief er, diesmal eher verärgert als verängstigt. »Das ist Tierquälerei! Ich kann genauso gut ohne Fackel fahren.«

Petrow war zunächst skeptisch, aber schließlich lenkte er ein, da vermutlich auch er erkannte, dass der Eselkarren mit einer so panischen Nikita niemals sicher beim Horrorhaus ankommen würde, und wäre die Fahrt noch so kurz. Es dauerte eine Weile, ehe Nikita sich wieder beruhigt hatte und anfing, erneut Heu zu kauen.

Mittlerweile stand die Morgendämmerung kurz bevor und damit der kleine Slot, in dem die Szene gedreht werden konnte. Zeit zum Üben war nun keine mehr, aber das spielte sowieso keine Rolle. Egal, wie oft er das übte, er würde die Fahrt niemals so hinbekommen, dass man sie in einem Film verwenden konnte, dachte Henry.

Kameraleute, Regisseur, die anderen Schauspieler und weitere Crewmitglieder kamen nun alle hinüber zu der Wiese, auf der Nikita und er standen, Nikita fressend, er jämmerlich frierend und verdammt angespannt. Schließlich bestimmte Petrow in harschem Ton, dass sie nun beginnen würden, und Henry ging so aufrecht und cool es ging hinüber zum Eselkarren. Innere Mitte.

Am Himmel hingen pechschwarze Wolken. Dann setzte der Eisregen mit einem Schlag ein. Henrys Decke war nach wenigen Sekunden durchweicht, und die Zügel, die Emilie ihm jetzt in die Hand drückte, waren feucht und glitschig. Er wickelte sie sich mehrmals um die Hände, damit sie ihm ja nicht entglitten. Der Esel hatte aufgehört zu fressen und starrte mit großen, angsterfüllten Augen Richtung Himmel, während der Eisregen immer stärker wurde. Henry warf seine Decke ab und streifte die Turnschuhe von den Füßen, die von Crewmitgliedern sofort aus dem Bild getragen wurden. Die Eiskristalle trafen ihn wie kalte Nadeln auf der nackten Haut, aber er fühlte das wie durch Watte, weil er viel zu aufgeregt war.

Scheinwerfer und Kameras gingen an, die Klappe ertönte, der

Regisseur schrie etwas. Mit letzter Kraft trat Henry zu Nikita. Aus den Wolken grollte Donner. Hoffentlich hatte das Vieh nicht auch von Eisregen und Wintergewittern ein Trauma. Er sprach so ruhig er konnte auf den Esel ein, wollte ihm gerade die Zügel über den Rücken legen und dann um den Karren herumgehen und aufsteigen, als ein Blitz über den schwarzen Himmel zuckte und Nikita losgaloppierte.

Henry, die Zügel fest um die Hände geschlungen und damit Nikitas Gefangener, reagierte instinktiv. Er rannte los, bekam die struppige Mähne gerade noch zu fassen und, um nicht unter den Karren zu kommen, der krachend hinter dem Tier herfuhr, oder zu Tode geschleift zu werden, sprang er und zog sich auf den Rücken des Esels. Das hatte er mal bei Jack Jackson gesehen.

Er klammerte sich mit beiden Händen in der Mähne fest, während Nikita auf das Horrorhaus zuraste. Eisregen peitschte ihm ins Gesicht. Ein weiterer Blitz erhellte das Szenario. Henry versuchte verzweifelt, sich auf dem Rücken zu halten und gleichzeitig an den Zügeln zu ziehen, um Nikita zu stoppen, wie Emilie ihm das erklärt hatte. Kurz vor dem Eingang des Horrorhauses gelang es ihm. Nikita hielt so abrupt an, dass Henry nach vorne geschleudert wurde und mit dem Kopf voraus über den Hals des Esels rutschte. Er zog die Arme hoch, rollte sich seitlich ab und kam einen Moment später vor Nikita wieder zum Stehen. Keuchend holte er Luft. Ein- und ausatmen, innere Mitte. Er war so fertig, dass er sich mit einer Hand auf dem Rücken des Tiers abstützen musste. Auch der Esel bebte, machte aber keinen Schritt weiter. Eisregen trommelte auf sie beide herab. Mit seiner anderen halb erfrorenen Hand tätschelte Henry beruhigend Nikitas Hals.

Mittlerweile war der Rest der Truppe bei ihnen angelangt, was Nikita dazu brachte, wieder nervös zu tänzeln. Ein weiterer Blitz erhellte den Himmel, Scheinwerfer gingen an und aus, und die Eselin zuckte zusammen. Henry wickelte sich als Erstes ganz schnell die Zügel von den Händen, dann strich er erneut über den bebenden Eselkörper. Das arme Tier. Wut flammte in ihm auf. Er mochte zwar keine Tiere, aber dass sie gequält wurden, das war ja nun wirklich nicht notwendig. Und dass zwei der Crewmitglieder jetzt so grinsten, wahrscheinlich über seinen Ritt, das war auch mies. Er hatte genug von diesem verdammten Schwachsinn hier. Er war ein Detektiv und kein verdammter Schauspieler. Abgesehen davon war der Mörder bestimmt Winkler gewesen, der Fall also sowieso schon lange gelöst. Was, verdammt nochmal, tat er überhaupt noch hier?

Der Regisseur, der ein großes schwarzes Regencape trug und ein bisschen wie der kleine, klatschnasse Bruder von Darth Vader aussah, stürmte direkt auf ihn zu. Henry sah der Standpauke mittlerweile gelassen entgegen, als Petrow ihm beide Hände auf die Schultern legte, wobei er sich ein wenig nach oben strecken musste. »Ganz großes Kino«, sagte der Regisseur voller Bewunderung. »Gran-di-os! Diesen Take können wir *genau so* verwenden. Du hast die Stimmung der Szene *absolut* perfekt erfasst! *Brillant*! Nur das Absteigen war mir zu übertrieben, aber das schneiden wir nachher raus. Wieso ist keiner von euch anderen auf die Idee gekommen, dass der Müller im Galopp zur Mühle *reitet*? Das trifft den Charakter der Figur viel besser als diese Fahrt wie ein Ben Hur. *Viel* besser.« Kopfschüttelnd stapfte er ein Stück zur Seite.

Es dauerte eine Weile, bis die Erkenntnis, dass es vorbei war, dass er es geschafft hatte, gleich beim ersten Mal, und dass sein Auftritt anscheinend »ganz großes Kino« gewesen war, zu dem völlig überraschten Henry vordrang. »Finde ich auch, im Galopp reiten passt viel besser zu der Figur«, murmelte er, als er seine Sprache wiedergefunden hatte. Er musste plötzlich grinsen, konnte gar nicht mehr damit aufhören.

Irgendjemand legte ihm eine Decke und ein Regencape über, aber er fror im Moment überhaupt nicht. Auch seine Schuhe standen plötzlich wieder neben seinen Füßen, und er schlüpfte hinein, noch gar nicht ganz da vor lauter Adrenalin. Der Eisregen spritzte durch die Luft. Der Rest des Filmteams war schon zum Cateringzelt gestürmt. Henry sah aus den Augenwinkeln, wie Nikita zu einem kleinen Unterstand geführt und mit einem provisorischen Regenüberwurf bedeckt wurde. Sie sah alles andere als zufrieden aus und scharrte ständig mit den Hufen und warf den Kopf hin und her. Ein älterer Herr hielt sie nun an den Zügeln fest. Manchmal schnappte sie nach seiner Hand, und als er die Zügel deshalb fallen ließ, trat sie ein paar Schritte zur Seite und bediente sich routiniert und schnell an einem Säckchen, in dem sich wohl Leckerlis befanden.

Als Henry an ihr vorbeiging, sah sie ihn mit einem derart misstrauischen Blick an, dass er beinahe losgelacht hätte, hätte sie ihm nicht leidgetan. War kein einfacher Job beim Film, und die Arme musste das ihr ganzes Leben lang machen, ungefragt und ohne Aussicht auf Bewährung.

Er lief nun auch Richtung Cateringzelt, in dem es warm und ziemlich voll war. Mit einigen Taschentüchern, die eine mit entzündeten, öligen Pestbeulen übersäte Carlotta aus ihrer Handtasche gezaubert hatte, trocknete er sich notdürftig die Haare ab. Seine zerlumpte Müllerkluft klebte ihm tropfend am Körper, Öl und Schminke flossen in grauen Bächen über seine Arme und Beine. Er war so voll mit Adrenalin, dass er das Gefühl hatte zu explodieren.

»Ich wusste, dass du dieses Stümperhafte beim Schauspieltraining nur gespielt hast«, lächelte Carlotta. »Das war ein richtig guter Ritt, ganz ehrlich. Die Szene ist mir echt ans Herz gegangen, Silberfischchen.«

Mir auch, dachte Henry für eine Sekunde grimmig, aber anders, als du denkst. »Danke«, sagte er und holte sich einen heißen Tee.

Dann ging es erst einmal nicht mehr weiter. Sie mussten lange warten, da das Haus von der Polizei offenbar doch noch nicht freigegeben worden war. Der Anwalt der Produktionsfirma hatte dringend geraten, sich nicht einfach über die Versiegelung hinwegzusetzen, und Petrow hatte offensichtlich noch niemand Zuständiges erreicht, der ihm sagen konnte, ob sie nun hineindurften oder nicht. Abgesehen davon war Benni Koch nach wie vor nicht aufgetaucht, und ohne ihn konnten die nächsten Szenen sowieso nicht gedreht werden. Henry vermutete insgeheim, dass Koch immer noch sauer war wegen des Schauspieltrainings. Er hatte sich sowieso so angehört, als verachte er die Dreharbeiten an »Dunkle Gemäuer«.

Von draußen hörte man immer wieder Petrows Stimme. Der Regisseur wurde teilweise so laut bei seinen Telefonaten, dass man Sätze wie »Das gibt es doch gar nicht! Mir wurde *versprochen*, dass ich heute weiterdrehen ... Ja, *bitte*, fragen Sie doch Ihre Chefin« und »Was soll das heißen, Sie wissen nicht, wo Benni steckt?« bis ins Cateringzelt hören konnte. Henry verspürte zwar ein bisschen Mitleid mit Petrow, aber ihm selbst war es recht, dass die Dreharbeiten stockten. Er unterhielt sich angeregt mit Carlotta und einigen anderen Schauspielern über »frühere Filmjobs«, bei deren Erfindung er großzügig Anleihen aus der Biografie des Schauspielers, der den Jack Jackson spielte, nahm. Auch der neue Kameramann erzählte von einigen früheren Filmaufnahmen. Außerdem schien er sich große Sorgen um einen defekten Scheinwerfer, seine Ideen zu den einzelnen Kameraeinstellungen und Petrows Reaktion darauf zu machen.

Gegen halb zehn wollte Henry sich gerade einen neuen heißen Tee holen, als ihm von hinten jemand auf die Schulter tippte. Er drehte sich um. Es war Petrow, er hatte Schweißperlen auf dem Gesicht, vielleicht war es auch Regen. »Könnten Sie mal kurz mitkommen?«, fragte der Regisseur leise. Da er ihn wieder siezte, war Henry sofort klar, dass das Ganze nichts mit seiner Tätigkeit als Schauspieler zu tun hatte. Gemeinsam gingen sie nach draußen und zum Horrorhaus hinüber.

»Benni ist immer noch nicht aufgetaucht, und ich kann ihn auch nicht erreichen«, sagte Petrow. »Aber seine Frau habe ich jetzt endlich gesprochen. Die hat anscheinend bei einer Freundin übernachtet und ist erst gerade eben nach Hause zurückgekommen. Sie hat erzählt, sie habe ihn vorgestern Abend das letzte Mal gesehen. Er sei weggefahren und die Nacht über nicht mehr zurückgekommen. Daraufhin ist sie zu der Freundin gegangen, weil sie so sauer auf ihn war. Sie meinte, es sähe so aus, als sei er auch in der gestrigen Nacht nicht daheim gewesen. Niemand weiß anscheinend, wo er steckt.«

Mit unruhigen Händen zog Petrow das Polizeiklebeband, das über dem Türschloss klebte, ab. »Ich … Es ist vollkommener Unsinn, die Staatsanwaltschaft meinte ja, der Fall sei so gut wie geklärt, aber würden Sie …? Sie waren doch mal Polizist, nicht wahr? Würden Sie mit ins Haus kommen? Nur um sicherzugehen. Ich habe gerade erfahren, dass wir reindürfen. Natürlich teile ich die Ansicht der Ermittlungsbehörden, dass Winkler Monas Mörder ist. Aber falls das doch nicht stimmt …« Er brach ab. »Ich habe die absurde Befürchtung, dass Benni mit gebrochenem Genick irgendwo da liegt. Dass Hildebrandt … Es mag irrational sein, aber mir verschwinden einfach zu viele Leute in diesem Fall.« Er schloss die Tür auf.

Henry nickte, er konnte Petrow fast verstehen. Im Innern drückte er den Lichtschalter, aber nichts geschah.

»Diese unsäglichen Sicherungen«, knurrte der Regisseur und öffnete routiniert einen Sicherungskasten direkt am Eingang. »Ständig haut es die Dinger raus. Deshalb holen wir den Strom für die Dreharbeiten auch meistens vom Generator. Ein oder zwei Scheinwerfer sind kein Problem, aber sobald es mehr werden … Und an manchen Tagen genügt es, wenn man nur das Licht im Flur anschaltet …«

Sie machten einen Rundgang. Es war ungewöhnlich kalt im Haus und zog, als sei ein Fenster offen. Zunächst gingen sie ins Obergeschoss, dann ins Untergeschoss, wo in einem Raum tatsächlich eines der Fenster nicht richtig geschlossen war, was Henry verdammt auffällig fand. Zum Schluss ging es in den Keller.

Die Kellertür war nur angelehnt. Petrow atmete keuchend, als sie gemeinsam hinunterstiegen. Bereits von der Kellertreppe aus sah Henry, dass die Falltür zum Loch sperrangelweit offen stand. Kabel führten durch die Öffnung hinunter. Offenbar hatte sich die Polizei die Scheinwerfer ausgeliehen, um gutes Licht für ihre Ermittlungen zu haben.

Der Regisseur ließ Henry den Vortritt, und der ging widerwillig zum Einstieg. Langsam fing auch er an zu glauben, dass hier etwas nicht stimmte. Es war nur so ein Gefühl, aber es genügte, dass er eine Gänsehaut bekam.

Aus dem Loch kam ihm kühle, modrige Luft entgegen. Ein Seil war um eine der obersten Stiegen geschlungen und verknotet. Er schaltete das Licht an. Sah hinunter und zuckte zusammen: An dem Seil direkt neben der Treppe baumelte mit einer Schlinge um den Hals und umringt von ausgeschalteten Scheinwerfern und anderem Filmzubehör Benni Koch. Unter ihm lag ein weißer Umschlag, vielleicht ein Abschiedsbrief. Hatte sich der Schauspieler etwa von der Treppe in die Tiefe gestürzt?

Obwohl Benni ziemlich tot aussah, kletterten Henry und der panisch vor sich hin murmelnde Regisseur so schnell sie konnten ins Loch hinunter. Fluchend schoben sie ein paar der Scheinwerfer beiseite und rückten die Schlachtbank unter den erhängten Hauptdarsteller. Henry prüfte, ob die Schlachtbank ihn aushielt, dann kletterte er darauf und schnitt mit einem Messer, das Petrow ihm in die Hand drückte, das Seil ab. Mit Petrows Hilfe wuchtete er Koch auf den Boden. Dessen Körper war ziemlich steif, und die Hände sahen rot-lila aus, wie Henry jetzt erkannte. Das konnten Totenflecken sein. Gut möglich, dass der Schauspieler schon eine Weile tot war. Aber da Henry nicht sicher war, löste er die Schlinge vom Hals und suchte nach einem Puls, während der Regisseur nach oben rannte, um Hilfe zu holen.

Kapitel 26

Kurz bevor Henry mit Petrow das Horrorhaus betrat, parkte Suzanne in Kehl vor der Zahnarztpraxis von Dr. Laurent. Sie hatte sich unter einem falschen Namen einen Notfalltermin geben lassen, um sicherzugehen, dass der Arzt wirklich da war. Als sie am Empfangstresen ihre wahre Identität preisgab, sorgte das für eine kurze Aufregung, aber eine Minute später stolzierte ein gelassen wirkender Dr. Laurent in den Empfangsbereich. Als er sie sah, zog er mit einer genervten Bewegung die Augenbrauen hoch. »Was wollen Sie schon wieder?«, fragte er.

»Kurz mit Ihnen sprechen«, sagte sie in der Erwartung, der Arzt werde sie sofort aus der Praxis werfen. Aber der wies mit einer müden Bewegung seiner rechten Hand in Richtung seines Büros. Was bewog Laurent, plötzlich wieder halbwegs höflich zu ihr zu sein? Befürchtete er, sie würde ihm vor seinen Angestellten eine Szene machen?

Nachdem sie sich gesetzt hatten, holte Laurent einen der Drähte aus dem Schälchen und drehte ihn zwischen seinen Fingern. »Ich gewähre Ihnen drei Fragen. Weil ich ein netter Mensch bin.«

»Wurden Sie nach dem Verschwinden Ihrer Frau aufgefordert, Lösegeld zu bezahlen?«, fragte Suzanne und beobachtete den Mann genau.

Zum ersten Mal sah sie so etwas wie Beunruhigung in den Augen des Zahnarztes. Dann schüttelte er den Kopf, während er den Draht in seiner Hand zu einem kleinen Knoten verdrehte.

»Wo waren Sie in der Nacht, als Ihre Frau gestorben ist?«

»Zu Hause.«

»Benni Koch«, machte Suzanne weiter. »Ihre Frau wollte mit ihm abhauen, und ich bin mir sicher, dass Sie das gewusst …«

»Wie kommen Sie auf so einen Schwachsinn?« Er warf den

Knoten in die Schüssel, wo ein ganzer Haufen anderer Knoten lag. Seine offensichtlich aufgesetzte Gelassenheit war mit einem Schlag verschwunden. »Der Typ war ein aufgeblasener, kleiner Gauner. Meine Frau hätte sich niemals mit so einem abgegeben. Sie hatte Klasse. Ein Bombenweib. Abgesehen davon hätte sie mich nie betrogen.«

»Was meinen Sie mit ›Gauner‹?«, fragte sie.

Dr. Laurent sah plötzlich aus, als wolle er sie ohrfeigen. »Damit meine ich, dass er ein Widerling war«, sagte er dann. »Und jetzt gehen Sie bitte und kommen niemals wieder. Und das meine ich ernst. Ansonsten kann ich für nichts garantieren. Ich lasse mir von Ihnen nicht mein Leben zerstören. Ich habe mit dem Tod meiner Frau nichts zu tun. Und mit dem ...«

Er schien noch etwas hinzufügen zu wollen, brach aber plötzlich ab, griff erneut nach einem der kurzen Drähte und drehte ihn zu einem Knoten. »Ich habe von Bekannten aus Neuried erfahren, dass Sie beruflich zu gefährlichen Aktionen neigen«, fügte er leise hinzu und entblößte sein strahlend weißes Gebiss zu einem bösartigen Lächeln, das beinahe belustigt wirkte. »Manchmal gehen solche Aktionen schief ... Ich bin eine Nummer zu groß für Sie. Also lassen Sie mich einfach in Ruhe. Das wollte ich Ihnen noch mit auf den Weg geben. Nur deshalb habe ich Sie hier reingelassen.«

Suzanne zuckte scheinbar ungerührt mit den Schultern und verließ mit gemessenen Schritten den Raum und die Praxis. Der Typ hatte sie eindeutig bedroht! Draußen rief sie als Erstes wutentbrannt Paul an. Wenn er wirklich alle Menschen gleich behandelte, dann war er genau der richtige Mann, um gegen einen Zahnarzt mit einem sicherlich teuren Verteidiger vorzugehen. Wieder ging nur der AB dran. Sie sagte: »Ich würde Dr. Laurent gerne anzeigen. Er hat mich gerade bedroht. Falls ich also in nächster Zeit einen Unfall erleiden sollte ...«

Direkt im Anschluss stapfte Suzanne noch einmal zu Dr. Laurents Nachbarn. Nur der ältere Herr war zu Hause. Er wirkte fast so, als habe er Angst. Auf ihre Frage nach Dr. Laurents Alibi brachte er nur: »Ja, ja, er war die ganze Nacht daheim, das habe ich der Polizei schon gesagt, das stimmt« heraus und schlug ihr die Tür vor der Nase zu.

Bevor sie mit der Frau von Benni Koch sprechen konnte, musste sie noch einmal ins Büro zu einer Besprechung. Auf der Fahrt nach Offenburg ließ sie das Gespräch mit dem sehr angespannten Nachbarn, mit Camille Roux und Gerard Laurent noch einmal Revue passieren. Ihr Gefühl, dass sie bei den bisherigen Ermittlungen etwas übersehen hatte, wurde immer stärker, je länger sie nachdachte. Irgendetwas stimmte hier nicht. Und dieses Etwas war etwas vollkommen Offensichtliches. Hing es mit der Lösegeldgeschichte zusammen? Denn sie war sicher, dass Laurent die Sache beunruhigt hatte. Oder hatte die Schwester der Kamerafrau etwas gesagt, das ihre Gedanken so beschäftigte? Sie kam nicht darauf. Sie kam einfach nicht darauf. Es war wie verhext.

Um kurz vor zwölf rief ein ziemlich fertig klingender Henry sie in der Detektei an und erzählte ihr mitten in ihrem Termin mit einem Klienten von Benni Kochs Tod.

Sie war schockiert.

»Ich habe gerade lange mit Paul gesprochen«, führte er weiter aus. »Damit ich ihm genau berichten kann, wie ich die Leiche gefunden habe. Denn ich war mir nicht sicher, ob Benni wirklich tot ist, und habe ihn runtergeholt.« Ein Schlucken war zu hören. »Jedenfalls gab es einen langen, getippten Abschiedsbrief, in dem Benni den Mord an Mona Laurent gesteht. Dem Brief zufolge war sie ein ›Bombenweib‹, und er muss ›wahnsinnig in sie verknallt‹ gewesen sein. Sie aber wollte wohl ›unbedingt‹ zu ihrem Mann zurück, dem ›einzigen Mann, den sie je geliebt habe‹ einem ›bewunderten und angesehenen Zahnarzt und perfekten Ehemann‹. Anscheinend hat sie sich mit Benni im Horrorhaus getroffen, um ihm das zu sagen. Benni wollte jedoch Sex mit ihr, aber sie hat ihn wohl angespuckt und gesagt, sie würde ihren Mann niemals betrügen, schon gar nicht mit ›so einem kranken Hirn, das auf einer antiken Schlachtbank Sex haben will‹. Da sei er durchgedreht. In dem Brief steht dann nur noch, dass er sie die Treppe hinuntergestoßen hat, dass er sie nicht töten wollte und dass es ein Unfall war. Und jetzt habe es ihn wieder dorthin gezogen, weil er mit seiner Schuld nicht leben könne.«

»Glaubst du das?«, fragte Suzanne. »Ich habe vorhin mit Mona Laurents Schwester gesprochen, und die hat mir was vollkommen anderes erzählt. Sie meinte, Mona wollte ihren Mann unbedingt verlassen.« Sie gab Henry eine kurze Zusammenfassung.

»Paul hat mir den Brief gezeigt, und ehrlich gesagt fanden wir ihn auch nicht überzeugend. Ich hatte nicht das Gefühl, dass Benni Koch ›wahnsinnig‹ in Mona Laurent verliebt war. Er mochte sie, das denke ich schon, aber ›wahnsinnig verknallt‹? Und warum hätte er den Zahnarzt in diesem Brief so positiv beschreiben sollen? Aber das ist natürlich nur so ein Gefühl. Die Spurenanalyse kann da sicherlich Licht ins Dunkel bringen.« Er räusperte sich. »Mir reicht es jedenfalls, was diese Dreharbeiten angeht, das sage ich dir ehrlich! Ich warte hier im Horrorhaus jetzt noch darauf, bis ich mit Emil sprechen kann, der auch genau wissen will, wie die Leiche gehangen hat und so. Aber dann mache ich mich vom Acker. Meine falsche Identität als Schauspieler dürfte wohl aufgeflogen sein. Ich glaube eh nicht, dass die verdammten Arbeiten an diesem Film überhaupt weitergehen. Die Dreharbeiten scheinen tatsächlich verflucht zu sein. Hast du noch was rausgefunden?«

»Ich war vorhin bei Dr. Laurent«, setzte Suzanne an.

»Ganz alleine? Das war ziemlich riskant.«

»Nur in der Praxis. Ich …«

»Warte mal einen Moment.« Im Hintergrund waren Geräusche zu hören, dann erkannte sie Emils Stimme. Henry sagte kurz darauf: »Bis später, ich melde mich wieder.« Und das Telefongespräch brach ab.

Nachdem ihre Klientenbesprechung beendet war, ging Suzanne in ihrem Büro auf und ab. Um ihr Gehirn ein wenig zu lüften, öffnete sie das Fenster, obwohl es ein scheußlicher, verregneter Tag war. Von draußen drangen die Stimmen eines laut diskutierenden Pärchens herein. »Die hawwe noch ebbes in peddo«, sagte der Mann gerade. Und die Frau antwortete: »Dir hennse ins Hirn gschisse. Dodemit kansch me jage.«

Suzanne versuchte, sich auf den Fall zu konzentrieren. Benni Koch. Tot. Der Mann, der vermutlich mit der Kamerafrau einen Plan ausgeheckt hatte, um Dr. Laurent reinzulegen. Der möglicherweise doch noch versucht hatte, Lösegeld zu fordern und mit der Kamerafrau abzuhauen, falls diese sich im letzten Moment doch gegen ihre Schwester entschieden haben sollte. War es möglich, dass er sich wirklich selbst getötet hatte?

Oder sprach das Ganze nicht viel eher dafür, dass der Zahnarzt doch ein Mörder war? Denn der Alibizeuge hatte auf sie einen merkwürdigen Eindruck gemacht. Vielleicht setzte Laurent ihn unter Druck? Sie runzelte die Stirn und musste wieder an ihren kurzen Besuch in der Praxis denken. Vielleicht war es aber auch einfach so, dass sie Laurent nicht leiden konnte und daher unterbewusst nur die Dinge sehen wollte, die ihn belasteten und …?

Sie unterbrach ruckartig ihre Wanderung durchs Zimmer. *Bombenweib.* Die gleiche ungewöhnliche Formulierung, die Koch in seinem Abschiedsbrief verwendet hatte, hatte auch der Zahnarzt vorhin benutzt. Konnte das etwas bedeuten? Oder hing das nur damit zusammen, dass beide Männer Mona Laurent gut gekannt hatten? Sie runzelte die Stirn. Und da war noch etwas: Sie war gegen kurz nach neun bei Laurent gewesen und hatte ihn nach Benni Koch gefragt. Und Laurent hatte ihr geantwortet: »Der Typ *war* ein aufgeblasener, kleiner Gauner.« Er *war* ein Gauner, nicht, er *ist* ein Gauner.

Ihr Atem ging schneller. Henry hatte die Leiche erst gegen halb zehn gefunden. Daher konnte Laurent zum Zeitpunkt ihres Besuchs noch gar nicht gewusst haben, dass Benni Koch tot war. Es sei denn, er war der Täter. Oder, so dachte sie ein wenig ernüchtert, er hatte die Vergangenheitsform nur deswegen gewählt, weil er über das alte Leben seiner verstorbenen Frau berichtet hatte. Wie auch immer, sie würde da dranbleiben.

Allerdings gab es durchaus noch eine andere Spur. Benni Koch hatte wohl zum Beispiel bei den falschen Leuten Schulden gehabt. Auch das war etwas, dem man nachgehen musste, auch wenn sie eigentlich sicher war, dass der Tod von Mona Laurent und Benni Koch irgendwie zusammenhingen. Und dass beide im Loch im Horrorhaus gestorben waren, konnte eigentlich auch kein Zufall sein. Wer kam sonst noch als Täter in Betracht?

Und trotz allem durfte man auch einen Selbstmord nicht kategorisch ausschließen. Sie trommelte mit den Fingern aufs Fensterbrett.

Eine Stunde später parkte sie vor einem hübschen Mehrfamilienhaus in Rastatt. Sie klingelte bei *Sarah und Benni Koch*, und nach ein paar Sekunden ertönte der Türsummer. Während sie die Treppen in den obersten Stock hochstieg, hoffte sie, dass sie nicht mitten in eine polizeiliche Vernehmung platzen würde, sondern die Beamten bereits fortgegangen waren. Nachdem sie im obersten Flur an einigen Wohnungstüren mit bunt geschmückten Tannenkränzen vorbeigegangen war, traf sie auf eine Frau, die zusammengesunken und allein im Türrahmen saß.

Möglicherweise war die Erkenntnis, dass ihr Ehemann tot war, noch nicht ganz zu ihr durchgedrungen, denn Sarah Koch wirkte trotz allem gefasst, als sie langsam aufstand und Suzanne mit den Worten: »Ich habe später noch eine weitere Besprechung mit der Polizei, aber kurz kann ich mit Ihnen reden« in eine aufgeräumte, helle Wohnung bat, die liebevoll mit bunten Möbeln eingerichtet war. »Kann ich Ihnen einen Kaffee anbieten?«

Suzanne verneinte. Sie ließen sich in sonnengelben Sesseln nieder, die im Halbkreis um einen Glastisch mit einem großen Trockenblumenstrauß standen. Benni Kochs Frau lehnte sich zurück, als sei das hier ein netter Kaffeeklatsch. Auch sie, so ging es Suzanne erneut durch den Kopf, hätte ein Motiv gehabt, die

Kamerafrau und den Schauspieler zu töten. Sie musste in jedem Fall wachsam sein.

Schnell stellte sich aber heraus, dass Sarah Koch jedenfalls für Benni Kochs Tod ein Alibi zu haben schien, sie hatte die Nacht im Gästezimmer einer guten Freundin in Basel verbracht. Man musste das nachprüfen, aber die Frau wirkte ehrlich. Suzanne versuchte, so schnell wie möglich mit ihren Fragen wieder fertig zu werden, um sie bald in Ruhe trauern lassen zu können. »Wissen Sie, ob Ihr Mann in der letzten Zeit über Selbstmord nachgedacht hat?«, fragte sie.

»Er war definitiv ein empfindsamer Charakter, aber er stand dem Leben immer positiv gegenüber«, antwortete die Frau mit einer leicht schleppenden Stimme. »Zur letzten Zeit kann ich leider kaum etwas sagen. Wir haben nur wenig miteinander gesprochen, und wenn, haben wir gestritten.« Kurz schwieg sie. »Ich glaube definitiv nicht an Selbstmord«, meinte sie dann. »So war Benni nicht.«

»Warum hatten Sie Streit?«

»Wir hatten immer Hochs und Tiefs, und das war einfach ein Tief. Wir konnten nicht miteinander, aber ohne konnten wir definitiv auch nicht.« Sie hatte plötzlich Tränen in den Augen.

Suzanne beugte sich ein wenig hinüber und streichelte tröstend über den Arm der Frau. »Hatte Ihr Mann Feinde?«, fragte sie nach einer Weile.

»Keine Ahnung. Vielleicht Schauspielerkollegen, denen er eine lukrative Rolle weggeschnappt hatte oder so? Aber definitiv niemanden, der ihn aufgeknüpft hätte.« Ihre Stimme brach kurz weg, dann fing sie sich wieder. »Was er allerdings mit Sicherheit hatte, waren einige Freundinnen. Bei denen würde ich mich definitiv mal umhören. Ich … ich frage mich manchmal, warum ich das so lange mitgemacht habe. Ich wusste es, aber ich habe immer gehofft, dass es eines Tages aufhört und Benni erkennt, dass er nur mich liebt, dass ich die Frau seines Lebens bin.« Sie schaute auf den Boden. »Es gab da zwei Schauspielerinnen, eine hieß Charlotte oder Carlotta oder so, die kennt er wohl schon länger. Er hat mir gegenüber mal angedeutet, sie würde ihn stalken und er habe mit ihr sprechen müssen. Aber wahrscheinlich war das nur eine dumme Ausrede für mich wegen des Strafzettels, den er neulich in ihrer Straße bekommen hat. Die andere … keine Ahnung, wie die hieß. Doch, Eva. Aber nein, mit der war es wohl seit einer Weile aus. Und dann gab es noch eine Kamerafrau, die hatte aber, glaube ich, vor Kurzem einen Unfall. Wer weiß, wen es sonst noch so alles gab. Er war in der Hinsicht definitiv kein Kostverächter.« Wieder kiekste ihre Stimme weg. »Was, wenn eine seiner Liebschaften eifersüchtiger war als ich und ihn getötet hat?«

Das war eine interessante neue Information, der sie nachgehen musste. Suzanne notierte sich die Namen der Schauspielerinnen. »Ich habe gehört, dass Ihr Mann auch bei den falschen Leuten Schulden gehabt haben soll«, fuhr sie schließlich fort. »Wissen Sie, wer das gewesen sein könnte? Ein Wladimir?«

Sarah Koch machte ein schnaubendes Geräusch. »Wladimir? Das ist ja mal wieder typisch Benni.« Sie schüttelte den Kopf und schwieg.

»Was meinen Sie mit ›typisch Benni‹?«, fragte Suzanne.

»Er mochte es, sich mit einer dramatischen Aura zu umgeben. Die Dinge manchmal ein bisschen größer zu machen, als sie wirklich waren. Da konnte eine Erkältung zur Grippe werden oder eine Autopanne zu einem Unfall mit beinahe tödlichen Folgen.« Sie lächelte melancholisch. »Er glaubte, Schicksalsschläge machten ihn in den Augen anderer Menschen sympathisch und tiefsinnig. Er hatte immer diese irrationale Angst, dass man ihn aus irgendwelchen Gründen nicht mögen könnte. Gelegentlich hat er auch befürchtet, die Leute könnten ihm seinen Erfolg als Schauspieler neiden. Und dann hat er eben versucht, ihnen klarzumachen, dass man ihn nicht beneiden muss.« Sie schluckte. »Früher hat er mal eine Phase gehabt, da hat er behauptet, er sei lange obdachlos gewesen, obwohl er nur genau vier Wochen bei einer Freundin unterkommen musste, bis sein nächster Mietvertrag begann.«

Sie rieb sich die Augen. Suzanne fand das Ganze ziemlich befremdlich, zwang sich aber zu einem ungerührten Gesicht.

Sarah Koch fuhr fort: »Bei den falschen Leuten Schulden? Was für ein Unsinn. Hier, ich zeige es Ihnen.« Sie nahm ihr Handy, das vor ihr auf dem Glastisch gelegen hatte, und gab etwas ein. Streckte Suzanne dann das Telefon hin. Auf dem Bildschirm war der Stand von Benni Kochs Konto zu sehen. Er war eindeutig fünfzehntausend Euro im Plus. »Reich war er noch nie, aber pleite auch nicht«, bemerkte Sarah Koch und nahm das Handy wieder an sich. »Und Wladimir ist mein Vater. Ich glaube, Benni hatte tatsächlich zweitausend Euro Schulden bei meinen Eltern. Die haben ihn aber definitiv nicht deswegen umgebracht, wenn Sie jetzt in diese Richtung denken sollten.« Sie fuhr sich über den Mund. »Sie sind sehr reich, ihre Firma für Lkw-Zubehör ist weltweiter Marktführer. Für die spielen ein paar Tausend Euro keine große Rolle. Vermutlich haben die das längst vergessen.«

»Halten Sie es für möglich, dass jemand erfahren hat, dass die Geschichten Ihres Mannes nicht stimmten, und sich hintergangen fühlte?«

Sarah Koch nickte nachdenklich. »Möglich wäre das. Eventuell ist eine seiner Geliebten sauer geworden? Hat ihm vielleicht Geld geliehen für seine ›Schulden‹ und dann erfahren, dass er gar keine hat? Verdenken könnte ich es ihr nicht. Benni konnte einen definitiv auf die Palme bringen. Trotzdem war er … Er war wirklich ein feiner Kerl.« Sie schlug die Hände vors Gesicht.

»Haben Sie den Namen Gerard Laurent schon einmal gehört?«, fragte Suzanne.

Benni Kochs Frau zuckte mit den Schultern. »Die Polizei hat mich das Gleiche gefragt. Ich kenne ihn nicht, nein.«

»Glauben Sie, Ihr Mann wäre in der Lage gewesen, diesem Dr. Laurent eine Lösegeldforderung zu stellen oder ihn vielleicht zu erpressen?«

Sie nahm die Hände vom Gesicht, schien lange den Tisch anzustarren. »Keine Ahnung. Aber es war sein größter Traum, richtig reich zu sein. Hat dieser Laurent ihn umgebracht?« Die Stimme der Frau klang plötzlich scharf.

»Ich weiß es nicht«, antwortete Suzanne wahrheitsgemäß. »Aber im Moment ist er der einzige gemeinsame Faktor, den ich bei beiden Todesfällen erkennen kann.« Wobei natürlich auch eine der Schauspielerinnen, mit denen Benni Koch vielleicht geschlafen hatte, in Frage kam. Diese Charlotte oder wie sie hieß. Vielleicht hatte Benni Koch gleichzeitig mit ihr und mit Mona Laurent eine Affäre gehabt, und die Schauspielerin hatte erst die Kamerafrau und dann Benni Koch aus Eifersucht umgebracht? Sie musste Henry mal fragen, ob der wusste, wer diese Charlotte oder Carlotta war.

Kapitel 27

Emil konnte ihn eindeutig nicht leiden. Vielleicht war er nicht nur auf Liam eifersüchtig, sondern auch auf ihn, überlegte Henry. Was verdammt gut vorstellbar war, natürlich fühlte sich ein Mann wie Suzannes Exfreund, der das Wort »Muskeln« wahrscheinlich nur aus dem Rechtsmedizinbuch kannte, von jemandem wie ihm bedroht. Hinzu kam, dachte Henry, dass er im Moment bei Suzanne wohnte, was Emil mit Sicherheit ebenfalls ein Dorn im Auge war. Er ließ seinen Brustmuskel ein wenig spielen und beobachtete den Mediziner. Man konnte über das Müllerkostüm und das viele Öl einiges sagen, aber einen trainierten Körper hoben sie positiv hervor, das stand fest.

Emil verzog sichtlich genervt den Mund. »Du musst doch erkannt haben, dass der Schauspieler bereits tot war«, sagte er dann anklagend. »Wieso hast du ihn abgehängt? Ein veränderter Fund- und Tatort erschwert die Aufklärung einer Straftat. Das müsste dir als ehemaliger Polizist doch klar sein.«

Abgehängt, das hörte sich an, als hätte er einen verdammten Mantel vom Haken genommen. »Verdammt nochmal, ich bin kein Arzt«, wiederholte Henry wütend. »Ich dachte, falls er noch lebt … Verdammt, ich wollte einfach keinen Fehler machen.«

»Das ist dir toll gelungen«, bemerkte Emil sarkastisch.

»Ach ja? Und was, wenn er noch gelebt hätte? Dann wäre ich schuld gewesen, wenn er langsam erstickt wäre, bis ihr endlich gekommen seid.« Er hatte vollkommen richtig gehandelt, das wusste er. Und Emil wusste es auch und spielte sich nur auf.

»Kannst du mir bitte noch einmal die genaue Position des Kopfs der Leiche in der Schlinge beschreiben? Und wenn ich *genau* sage, dann meine ich *genau.* Und wenn's geht ein bisschen schnell, ich habe nämlich gleich noch drei Autopsien durchzuführen.« Emil sah ihn auffordernd an.

Sie standen im ehemaligen Zimmer der Siechenmutter Christina, und der Rechtsmediziner schoss seit ungefähr einer halben Stunde Fragen wie Pfeile auf Henry ab. Mittag war schon längst vorüber, und langsam hatte Henry keine Lust mehr. Er versuchte dennoch sein Bestes, erklärte noch einmal so genau wie möglich, in welcher Position er die Leiche gefunden hatte, dass der Knoten der Schlinge, die Benni Koch um den Hals gehabt hatte, in seiner Erinnerung seitlich am Hals gelegen hatte und dass er danach versucht hatte, der Leiche den Puls zu fühlen. Zwischendurch diktierte Emil Sätze wie »gegebenenfalls vorgetäuschtes atypisches Erhängen mit Ansitzen des Strangwerkzeug-Knotens außerhalb der Nackenmitte« in sein Diktiergerät.

»Du glaubst also nicht, dass er sich selbst aufgehängt hat?«, fragte Henry nach weiteren fünf Minuten, als Emil anscheinend keine Fragen mehr einfielen.

»Dazu kann ich jetzt noch keine Angaben machen.«

»Und selbst wenn du es könntest, würdest du es mir gegenüber sowieso nicht tun, oder?«

»Gut erkannt.«

»Verdammt nochmal.«

Emil steckte sein Diktiergerät ein. Scheinbar beiläufig bemerkte er: »Hat Suzanne eigentlich was Ernsthaftes mit diesem Liam? Vielleicht könnte es mich umstimmen, wenn du mir ein paar Informationen über die … die genaue Art des Umgangs der beiden geben könntest.«

Ein nettes Angebot, aber wie sagte Jack Jackson so treffend: »Wenn der Preis zu hoch ist, lässt man die Ware besser im Regal.« Wobei Jack sich dann natürlich doch nicht hatte abwimmeln lassen und den kriminellen Waffenhändler mit ein paar harten Halbkreisfußtritten und dem Spruch »Oder man legt den Verkäufer um« noch überzeugt hatte, die sieben Pumpguns rauszurücken, die er dringend gebraucht hatte, weil eine ganze Busladung Terroristen unten im Parkhaus schon auf ihn wartete.

Die Wahrheit einfach aus Emil rauszuprügeln kam natürlich

nicht in Frage, deshalb beschränkte sich Henry auf ein in coolem und gleichzeitig brutalem Ton gebelltes »Vergiss es!«.

In diesem Moment ging die Tür auf, und Paul stürmte ins Zimmer. Sein oranges Hemd hing an einer Seite aus der grauen Anzughose, und seine Haare waren offensichtlich ungekämmt. »Und? Bleibt es bei deiner ersten Einschätzung, Emil? Dass hier was nicht stimmt und vermutlich Fremdeinwirkung vorliegt?«

Emil schaute erbost zu Paul und dann zu Henry, der sich ein zufriedenes Grinsen nicht verkneifen konnte. Dann nickte der Rechtsmediziner schicksalsergeben. »Vermutlich wurde er erst erdrosselt, mit einem Draht oder sowas, und dann wurde ihm die Schlinge des Seils um den Hals gelegt, und er wurde seitlich die Treppe hinuntergestürzt.«

»Und der Todeszeitpunkt? Schon erste Anhaltspunkte?«

»Wollen wir das nicht später besprechen?«

»Ich muss es sofort wissen.« Pauls Stimme klang knallhart und duldete keinen Widerspruch.

Emil schürzte die Lippen. »Ich kann nur eine erste, vorsichtige Einschätzung abgeben, die sich noch deutlich ändern kann.«

»Das reicht mir.«

»Wenn wir von der Raumtemperatur des Kellers und der Temperatur der Leiche ausgehen, dann würde ich sagen, er ist zwischen drei und fünf Uhr letzte Nacht gestorben.«

»Danke.« Damit rauschte der Staatsanwalt wieder aus dem Zimmer.

Als Henry endlich das Horrorhaus verlassen konnte, war es fast halb drei. Es war ein düsterer Tag, und es goss immer noch wie aus Kübeln. Nach wenigen Schritten war er klatschnass. Der Boden war mit tiefen Pfützen übersät, und er musste höllisch aufpassen, dass er mit seinen Turnschuhen nicht hineintrat.

Es sah also so aus, als sei Benni Koch getötet worden. Und auch wenn die Kamerafrau die Treppe hinuntergestürzt worden und der Hauptdarsteller erdrosselt und später aufgeknüpft worden war, dann sprach der gemeinsame Tatort auf jeden Fall dafür, dass die Morde zusammenhingen. Entweder hatte ein Täter beide Opfer umgebracht, oder aber ein Täter hatte Mona Laurent getötet und ein weiterer dann – und vielleicht sogar deswegen – Benni Koch. Winkler schied als Mörder jedenfalls von Koch aus, er saß noch in Untersuchungshaft. Personen aus der näheren Umgebung eines der Opfer, die für beide Morde in Frage kamen, waren daher Dr. Gerard Laurent, Camille Roux und Benni Kochs Frau. Und möglicherweise gab es in Benni Kochs oder Mona Laurents Umfeld noch weitere Verdächtige.

Henry war bei seinem Porsche angelangt, öffnete schnell die Tür und ließ sich auf den Fahrersitz fallen. Danach schälte er sich sofort aus seiner durchnässten Jacke und warf sie auf den Beifahrersitz. Er wollte gerade den Zündschlüssel ins Schloss stecken, als eine klatschnasse, schlanke Gestalt in einem zu leichten Wintermantel, aus dem Beine in Feinstrumpfhosen ragten, auf den Porsche zueilte und an die Scheibe klopfte. Es war Carlotta, und sie zitterte vor Kälte, als sie die Beifahrertür aufriss. Er nahm seine nasse Jacke vom Beifahrersitz, warf sie auf den Rücksitz, und die Schauspielerin ließ sich neben ihm nieder und schloss die Tür wieder.

»Du bist wirklich ein Detektiv, oder?« Sie war ein wenig außer Atem.

Henry zuckte mit den Schultern, deutete ein Nicken an und drehte die Standheizung voll auf.

Carlotta zitterte immer noch. »Für wen arbeitest du, Silberfischchen?«, fragte sie. Der Geruch eines frischen, sehr angenehmen Parfüms breitete sich im Auto aus.

Henry hoffte, dass er nicht nach Schweiß stank. »Ich habe eine große Detektei in Stuttgart. Im Moment ziehen wir gerade in andere Räume um, deswegen helfe ich hier einer Bekannten aus.« Er lehnte sich so cool es ging in seinem Sitz zurück. Sie würde ihn nur googeln müssen, um herauszufinden, dass es *Marbach Privatermittlungen* schon seit geraumer Zeit nicht mehr gab. Aber mit etwas Glück würde sie glauben, das läge an dem »Umzug«.

Sie nickte. »Ich wusste es. Ich wusste es schon die ganze Zeit.

Du bist kein Schauspieler. Du hast so was wahnsinnig Männliches an dir.« Sie legte ihm wie zufällig eine Hand auf den Oberschenkel, und Henry wurde es ganz heiß. Dann beugte sie sich zu ihm herüber und gewährte ihm einen Blick in ihr wundervolles Dekolleté unter dem Mantel. »Stimmt es eigentlich, dass Benni einen Abschiedsbrief hinterlassen hat?«, hauchte sie.

»Das hat sich aber schnell herumgesprochen«, sagte Henry unruhig. Was sollte er denn jetzt machen? Seine Hand auf ihre legen? Oder hatte sie ihm die Hand vielleicht nur rein freundschaftlich aufs Bein gelegt? Der Schauspieler, der den Jack Jackson spielte, hatte mal angedeutet, dass Körperkontakt unter Schauspielern gang und gäbe war und überhaupt nichts bedeutete. Wobei das gewesen war, als ein Paparazzo ihn an einem Privatstrand mit der Hand auf dem Hintern eines halbnackten Models abgelichtet hatte, das nicht seine damalige Frau gewesen war. Kurz danach war es dann auch zur Scheidung gekommen, wenn Henry sich richtig erinnerte.

»Ich kann mir einfach nicht vorstellen, dass er sich selbst umgebracht haben soll. Aber du hast da vielleicht mehr Erfahrung. Was denkst du?«, fragte Carlotta.

»Ich … eigentlich kann ich mir das auch nicht vorstellen.«

Carlotta nickte und lehnte sich in den Sitz zurück, als habe sie diese Antwort erwartet. »Hast du schon eine Idee, wer ihn umgebracht haben könnte?«

»Gut möglich«, sagte Henry so geheimnisvoll er konnte, und hoffte, dass er dabei so cool rüberkam wie die Detektive in den alten Schwarzweißfilmen.

Carlotta nickte wieder. Eine etwas unangenehme Stille trat ein. Henry überlegte fieberhaft, wie er das Gespräch wieder zum Laufen bringen konnte, vielleicht ein angenehmeres Thema als erhängte Hauptdarsteller und Abschiedsbriefe, aber sein Kopf fühlte sich ähnlich leer an wie in Baden-Baden, als er seine Performance hatte vorbereiten müssen.

»Ich finde es total schön, dass ich dich kennengelernt habe, Silberfischchen. Du bist was ganz Besonderes«, sagte sie plötzlich und lächelte. »So hat die ganze Scheiße vielleicht auch was Gutes.«

»Ja, auf jeden Fall hat das auch … also … Ich finde es auch total schön, dich kennengelernt zu haben.« Henry lächelte zurück. Es fiel ihm plötzlich ein wenig schwer, sich zu konzentrieren, weil Carlotta jetzt angefangen hatte, mit den Fingerspitzen ganz leicht seinen Oberschenkel zu streicheln, und damit Stromstöße durch seinen ganzen Körper jagte. Er dachte auf einmal gar nicht mehr an Ermittlungen. Er wollte Carlotta auf diese wundervollen, sinnlichen Lippen küssen.

»Ich muss gleich mit der Polizei reden«, sagte sie, es klang ein wenig bedauernd. »Im Gegensatz zu dir scheinen die aber noch keine Vermutung zu haben, wer Benni umgebracht haben könnte.« Sie nahm ihre Hand von seinem Oberschenkel und packte den Türgriff, zog ihn aber noch nicht auf. »Eine Sache ist auffällig, finde ich. Benni hat vor ein paar Tagen was bei mir hinterlassen. Einen Umschlag. Wenn du willst, kann ich ihn dir zeigen. Weißt du, ich kenne Benni schon ewig und schulde ihm was, also … Er hat jedenfalls gesagt, ich sei außer Mona der einzige Mensch, dem er einigermaßen vertraut. Er wusste wohl irgendwas über Monas Tod und hat eigentlich gewollt, dass ich den Umschlag nur verwahre und niemandem zeige, vor allem nicht der Polizei. Ich sollte ihm den eigentlich irgendwann zurückgeben. Nur wenn ihm was passiert, dann soll ich den Inhalt öffentlich machen. Mir war das zwar nicht recht, ich habe versucht, ihn zu überreden, gleich zu den Bullen zu gehen, aber da ist er ziemlich laut geworden. Du kennst ihn ja. Er ist … er war schnell auf hundertachtzig. Hat gemeint, das hier sei die Chance seines Lebens und ich solle ihm das ja nicht vermasseln und so. Und ich … Na ja, ich weiß ja bis heute nicht, was in dem Umschlag drin ist, deshalb …«

Sie zog ihr Handy heraus, warf einen Blick darauf. »Ich bin spät dran, ich muss wirklich zurück zum Haus, aber diese Befragung wird sicher nicht lange dauern. Willst du nicht kurz auf mich warten? Wir könnten zu mir fahren. Wir schauen uns an, was Benni mir gegeben hat, und wenn es relevant ist, bringen wir es zur Polizei. Und natürlich bin ich ziemlich neugierig, was du so alles herausgefunden hast. Du bist bestimmt ein super Detektiv.«

Sie tätschelte ihn noch einmal an der Schulter und stieg dann aus dem Auto. »Bis gleich, Silberfischchen«, sagte sie mit rauer Stimme, dann war sie wieder im Regen verschwunden.

Henry war ein bisschen außer Atem. Wow, verdammtes Glück musste man haben! Natürlich würde er zu Carlotta mitgehen und mit ihr in den Umschlag schauen. Und wer konnte schon wissen, vielleicht würde sich dieser Tag, der so beschissen angefangen hatte, tatsächlich noch zum Guten wenden? Möglicherweise konnte er sie zum Essen einladen, nachdem sie den Umschlag gesichtet hatten. Er checkte seinen Kontostand auf dem Handy. Er war immer noch im Minus, auch wenn Suzanne ihm offenbar schon sein bisheriges Gehalt überwiesen hatte.

Eine Weile sah er aus dem Fenster in den strömenden Regen hinaus, der auf die Scheibe trommelte, und dachte darüber nach, warum er den ganzen Tag arbeitete und trotzdem ständig pleite war. Gut, er kaufte sich das eine oder andere Luxusgut, letztens zum Beispiel hatte er wieder eine Designerjeans und ein Armanihemd und dann noch diese verdammt teuren Lederschuhe aus London bestellt, aber das waren eindeutig Notfälle gewesen, er hatte überhaupt nichts Richtiges mehr zum Anziehen gehabt. Da er nicht weiter über seine finanzielle Situation nachdenken wollte, ging er seine Mails auf dem Handy durch, aber auch hier stieß er nur wieder auf das leidige Thema Finanzen. Achim hatte als sein Anwalt gerade mit einigen seiner Gläubiger verhandelt und ihm offenbar fünftausend Euro vorgestreckt, um den besonders nervigen Verkäufer von Henrys ehemaliger Granit-Schreibtischplatte loszuwerden.

Henry überlegte kurz, ob es nicht besser war, er fuhr einfach los und versuchte erst gar nicht, eine neue Frau kennenzulernen, denn langsam konnte er es sich nicht mal mehr leisten, so zu tun, als habe er Geld. Auf der anderen Seite war der schlimmste Gläubiger nun erst einmal ausbezahlt. Und natürlich würde er Achim alles zurückzahlen, das hatte er bisher immer geschafft, und er würde ab jetzt keinen Cent mehr ausgeben, und wenn er in Lumpen herumlaufen musste, bis er seine Schulden …

Die lauten Iah-Schreie eines Esels rissen Henry aus seinen düsteren Gedanken, und als er hochschaute, verdeckte ihm der graue, triefnasse Körper von Nikita plötzlich die Sicht durch die Seitenscheibe. Er hatte gar nicht bemerkt, dass er ganz in der Nähe des Pferdetransporters geparkt hatte, zu dem Nikita nun gerade von dem älteren Mann, der sie vorhin schon festgehalten hatte, geführt wurde. Es wirkte ganz so, als habe sie keine Lust auf die Heimfahrt. Mit einem gezielten Stoß ihres Kopfes, der den Mann voll in den Bauch traf und ihn nach hinten in eine Pfütze schleuderte, in der er laut fluchend sitzen blieb, riss sie sich los und trabte durch den Regen in Richtung Landstraße hinüber.

Henry zögerte nur eine Sekunde, dann drückte er seine Tür auf, schwang sich aus dem Porsche und rannte ihr hinterher. »Nikita«, rief er. Nicht, dass das Tier überfahren wurde. Im Moment herrschte ziemlich viel Verkehr auf der kleinen Straße.

»Nikita!« Glücklicherweise schien die Eselin so klug zu sein, nicht auf die Straße zu rennen, sondern lediglich an der Straße entlang. Auf einem matschigen Feld blieb sie schließlich bebend und dampfend im Regen stehen.

Henry näherte sich langsam und sprach beruhigend auf sie ein. Sie durfte auf keinen Fall merken, dass er viel mehr Angst vor ihr hatte als sie vor ihm, auf keinen Fall. Das war wie beim Boxen. Tief durchatmen. Innere Mitte. Es gelang ihm schließlich, so dicht an sie heranzukommen, dass er nur noch nach dem Führstrick greifen musste. Er streckte die Hand aus, aber Nikita machte einen Schritt zur Seite, gerade so weit, dass er das Ende des Stricks verfehlte. Er sah, dass ihre Augen ihn frech musterten. Keine Ahnung, wie intelligent Esel waren, aber der hier war offensichtlich verdammt hell.

Noch dreimal spielten sie das gleiche Spiel, bis es Henry mit einem schnellen Judogriff gelang, Nikita zu überlisten und den Strick zu packen. Sie schüttelte energisch den Kopf und schnappte nach ihm, und er konnte gerade noch ausweichen. Dabei verlor er fast den Strick wieder. Er musste grinsen. Ein bisschen bewunderte er sie. Sie war ihm nicht unähnlich, eine echte Kämpferin, die sich im wahrsten Sinne des Wortes durchbiss im Leben. Eine Art Jack Jackson in Esel. Henry versuchte, Nikita am Strick zurück zum Parkplatz zu ziehen, immer darauf bedacht, mit der Hand nicht in die Nähe des schnappenden Mauls zu kommen, während das Tier ihn interessiert zu betrachten schien und sich kein Stück rührte.

Immer noch fluchend, von oben bis unten schlammig und nass, näherte sich jetzt der ältere Mann. »Du gesch ma so elend uff de Senngel«, knurrte er in Nikitas Richtung, und zu Henry sagte er: »Tschuldigung. Ich bin sowas von froh, dass ich den strubbeligen Teufel bald los bin. Es heißt ja immer, Esel seien sanftmütige, liebevolle Weggefährten. Aber die Nikita …« Er schüttelte den Kopf, griff sich den Führstrick und zerrte grob daran.

Das Tier bewegte sich kein Stück.

»Dranfunsel!«, brüllte der Alte los. Dann kickte er den Esel in den Bauch. Nikita schrie auf und wich ein Stück zur Seite, aber der Mann riss erneut brutal an dem Strick.

»Hey«, rief Henry. »Hören Sie sofort damit auf. Hier wird niemand getreten.«

»Ach ja?« Der Mann holte mit dem Fuß erneut aus, aber diesmal stieß Henry ihn zur Seite, und der Typ verfehlte Nikita, schwankte, ließ den Führstrick los und wäre beinahe erneut in den Dreck gefallen. Er schaute Henry schicksalsergeben an und machte mit den Händen eine beschwichtigende Bewegung. »Nur Ärger mit der.« Er spuckte auf den Boden. »Die hat meiner Frau fast den Finger abgebissen, und meine Frau ist Tiertrainerin für Filmtiere und kommt eigentlich mit jedem Vieh klar. Aber das war Nikitas letzter Streich. Bin ich froh, dass die nächste Woche endlich geschlachtet wird.«

Nikita schaute Henry mit großen, traurigen Augen an, als habe sie jedes Wort verstanden. Dann trottete sie zu ihm herüber und blieb mit hängendem Führstrick ganz dicht neben ihm stehen. Er konnte die Wärme spüren, die von dem Tier ausging.

Henry wurde es ganz kalt. Nicht, dass er Nikita mochte, aber er kannte sie, und sie war ein bisschen wie er. Er konnte auf keinen Fall zulassen, dass sie getötet wurde. »Kann ich Sie kaufen?«, brach es aus ihm heraus, bevor er überhaupt nachgedacht hatte.

»Wenn Sie sich unglücklich machen wollen.« Der Mann zuckte mit den Schultern. »Tausendfünfhundert, bei Übergabe bar auf die Hand.«

Henry schluckte. Sein guter Vorsatz hatte ja verdammt lange gehalten. Und es war wirklich nicht die Zeit, neue Schulden zu machen. Die, die er hatte, raubten ihm schon den Schlaf. Abgesehen davon hatte er keine Ahnung, ob Suzanne bereit wäre, den verdammten Esel bei sich aufzunehmen, und dann auch noch kostenlos. Aber Nikita musste ja irgendwo untergestellt werden, bis er einen anständigen Käufer für sie gefunden hatte. Wenn jemand so ein freches Tier überhaupt kaufen wollte. Auf der anderen Seite ging es um Leben und Tod. Oder, wie Jack Jackson in einer seiner Paraderollen als Bodyguard zu sagen pflegte: »Wenn die Bombe deinen Schützling zerfetzt hat, ist es zu spät. Handle instinktiv, knallhart und vor allem sofort. Über die Konsequenzen kannst du später nachdenken.« Henry schluckte und checkte erneut sein Gehaltskonto auf dem Handy, das einzige Konto, mit dem er noch handlungsfähig war. Es war zwar im Minus, aber sein Kreditrahmen war noch nicht ganz ausgeschöpft.

»Achthundert«, bot Henry an, obwohl das den Rahmen um sechshundert überschritt und er nicht wusste, wie lange seine Bank diese Spiele noch mitmachte. Einige andere Banken, bei denen er Konten gehabt und immer noch Schulden hatte, hatten da nicht ewig zugeschaut.

»Tausend. Und Sie holen sie am Sonntagvormittag ab.«

»Aber ich habe im Moment keinen Transporter«, bekannte Henry.

»Wenn Sie mir den Sprit ersetzen, dann bringe ich Ihnen das Vieh sogar vorbei«, knurrte der Typ.

»Also tausend. Aber da ist der Sprit schon drin.«

Sie schlugen ein. Der Mann diktierte Henry eine Telefonnummer, die Henry in sein Handy speicherte, und Henry gab ihm seinerseits Suzannes Adresse.

Als Henry wieder im Auto saß und seinen Kontostand erneut anschaute, bekam er Herzrasen. Er war vollkommen übergeschnappt. Zudem hatte er sich überhaupt nicht klargemacht, was sein spontaner Kauf bedeutete. Ein gottverdammter Esel. Er würde Achim anbetteln müssen, damit der ihm schon wieder Geld lieh, sonst konnte er das Tier nicht einmal bezahlen. Aber das wollte er eigentlich nicht. Und was, wenn er Nikita nicht zügig weiterverticken konnte? Wer sollte denn das Futter kaufen? Den verdammten Tierarzt bezahlen? Es würde keine wärmere Winterjacke, keine trendige Kleidung, keine teure Sportlernahrung und keine weitere Tankfüllung für den Porsche geben, und das auf sehr, sehr lange Zeit. Und eine Wohnung oder gar ein neues Detektivbüro erst recht nicht. Er erschauderte.

Drüben war es dem älteren Mann mittlerweile gelungen, Nikita ohne größeren Gewalteinsatz einzuladen, und der Transporter fuhr vom Hof.

Eine gute halbe Stunde später betrat Henry gemeinsam mit Carlotta deren geräumige, gemütliche Einzimmerwohnung in Appenweier. Es roch nach Farbe, in einer Ecke stand ein Eimer mit Pinseln auf einer Plane. Immer noch prasselte der Regen gegen die Scheiben, aber von hier drinnen wirkte das verdammt gemütlich.

Auf der Fahrt hatte Henry der Schauspielerin alles über seinen spontanen Eselskauf erzählt, wobei er selbstverständlich ausgelassen hatte, dass er sich das Tier eigentlich nicht leisten konnte. Stattdessen hatte er hinzugefügt, er erwäge, einen Gnadenhof für Haustiere zu gründen. Carlotta hatte das ziemlich gut gefunden, das hatte er gemerkt. Sie waren bester Stimmung, und obwohl Henry neugierig war, was in dem Umschlag von Benni Koch wohl zu finden sein könnte, war er vollkommen einverstanden gewesen mit ihrem Vorschlag, sie könnten doch zuerst einen kleinen Drink zu sich nehmen.

Er wartete auf einem gemütlichen Bettsofa mit Herzchenkissen, während Carlotta einen »Überraschungsdrink«, den sie geheimnisvoll lächelnd »Rapido ultimo« nannte, herstellte, und als sie schließlich mit zwei großen Gläsern mit einer rötlichen Flüssigkeit und einem Schälchen mit gesalzenen Erdnüssen ins Zimmer zurückkam, war er angenehm aufgeregt. Es war schon eine Weile her, seit er bei einer Frau zu Hause gewesen war, aber das war kein Problem, er hatte es bestimmt noch voll drauf. Er pumpte seinen Bizeps unauffällig ein wenig auf und drückte die Brust raus.

Carlotta setzte sich ziemlich dicht neben ihn aufs Sofa. Sie stießen mit den Drinks an. Das Zeug schmeckte ein bisschen bitter und widerlich scharf, und es schien verdammt stark zu sein, aber das kümmerte ihn nur wenig, denn Carlotta rutschte derweil noch näher an ihn heran. Er nahm einen weiteren großen Schluck, der war für seine Nerven, und dann noch einen, damit er den Rest des Tages nicht mehr darüber nachdachte, dass er pleite war.

Das Zeug haute rein wie die Hölle, der verdammte Irrsinn war das. Musste daran liegen, dass er seit dem Frühstück nichts mehr gegessen hatte. Er nahm sich ein paar Alibi-Erdnüsse und knabberte sie. Herrlich. Sie unterhielten sich über Esel, und er musste plötzlich kichern. Sein Handy klingelte, aber er drückte den Anruf weg. Erneut stießen sie miteinander an. »Auf dich, Silberfischchen«, sagte Carlotta und legte ihm wieder die Hand auf den Oberschenkel und streichelte ihn. Mit einem großen Schluck spülte er die Erdnüsse herunter, bewegte sein Knie so, dass es ihr Bein streifte, und erwiderte: »Auf dich. Echt schön, dass wir uns kennengelernt haben.«

»Das klingt jetzt fies, weil er … weil er ja tot ist, und das tut mir auch echt leid für ihn, aber … Falls die Dreharbeiten ohne Benni weitergehen sollten, wirst du dann immer noch mitspielen?«, fragte sie mit rauer Stimme. »Das fände ich toll.« Ihre Hand lang nun schon ziemlich weit oben auf seinem Oberschenkel, was ihm verdammt gut gefiel. Er legte seine Hand vorsichtig auf ihre weiche, zierliche Hand, und sein Atem ging ein wenig schneller. »Könnte verdammt gut sein«, antwortete er cool nach noch einem Schluck des Gebräus. »Langsam fängt die Schauspielerei an, mir Spaß zu machen. Vor allem, wenn man mit so tollen Frauen wie dir drehen kann.« In seinem Kopf drehte es sich auch schon ein bisschen.

Carlotta wirkte genauso angeschickert, obwohl sie viel weniger getrunken hatte. Sie kicherte, zeigte auf ihre Gläser und meinte: »Da muss ich wohl ein bisschen zu viel Wodka reingetan haben. Aber zusammen mit dem Chili und dem Pfeffer soll das ja aphrodisierende Wirkung haben. Habe ich in einem Blog gelesen.« Sie kicherte erneut. »Ach, den Umschlag habe ich fast vergessen, Silberfischchen. Normalerweise würde ich jetzt nicht … Aber wenn wir noch einigermaßen klar im Kopf sein wollen, wenn wir ihn öffnen, dann sollten wir es jetzt tun. Vielleicht ist was Wichtiges drin, das die Ermittler sofort brauchen, um Bennis Mörder zu fassen.« Sie stützte sich mit der Hand auf seinem Bein ab und stand wieder auf. Sie schwankte ein wenig. »Benni meinte, ich soll den Umschlag verstecken, da habe ich ihn zwischen meine Badehandtücher gelegt.«

Henry grinste atemlos und lehnte sich zurück, während Carlotta durch die kleine Tür schlüpfte, auf der auf einem Herzchenschild *Bad* stand. Aphrodisierende Wirkung, das klang verdammt vielversprechend. Badehandtücher auch. Bevor er sich Carlotta und sich selbst in der Badewanne vorstellen konnte, klingelte sein Handy erneut. Genervt warf er einen Blick aufs Display und wollte den Anruf eigentlich wieder ignorieren, aber als er sah, dass es Suzanne war, ging er doch dran. Seine Zunge war schwer.

»Wo steckst du? Ich habe eine kleine Frage an dich«, sprudelte Suzanne auf ihre gut gelaunte badische Art los. »Kennst du eine Charlotte oder Carlotta? Ist das eine Schauspielerin bei euch?«

Henry lehnte den Kopf gegen eins der Herzchenkissen. »Carlotta. Klar«, lallte er. »Ich bin witzigerweise gerade bei ihr. Wir wollen einen Umschlag anschauen.«

»Geht's dir gut?«, fragte Suzanne. Sie klang besorgt. »Was für einen Umschlag? Warum redest du so komisch?«

»Ich habe einen Rapido irgendwas getrunken. Carlotta hat ein bisschen zu viel Chili reingetan oder so.« Er kicherte.

»Du musst sofort da weg«, sagte Suzanne, jetzt hörte sie sich richtiggehend alarmiert an. Er musste wieder kichern. War sie etwa deshalb so aufgeregt, weil sie nicht nur auf Liam stand, sondern auch auf ihn? Gut vorstellbar, wirklich gut vorstellbar. Henry lächelte und nahm einen weiteren Schluck. Wow. Es war eigentlich gar nicht so schlecht, das Leben in der badischen Provinz. Trotz dichtem Winternebel. Die standen hier offenbar einfach alle auf ihn. Verdammt geil war das. Und irgendwie auch logisch, so einen durchtrainierten, feinstaubgestählten Großstädterkörper bekamen die natürlich nicht alle Tage zu Gesicht.

»... verdächtig ist«, endete sie gerade.

»Sorry, was hast du eben gesagt?« Er streckte gemütlich die Beine aus und nippte an seinem Rapido.

»Sie ist eine Mordverdächtige«, sagte Suzanne erneut. »Und zwar eine der Hauptverdächtigen, wenn du mich fragst.«

»Hä?«, machte Henry. »Wer?«

»Na diese Carlotta.«

»Wieso?« Er richtete sich auf. War Suzanne jetzt übergeschnappt oder was?

»Carlotta hatte vielleicht mal was mit Benni Koch. Oder wollte das zumindest. Ich glaube, sie war eifersüchtig auf Mona Laurent. Weil die ja wahrscheinlich auch eine Affäre mit ihm gehabt hat. Carlotta muss Koch gestalkt haben, und ich halte es für sehr gut denkbar, dass sie Mona Laurent später die Treppe ins Loch hinuntergestoßen ... Bist du dir sicher, dass mit dem Drink alles in Ordnung ist? Mit diesem Rapido?«

»Na klar, warum denn nicht?« Es war natürlich schon merkwürdig, wie stark der Drink reinzog, aber Carlotta hatte ja gesagt, dass sie versehentlich zu viel Wodka ... So danebenliegen konnte er nicht mit seiner Menschenkenntnis. Carlotta hatte nie im Leben zwei Leute umgebracht. Da war er sich sicher, auch wenn er natürlich ein bisschen befangen war wegen all der Sexualhormone, die ständig durch seinen Körper kreisten, wenn sie in der Nähe war. Konnte man eine objektive Meinung über jemanden haben, wenn einem alle körpereigenen Stoffe entgegenschrien, man solle denjenigen auf der Stelle flachlegen? Es dauerte eine Weile, bis er sagte: »Ich bin in Sicherheit. Ich glaube eher, dass der Mörder dieser verdammte Dr. Laurent ist.« Beim Namen »Laurent« lallte er ganz leicht.

»Er hat ein Alibi. Auch für den Mord an Benni Koch. Und das ist diesmal wirklich bombenfest«, unterbrach Suzanne ihn eindringlich. »Paul hat es mir gerade gesteckt. Emil hat den vorläufigen Todeszeitpunkt zwischen drei und fünf Uhr geschätzt, aber um kurz vor drei Uhr wurde Laurent bei einem Rastplatz in der Nähe von Müllheim von mehreren Überwachungskameras aufgenommen. Eine halbe Stunde später war er dann in Basel und hat sich auch dort an einer Raststätte einen Kaffee geholt und mit Karte bezahlt. Es ist unmöglich, dass er zwischen drei und fünf in Willstätt war.«

»Was hat der denn mitten in der Nacht in Basel gewollt?«, brachte Henry mühsam heraus.

»Er hat anscheinend das Bedürfnis verspürt, an den Ort zu fahren, an dem er seine Frau kennengelernt hat, das muss irgendwo in der Schweiz gewesen ... Völlig egal. Geh jetzt auf jeden Fall aus der Wohnung. Sofort! Nur zur Sicherheit.«

Henry hatte aber absolut keine Lust dazu. Er täuschte sich nicht in Carlotta. Zumal er ohne Weiteres in der Lage wäre, mit ihr fertigzuwerden, sollte Suzanne doch recht haben.

»Ich ruf dich später an«, murmelte er, legte auf und stellte sein Handy auf lautlos. Carlotta kam in diesem Moment nämlich vom Bad zurück. Sie trug jetzt eine durchsichtige Bluse, die fast noch heißer war als ihr Siechenhaus-Kostüm, und dazu einen noch kürzeren Rock als den, den sie schon am Morgen getragen hatte. Und sie hielt etwas hinter ihrem Rücken verborgen. Er warf das Handy auf den Tisch vor dem Sofa. Ihm war schwindlig, aber auf eine ausgesprochen angenehme Art.

Kapitel 28

Das hörte sich gar nicht gut an. Suzanne starrte auf ihr Handy. Sie wusste nicht genau, was sie jetzt tun sollte. Auf der einen Seite hatte sie nicht die geringsten Bedenken, dass Henry im Normalzustand mit fast jedem Angreifer fertigwerden würde, aber er hatte irgendwie betäubt geklungen. Was, wenn diese Carlotta tatsächlich die Mörderin von Mona Laurent und Benni Koch gewesen war und Henry irgendein Gift gegeben hatte? Oder K.-o.-Tropfen, um ihn später zu erledigen? Vielleicht hatte er, ohne es zu wissen, beim Film irgendetwas gesehen, das die Schauspielerin überführen konnte? Und deswegen brachte sie Henry jetzt zum Schweigen?

Wobei es natürlich auch wieder seltsam wäre, warum sie das in ihrer Wohnung tun sollte. Denn dann hätte die Frau ja eine ziemlich schwere, sperrige Leiche bei sich zu Hause. Das war riskant, wenn man vielleicht sowieso schon im Fokus der Ermittlungen stand. Aber gegebenenfalls hatte die Frau einen oder mehrere Komplizen, die die Leiche wegschaffen konnten! Und vielleicht war das, wo Henry im Moment war, auch gar nicht die Wohnung dieser Carlotta. Was, wenn sie irgendwo eingebrochen war und die fremde Wohnung für einen Mord nutzte? Oder sie wollte Henry als Geisel für ihre Flucht benutzen? Wie auch immer, sie, Suzanne, durfte kein Risiko eingehen. Ganz abgesehen davon, dass sie Henry mochte, war er einer ihrer Mitarbeiter, und als Arbeitgeberin musste sie für seine Sicherheit sorgen. Sie zögerte nur einen Augenblick, dann rief sie noch einmal bei Paul an und erzählte ihm alles.

Unterdessen zog Carlotta hinter ihrem Rücken einen braunen DIN-A4-Umschlag hervor und reichte ihn Henry. Dann setzte sie sich wieder sehr, sehr dicht neben ihn, und er lehnte sich nun auch ein wenig enger an sie an. Sie roch wundervoll.

»Man soll über die Toten nichts Schlechtes sagen, aber ... Vor Jahrmillionen war ich mal in Benni verliebt, doch wenn ich ehrlich bin, konnte ich ihn seit Ewigkeiten überhaupt nicht mehr leiden«, gestand sie. »Der war sowas von negativ. Wenn du mit dem eine Weile gesprochen hast, da hast du schlechte Laune bekommen.« Sie schüttelte den Kopf. »Jede Krankheit, die der hatte, war in seinen Augen schlimmer als alle Krankheiten, an der andere Leute litten. Wenn er jemandem Geld geschuldet hat, dann waren seine Gläubiger die fiesesten, und wenn ihm ein kleines Missgeschick passiert ist, war das gleich eine riesige Tragödie. Seine Welt war schwarz und schlecht. Er hat ständig übertrieben und war sowas von wehleidig. Mit Mona hatte er jemanden gefunden, der ähnlich problembeladen war. Andauernd mussten die zwei im Mittelpunkt stehen. Auf den ersten Blick hat man das nicht bemerkt, aber wenn man ihn länger kannte ... Komm, mach auf, Silberfischchen!«

Henry öffnete vorsichtig den Umschlag. Darin war ein hellblauer USB-Stick. Carlotta holte ihren Laptop und eine Flasche Sprudel, die sie sich zur Ausnüchterung teilten.

»Ich habe bei sowas immer ein bisschen Angst vor Viren«, gestand sie, steckte den Datenträger dann aber trotzdem ein. Auf dem Stick waren sieben Mails gespeichert, die zwischen Mona Laurent und Benni Koch ausgetauscht worden waren, und ein längerer Text, den offenbar er geschrieben hatte.

Henry überflog die Mails; das Lesen fiel ihm ein wenig schwer, so angeschickert, wie er war. Es ging darum, dass Dr. Laurent seine Frau in den letzten Jahren massiv misshandelt hatte, dass Mona Laurent ihren Mann verlassen wollte, dass sie aber Angst davor hatte, dass er sie dann umbringen würde, und darum, wie sie die Kammer im Horrorhaus gefunden und ihr »Verschwinden« dort drin geplant hatten. Koch erläuterte mit einem Zwinkersmiley auch, dass er Seiten aus dem *Hildebrandtprozess* bei Instagram gepostet hätte, damit er und Mona Laurent einen nachvollziehbaren Grund hatten, warum sie gelegentlich in den Keller des Hauses gingen.

Als sie alles durchgelesen hatten, wandten Carlotta und Henry sich dem längeren Text von Benni Koch zu:

Im Falle meines Todes bitte an die Polizei weiterleiten.

Sehr geehrte Damen und Herren,

Mona Laurent hat mich überredet, ihr beim Untertauchen zu helfen. Sie wollte es so aussehen lassen, als wäre sie entführt worden. Auf welche Weise wir ihr Verschwinden geplant hatten, entnehmen Sie bitte den beigefügten E-Mails. Nachdem sie verschwunden war, wollte sie Lösegeld von ihrem Mann fordern und abhauen. Zuerst habe ich »Nein« gesagt. Aber Mona hat gemeint, dass ihr Ehemann das Geld nicht rechtmäßig besitzt, sondern dass er es von einer alten Dame und ihrem Sohn erschlichen hat, die er ins Grab gebracht hat. Also habe ich mich doch bereiterklärt mitzumachen. Ich liebe Mona nämlich.
Aber dann hat sich Mona alles anders überlegt. Sie hat gesagt, dass sie einen neuen Plan hat. Ich dachte, sie geht bestimmt zu ihrem Mann zurück. Ich war richtig sauer. Aber ich wollte sie auch nicht so einfach aufgeben. Deshalb bin ich an dem Abend, an dem sie gestorben ist, zu ihr nach Hause gefahren. Im Haus haben ganz viele Lampen gebrannt, aber ich konnte niemand sehen. Gegen 21.00 Uhr ist der Zahnarzt plötzlich aus dem Haus gegangen, und ich konnte mich gerade noch im Garten verstecken. Er hat kein Licht im Flur oder draußen angemacht und die Tür ganz leise geschlossen und ist mit dem Rennrad sehr schnell weggefahren. Mich hat es im Nachhinein gewundert, dass er den Fernseher nicht ausgemacht hat. Oder das Licht im Haus. Das ist doch komisch. An dem Tag selber ist mir das nicht aufgefallen. Da habe ich ja gedacht, dass Mona daheim ist. Dass sie fernsieht oder so. Ich habe ein paar Mal geklingelt. Aber niemand hat aufgemacht. Jetzt habe ich von einer Bekannten erfahren, dass Mona an dem fraglichen

Abend bei ihrer Schwester war. Und dass ihr Mann fälschlicherweise behauptet, er sei den ganzen Abend daheim gewesen. Damals wusste ich das aber noch nicht und habe ziemlich lange gewartet und immer wieder ins Haus reingeschaut, sodass ich genau weiß, dass er auch nicht nur kurz weg war. Ein paar Tage später hieß es, dass Mona die Dreharbeiten sabotiert haben soll. Das ist doch vollkommener Unfug. Nachdem wir dieses Versteck im Keller gefunden hatten, wusste ich, dass es der Hausmeister gewesen sein muss. Dann wurde der Winkler ja auch verhaftet. Zwei Tage später musste ich zur Polizei und eine Aussage machen. Dort hat man mir Fotos von Plastikäxten vorgelegt, die man anscheinend in Monas Garten gefunden hatte. Ich habe es erst nicht kapiert, aber als ich nach der Befragung wieder vor dem Gebäude stand, ist mir klargeworden: Diese Äxte hatte ich zusammen mit Herrn Petrow aussortiert, und zwar erst am Nachmittag von Monas Tod. Wie sind die also zu ihr nach Hause gekommen? Da musste ich erst mal drüber nachdenken, und ich bin heimgegangen.
Jetzt bin ich mir sicher, dass Dr. Laurent Monas Mörder ist. Ich werde ihn dafür bezahlen lassen. Ich habe ihm geschrieben, dass ich alles weiß. Und dass ich eine Million haben will. In kleinen Scheinen. Er hat gesagt, er zahlt. Ich habe mit ihm vereinbart, dass er das Geld an einer Landstraße bei Oppenau hinterlegt. Bis dahin werde ich so tun, als wisse ich nichts von der ganzen Sache und hätte Mona nie näher gekannt. Sogar Schauspieltraining gebe ich noch.
Wenn mir etwas passiert, dann war es Dr. Laurent.
Benni Koch

»Wir müssen den Stick zur Polizei bringen«, sagte Henry und trank einen großen Schluck Sprudel. »Damit ist Laurents Alibi für Monas Tod hinfällig.«

»Du hast vollkommen recht. Das machen wir. Später. Jetzt finde ich aber, dass wir die Ermittlungen eine Weile ruhen lassen sollten, Silberfischchen«, sagte Carlotta, krabbelte einfach auf Henrys Schoß und küsste ihn auf den Mund. Sie hatte weiche, warme Lippen und schmeckte ganz leicht nach Erdnüssen. Henry hatte das Gefühl, Lava durchströme seinen Körper, und er vergaß alles um sich herum.

Sie küssten sich lange und stürmisch, er spürte ihre Zunge in seinem Mund und wurde ganz zittrig vor Erregung. Seine Hände strichen über ihren Rücken und ihren wundervollen Hintern. Sie riss ihm stürmisch das Hemd vom Körper und begann, sanft an seinen Brustwarzen zu knabbern. Er stöhnte vor Lust. Ihre glänzenden Haare streichelten über seine nackte Haut. Er knöpfte ihre Bluse auf, zog sie ihr langsam aus und keuchte leise. Obwohl er so heiß auf die Frau war, dass er nicht mehr klar denken konnte, gelang es ihm beim ersten Anlauf, ihren BH aufzumachen. Er streifte ihn ab, und nun konnte er diese wundervollen Brüste mit den Händen umfassen und sanft massieren. Ihre Nippel waren hart und …

Die Türklingel begann schrill und unaufhörlich zu läuten. Carlotta hob den Kopf. Henry versuchte, das Klingeln nicht zu beachten, aber einen Moment später barst die Wohnungstür auf, und Polizisten stürmten in die Wohnung und rissen Carlotta von ihm weg.

Henry brauchte ein paar Sekunden, bis er seine Gedanken wieder so weit sortiert hatte, dass er sein Jackett über die stahlharte Wölbung in seiner Hose legte und das, was von seinem Hemd noch übrig war, anfing zuzuknöpfen. Die zwei maskierten Polizisten, die Carlotta gepackt hatten, hatten sie mittlerweile wieder losgelassen. Sie wirkten mehr als irritiert, was man trotz der Masken erkennen konnte. Jetzt kamen weitere Polizisten in die Wohnung, diesmal unmaskiert.

»Hey, Carlotta«, meinte einer, und ein anderer: »Das Mädle hier soll jetzt aber nicht die Geiselnehmerin von diesem Muskelpaket sein, oder?«, während ein dritter »Do griegsch schier en Herzkaschber« murmelte.

»Geiselnehmerin?«, fragte Carlotta, die nun würdevoll zum

Sofa ging, ihren BH aufhob und wieder anzog. Mit einem kopfschüttelnden Grinsen fügte sie hinzu: »Was auch immer du genommen hast, Markus, nimm weniger davon. Und zieh diese affige Maske aus. Ich weiß eh, wer du bist.«

Wenig später erfuhr Henry, dass Carlotta die Tochter eines leitenden Kripobeamten war, einige der anwesenden Polizisten kannte und dass sie außerdem ein Alibi hatte, jedenfalls für den Abend, an dem Mona Laurent gestorben war. Sie war bei ihrer Patentante in Karlsruhe zum Essen gewesen, und das hatte sich bis weit nach Mitternacht hingezogen. Auch warum sie den Umschlag nicht gleich ihrem Vater übergeben hatte, kam im Laufe des Gesprächs heraus: Es hatte wohl eine kleine Unstimmigkeit zwischen den beiden gegeben. Abgesehen davon hatte Carlotta, die Bennis Hang zum Ausschmücken von Geschichten kannte, zunächst offenbar nicht ernsthaft gedacht, dass in dem Umschlag irgendetwas Wichtiges enthalten sein könnte. Sie war davon ausgegangen, dass der Hauptdarsteller wie so oft übertrieben hatte.

Trotzdem musste Carlotta mit aufs Polizeirevier kommen, und sie hatte bei der Verabschiedung irgendwie verdammt distanziert gewirkt. Gut, die Situation war auch gelinde gesagt ziemlich ungewöhnlich gewesen.

Die ganze Rückfahrt nach Neuried-Altenheim, die Henry auf dem Beifahrersitz eines Polizeiautos verbrachte, weil er zu viel Alkohol intus hatte, um mit seinem Porsche zu fahren, war er stinksauer auf Suzanne. Aber als sie in ihre Straße in Neuried-Altenheim einbogen, wurde ihm klar, dass sie es bestimmt nur gut gemeint hatte. Dass er in der gleichen Situation vermutlich genauso gehandelt hätte. Himmel, und wie peinlich, dass er gedacht hatte, Suzanne stehe auf ihn! Hoffentlich hatte er nichts in der Richtung ins Telefon gelallt, besoffen, wie er gewesen war. Er schüttelte den Kopf, bedankte sich bei dem Polizisten, der ihn mitgenommen hatte, und stieg aus dem Auto.

Bei Suzanne in der Küche erwarteten ihn ein geladener Paul und eine offenbar ein ziemlich schlechtes Gewissen habende Suzanne.

»Ihr werdet euch nicht mehr in meine Ermittlungen einmischen. Ü-ber-haupt nicht mehr! Nie mehr!«, tobte der Staatsanwalt gerade. »Weder du, Suzanne, noch du, Henry.« Er drehte sich mit funkelnden Augen zu Henry um, der genau genommen ja überhaupt nichts konnte für das Desaster, schlug mit der Faust auf die Küchenablage und brüllte: »Sonst, und das schwöre ich bei Gott, sorge ich dafür, dass ihr lebenslang hinter Gitter kommt! Und wenn ich dafür jeden Richter in der Gegend persönlich bestechen muss!« Er hatte ganz rote Flecken auf den Wangen, und seine Krawatte baumelte ihm unordentlich um den Hals.

»Was hättest du denn in meiner Situation gemacht?«, fragte Suzanne, so ruhig es ging.

»Auf jeden Fall keinen Staatsanwalt dazu gebracht, dass er eine Wagenladung Polizisten zur Tochter eines leitenden Kripobeamten schickt. Damit die einen Detektiv, der zu viel gesoffen hat, ›retten‹. Vor dem Sex ›retten‹. Wie lange, Suzanne, glaubst du, werde ich mir diese Geschichte jetzt anhören müssen?« Er schlug erneut auf den Tisch, dass die Gläser im Wandschrank der Landhausküche nur so klirrten. »Das ist eine kleine Welt, so unter Juristen. Wahrscheinlich muss ich aus Offenburg wegziehen, um dem Spott zu entgehen!«

»Es tut mir leid«, erwiderte Suzanne. Sie meinte es von ganzem Herzen. »Trotzdem musste ich genau so handeln. Ich hatte den Eindruck, Henry ist in Gefahr, und ich wusste schließlich nicht, dass diese Frau die Tochter eines leitenden Kripobeamten ist. Und abgesehen davon könnte sie trotzdem die Mörderin von Benni Koch …«

»Ich bin mir sicher, dass sie *nicht* die Mörderin von Benni Koch ist«, fauchte der Staatsanwalt. »Und Henry, wie professionell ist es eigentlich, wenn man mit einer Verdächtigen ins Bett steigt?«

»Moment mal«, gab Henry zurück. »Ich hatte nicht den leisesten Schimmer, dass sie verdächtig ist, verdammt nochmal. Und du glaubst doch selbst auch nicht, dass sie …«

»Betreib jetzt bitte keine Haarspalterei, Henry! Ich könnte mich sonst vergessen!«

»Sie hatte einen USB-Stick von Benni Koch zu Hause, und ich wollte mir anschauen, was da drauf ist«, gab Henry zurück. »Und das, was der Hauptdarsteller geschrieben hat, deutet darauf hin, dass Dr. Laurent seine Frau und …«

»Ich meine es ernst, dass ich euch verhaften lasse, wenn ihr weiterermittelt«, knurrte Paul.

»Ich fürchte, du kannst uns das nicht verbieten«, erwiderte Suzanne.

»Oh, du wirst sehen, dass ich das kann, das kannst du mir glauben«, bemerkte Paul wieder etwas ruhiger. »Und was Dr. Laurent angeht: Er. Hat. Ein. Alibi. Für beide Morde. Wie oft muss ich das noch sagen? Abgesehen davon gibt es nicht einen Hinweis darauf, dass er je im Keller des Horrorhauses gewesen ist. Also lasst ihn bitte in Ruhe.«

»Aber Benni Koch hat geschrieben, dass er den Zahnarzt an dem Abend hat weggehen sehen. Dann kann er ja wohl schlecht den ganzen Abend zu Hause gewesen sein.«

»Benni Koch hat in seinem Leben schon ziemlich viel geschrieben und behauptet, und die Hälfte davon stimmt nicht. So viel wissen wir bisher. Er hat einen Hang dazu, sich wichtigzumachen. Ich sehe auch keinerlei Grund, an der Aussage des Nachbarn zu zweifeln. Das ist ein unbescholtener, freundlicher Herr, der unter Schlaflosigkeit leidet. Warum sollte er lügen?«

Henry hob beschwichtigend die Hände. »Gut, langsam ist es mir sowieso egal, wer Mona Laurent und Benni Koch umgebracht hat. Ich geh jetzt mal hoch in mein Zimmer. Mir reicht's für heute. Viel Spaß euch noch.« Mit diesen Worten verließ er die Küche und stapfte die Treppen hoch.

Eine Weile waren noch laute Stimmen von unten zu hören, dann knallte die Haustür zu, offenbar hatte Paul die Schnauze voll und war einfach gegangen. Kurz darauf folgte ein weiteres Türknallen, das die Wände zum Beben brachte, und endlich war es wieder still im Haus. Henry ging zurück nach unten. Als Erstes fiel er hungrig wie eine Hyäne über Suzannes Kühlschrank her und wärmte sich als Rache für sein Horrorerlebnis bei Carlotta den gesamten Rest der Lasagne vom Vortag auf. Er spachtelte sie weg, ohne Suzanne etwas übrigzulassen. Ein kleines bisschen sauer war er nämlich schon noch. Danach fühlte er sich wieder einigermaßen im Gleichgewicht. Jetzt merkte er erst, wie erschöpft er von diesem verdammten Tag war. Ein Tag »zom scheiße brille«, wie seine Oma gesagt hätte.

Er räumte das gebrauchte Geschirr in die Spülmaschine, holte sich eine Flasche Sprudel und ging langsam zurück in Suzannes Arbeitszimmer. Dort bog er die Schreibtischlampe so über seine Schlafmatratze, dass er lesen konnte, legte sich gemütlich auf den Bauch und vertiefte sich in ein Automagazin. Die Lampe war dicht neben seiner Wange und strahlte eine schwache, angenehme Wärme ab. Nachdem er versucht hatte, sich auf einen spannenden Bericht über ein Quad-Rennen in der Wüste zu konzentrieren, bei dem einer der Fahrer mitten in einem Sandsturm hatte feststellen müssen, dass ihm ein Skorpion in den T-Shirt-Ausschnitt geweht worden war, schob er das Magazin beiseite, weil ihm ständig irgendwelche Gedanken durch den Kopf schwirrten.

An Carlotta und ob sie sich nach diesem Desaster noch einmal treffen würden. An Nikita und dass er Suzanne, obwohl er sauer auf sie war, trotzdem anbetteln musste, dass sie den Esel bei sich unterstellte. Und wahrscheinlich auch darum, dass sie ihm einen festen Job bei sich in der Detektei gab. Und an das Alibi des Zahnarztes und an Benni Kochs Leiche, wie sie von der Decke im Loch gebaumelt hatte, umringt von Scheinwerfern, als sei das alles nur eine Szene in einem Horrorfilm …

Henry stockte plötzlich. Ach du Schande. Darüber hatte er noch gar nicht nachgedacht. Er setzte sich auf.

Suzanne war, nachdem sie Pauls Auto vom Hof hatte fahren hören, in den Ziegenstall gegangen und eine ganze Weile dortgeblieben, um mit ihren Lieblingen zu schmusen.

Jetzt saß sie auf einem Heuballen etwas außerhalb des Gatters und dachte nach. Paul konnte sie nicht davon abhalten, diesen Fall zu lösen. Die Detektei Griesbaum ließ keine Klienten im Stich. Schon gar nicht so verzweifelte wie Petrow, der am Nachmittag am Telefon beinahe geweint hatte. Und was auch immer Paul glaubte: Es war keinesfalls vollkommen sicher, dass Carlotta Benni nicht doch umgebracht hatte.

Auch wenn sie wegen des Motivs mittlerweile erhebliche Zweifel … Was wäre denn, wenn Benni Mona getötet hätte und Carlotta deshalb Benni? Das überzeugte sie noch weniger. Und irgendetwas übersah sie immer noch. Was, zum Teufel?

Irgendetwas war ihr aufgefallen, das nicht ins Bild passte, aber sie kam einfach nicht darauf, was es war. Und diese Sache hatte sie schon irritiert, bevor der Name Carlotta ins Spiel gekommen war.

Sie drehte einen Heuhalm um ihren Finger, löste ihn wieder. Gerard Laurent, ging es ihr plötzlich durch den Kopf. Es hatte mit Monas Ehemann zu tun. Aber der hatte ein Alibi, für beide Morde, und war den Spuren zufolge noch nie in dem Keller gewesen. Wieder drehte sie den Halm um den Finger und lauschte auf das zufriedene Knabbern und Meckern ihrer Ziegen. Es war an dem Abend gewesen. Als sie alleine ins Horrorhaus …

Sie starrte auf den Halm. Und plötzlich wurde ihr klar, was sie die ganze Zeit übersehen hatte.

Kapitel 29

Im Flur stieß Suzanne auf Henry, der gerade seine Jacke angezogen hatte, um sie suchen zu gehen.

»Es tut mir leid wegen heute Mittag«, stammelte Suzanne. »Dass Carlotta die Täterin sein könnte, war vielleicht etwas vorschnell geschlussfolgert.«

»Passt schon«, sagte Henry großzügig, auch wenn er noch ein ganz winziges bisschen sauer war.

Kurz standen sie sich schweigend gegenüber. Dann platzte Suzanne aufgeregt heraus: »Selbst wenn Laurent ein bombensicheres Alibi für den Mord an Benni Koch haben sollte, gilt das nicht für den Mord an Mona Laurent. Du hast ja vorhin selbst gesagt, dass Benni Koch ihn hat weggehen sehen. Und der Nachbar der Laurents, der den Zahnarzt in der Nacht gesehen haben will, der war völlig verängstigt. Wer weiß, vielleicht hat Laurent ihn bedroht.«

Henry nickte langsam.

»Dr. Laurent hat mich und alle anderen jedenfalls angelogen, was das Horrorhaus angeht. Er war in diesem Keller. Ich werde das beweisen. Und ich bin mir ziemlich sicher, dass er deshalb gelogen hat, weil er dort seine Frau umgebracht hat.«

»Und ich glaube, Paul irrt sich, was Benni Kochs Tod angeht«, fügte Henry triumphierend hinzu. »Dieses Alibi mit der Raststätte, das Laurent da haben will, ist keinesfalls so sicher, wie alle meinen. Ich denke, der Typ hat Benni getötet, weil der ihn mit seinem Wissen über den Mord an Mona Laurent erpresst hat. Und ich weiß auch, wie er es angestellt und trotzdem ein Alibi haben könnte.«

»Ich muss noch eine Sache wissen«. Suzanne nahm ihr Handy von der Ablage und rief Petrow an. »Bitte entschuldigen Sie die Störung«, sagte sie, »aber eine Frage hätte ich noch: War Dr. Laurent an dem Tag, als seine Frau verschwunden ist, im Keller des Horrorhauses? Im gesperrten Teil?«

Petrow wirkte irritiert, sagte dann aber: »Nein, nein, auf gar keinen Fall. Er war nur im Untergeschoss. Und ganz kurz hochgegangen zum Zimmer der Siechenmutter ist er auch. Aber im Keller war er mit Sicherheit nicht. Er wollte sich seine Schuhe nicht dreckig machen. Weil er zu irgendeiner Gräfin musste an dem Abend. Aber uns anpflaumen, wir würden nicht gründlich genug suchen.« Petrows Stimme war durchtränkt von Verachtung.

Suzanne bedankte sich und legte auf. »Das wollte ich nur nochmal bestätigt haben«, bemerkte sie zufrieden. »Dann muss er nämlich zu einem anderen Zeitpunkt im Keller gewesen sein.«

»Wie kommst du darauf?«, fragte Henry.

»Na, die Schlangenköpfe. Also die sehen aus wie die Köpfe von Schlangen, sind aber aus dünnem Draht. In der Nacht, als mich Winkler im Keller … Ich habe nur nicht darauf geachtet. Weil es aussieht wie zufällig verbogen.« Sie suchte auf ihrem Handy die Fotos heraus, die sie bei ihrem ersten Besuch im Keller des Horrorhauses geschossen hatte. Auf einem war das große Drahtgewühl, die hügelige Blechplanetenwiese, über die Paul gestolpert war, deutlich zu erkennen. »Hier stehen die Drähte noch wie lange Gräser aus verschiedenen Knäueln nach oben«, sagte sie. »Aber als ich in der Nacht alleine dort war, als mich Winkler angegriffen hat, da waren viele der Enden zu Knoten verbogen. Ich war jetzt schon zweimal in seiner Praxis, und immer, wenn er sich aufregt, verdreht er Draht zu solchen Knoten. Was, wenn er in der Nacht da unten einen Streit mit seiner Frau hatte? Oder ihr aufgelauert hat? Und vor Aufregung hat er die Drähte verbogen?«

»Aber er könnte zu jedem beliebigen anderen Zeitpunkt im Keller des Horrorhauses gewesen sein.«

»Theoretisch ja, aber das glaube ich nicht. Was, zum Teufel, hätte er dort machen sollen?«

»Bist du dir sicher, dass es genau die gleiche Art von Knoten ist?«

»Ich denke schon. Aber wir müssen welche holen. Aus der Praxis. Da liegen bestimmt noch einige in dieser Schale auf seinem Schreibtisch. Oder sie sind im Mülleimer draußen, wenn wir Glück haben. Und dann vergleichen wir sie mit denen im Horrorhaus. Am besten, wir gehen gleich. Irgendwann könnte ihm das nämlich auch wieder einfallen, und dann vernichtet er sie. Und ohne einen neuen Beweis wird Paul uns niemals glauben. Schon gar nicht jetzt, nach dieser … Aktion heute Mittag. Abgesehen davon wird Dr. Laurent sich vielleicht in die Südsee absetzen, wenn er das Gefühl bekommt, die rücken ihm zu dicht auf die Pelle.« Sie steckte ihr Handy in die Hosentasche. »Und das Funkgerät von Mona Laurent können wir bei der Gelegenheit auch gleich suchen. Vielleicht hat er es mitgenommen, nachdem er seine Frau umgelegt hat. Als Trophäe oder so.«

»Hmm, ich weiß nicht«, sagte Henry. »Das ist zwar eine gute Beobachtung mit diesen Knoten, aber wir können nicht einfach in eine Zahnarztpraxis einbrechen.«

»Also ich fahre hin und schaue zumindest in die Mülleimer.«

Henry zögerte, schließlich sagte er: »Gut, von mir aus, ich komme mit. Aber nur die Mülleimer. Und auch nur, wenn wir da drankommen, ohne was aufbrechen zu müssen.«

Suzanne lächelte und deutete ein Nicken an. »Und wieso glaubst du, dass Paul sich irrt?«

»Mir ist beim Lesen vorhin aufgefallen, dass deine Schreibtischlampe warm geworden ist.«

Suzanne runzelte die Stirn. »Ja, und?«

»Als ich mit Petrow ins Horrorhaus gegangen bin, kurz bevor wir die Leiche von Benni Koch gefunden haben, waren im Haus die Sicherungen rausgeflogen«, fuhr er fort. »Petrow hat erzählt, dass sie ihre Scheinwerfer und sonstige Technik mit einem Generator betreiben, weil die Elektrik im Horrorhaus ziemlich unzuverlässig ist. Er meinte, ein oder zwei Scheinwerfer seien kein Problem, in der Küche gibt es wohl eine Starkstromdose, die wahrscheinlich umfunktioniert wurde. Aber sobald mehr dazu kämen, würde es die Sicherung raushauen.

Und ich habe mich gefragt, ob … also ob Dr. Laurent es irgendwie geschafft haben könnte, dass ein oder zwei Scheinwerfer eine Weile gebrannt haben und die Sicherung erst dann … Vielleicht hat er eine zu hohe Spannung angelegt, sodass der Scheinwerfer langsam kaputtgegangen ist. Die Transformatoren, mit denen man die Spannung hochregeln kann, stehen da ja rum. Vielleicht wusste er auch davon, dass einer der Scheinwerfer defekt war. Der ist nach einer Weile wohl immer durchgebrannt. Ich habe davon am Set gehört. Könnte doch sein, dass seine Frau ihm das irgendwann mal erzählt hat.« Er fuhr sich durch die Haare.

»Oder vielleicht ist der Zahnarzt auch dabeigeblieben und hat die Leiche und die Raumtemperatur zunächst extrem aufgeheizt. Denn diese Art Scheinwerfer, die dort standen, werden sehr heiß. Und zwei oder drei waren auch eingesteckt. Ich dachte, das wäre noch von der Polizeiarbeit oder von den Dreharbeiten, aber … Petrow und ich haben die Dinger weggeräumt, als wir die Leiche abgenommen haben.« Er räusperte sich. »Worauf ich hinauswill: Bei der Ermittlung des Todeszeitpunkts stützen sich die Ermittler stark auf die Temperatur. Sie messen die Körpertemperatur der Leiche und die Raumtemperatur und rechnen dann aus, wie lange die Person schon tot ist. Denn die Temperatur der Leiche sinkt natürlich nach dem Tod, vor allem, wenn es so kühl ist wie im Keller des Horrorhauses in dieser Nacht. Wenn der Körper nach dem Tod aber stark erhitzt wurde, sinkt die Körpertemperatur der Leiche langsamer. Wenn die Leiche gefunden wird, ist ihre Körpertemperatur höher, als wenn sie normal heruntergekühlt wäre. Und wenn nun der Rechtsmediziner nicht weiß, dass die Leiche erhitzt wurde, könnte er denken, dass die tote Person erst später gestorben ist, verstehst du? Das weiß ich noch von meiner Zeit bei der Polizei. Und daher könnte es ohne Weiteres sein, dass Benni Koch zum Beispiel schon um Mitternacht gestorben ist. Zu einem Zeitpunkt, zu dem der Zahnarzt vielleicht noch kein Alibi hat. Das weiß nur keiner. Und Laurent kann seelenruhig zu irgendwelchen Raststätten fahren und sich für den falsch errechneten Todeszeitpunkt ein perfektes Alibi schaffen. Er ist Arzt, er könnte das alles wissen.«

»Das wäre möglich«, sagte Suzanne und probierte sofort, Emil anzurufen, der aber nicht abnahm.

Sie warteten bis zum späten Abend, bevor sie nach Kehl aufbrachen. Suzanne parkte vor dem Hauptbahnhof, und sie gingen am Amtsgericht vorbei Richtung Rhein. Die Zahnarztpraxis lag dunkel in der regnerischen Nacht. Mülltonnen waren nirgends zu entdecken. Als Suzanne die Villa umrunden wollte, flammten plötzlich überall Scheinwerfer auf, die offenbar durch einen Bewegungsmelder ausgelöst worden waren. Schnell zog sie sich wieder auf die Straße zurück.

Henry, der sich das Gebäude von der Rheinseite her angeschaut hatte, erspähte im Licht der Scheinwerfer hinten im Garten einen Verschlag, in dem sich vermutlich die Mülltonnen befanden. Da die Scheinwerfer nun sowieso schon einmal an waren, was mit Sicherheit auch bei größeren Tieren wie Katzen passierte, schwang er sich über den Zaun und schlich schnell und geduckt durch die nassen Büsche. Der verdammte Verschlag war mit einem dicken Vorhängeschloss gesichert. Henry fluchte leise und schaute sich um. Hier lag auch nichts herum, das man zum Aufhebeln des Schlosses benutzen konnte. Er kehrte eilig zu Suzanne zurück. »Hast du einen Bolzenschneider dabei?«, fragte er. Ihm fuhr ein kurzer Schauder über den Rücken, als er daran dachte, in was für einer Situation er bei seinem letzten Fall einen Bolzenschneider hatte benutzen müssen.

Suzanne schüttelte den Kopf. »Aber ein Türöffnungsset.« Sie klopfte gegen ihre hintere Hosentasche.

Sie brauchte genau zwei Minuten, um das Schloss bei den Mülleimern zu knacken, während es Henry gelang, die Bewegungsmelder zu überlisten, sodass die Scheinwerfer nach kurzer Zeit wieder ausgingen und sie im Dunkeln operieren konnten. Der Triumph, als sie die Tür des Verschlags aufstießen und die Mülltonnen herauszogen, währte kurz: Alle drei waren vollkommen leer.

»Verdammt«, knurrte Henry.

»Ich gehe in die Praxis rein«, erklärte Suzanne.

»Das ist aber nicht gerade legal, verdammt. Du hast doch schon mehrere Anzeigen bekommen«, bemerkte Henry ein wenig besorgt. »Wieso willst du für irgendeinen Klienten deine Erlaubnis, als Detektiv zu arbeiten, riskieren?«

»Weil sonst ein Mörder vielleicht freikommt?!« Sie musste an ihr letztes Gespräch mit dem Zahnarzt denken. »Er hat mindestens zwei Menschen ohne mit der Wimper zu zucken umgebracht, und ich glaube manchmal, er findet das auch noch amüsant.«

»Aber Paul und Emil werden bestimmt auch bald auf ihn kommen. Ganz legal.«

Suzanne machte ein schnaubendes Geräusch. »Bis dahin ist der längst über alle Berge. Ich gehe rein. Am besten, du weißt von nichts und wartest beim Auto auf mich.«

»Das ist zu gefährlich.«

»Dann komm halt mit.« Sie holte das Set aus ihrer Tasche und ging auf die Tür zu.

Henry war hin- und hergerissen. Auf der einen Seite wollte er Suzanne nicht alleine in die Praxis eines möglichen Mörders gehen lassen, auf der anderen Seite wäre der Verlust der Möglichkeit, als Detektiv zu arbeiten, für ihn der finale Genickbruch in seiner momentanen finanziellen Situation. »Und was, wenn er eine Alarmanlage hat?«, versuchte er noch einmal, sie abzuhalten.

»Hat er nicht. Das habe ich gesehen, als ich in der Praxis war. Das hier ist ein altes Haus in einem kleinen Örtchen, die Leute vertrauen einander. Nicht mal ein Sicherheitsschloss, siehst du?«

»Ich habe eine bessere Idee«, meinte Henry nervös. »Lass uns erst das Alibi des Zahnarztes für den Tod seiner Frau noch einmal nachprüfen. Wenn wir zu dem Schluss kommen, der Nachbar lügt aus irgendwelchen Gründen, dann gehen wir in die Praxis. Wenn nicht, lassen wir es.« Hoffentlich würde das dazu führen, dass Suzanne von ihrer unsinnigen Idee einzubrechen abkam. Nicht, dass sie noch im Gefängnis landete, während der Zahnarzt sich in der Südseeoase ins Fäustchen lachte.

Suzanne rang mit sich, dann nickte sie. »In Ordnung.«

Sie holten sich zwei Regencapes aus dem Auto und gingen durch den mittlerweile strömenden Regen zu den Nachbarn der Laurents. Es war kurz nach zehn, aber zumindest brannte noch Licht. Auch in der Villa von Dr. Laurent waren die Fenster erleuchtet. Suzanne spähte hinüber, konnte den Zahnarzt durch die Fenster aber nicht sehen. Umso besser, er sollte ja auch nicht mitkriegen, was sie vorhatten. Sie klingelte. Eine Weile geschah nichts, schließlich wurde die Tür geöffnet. Der ältere Mann stand in einem Morgenmantel an der Tür. »Es ist sehr spät«, sagte er leise. »Ich möchte nicht …«

»Dürfen wir bitte hereinkommen? Ich bin Privatdetektivin. Suzanne Griesbaum. Ich war schon einmal hier. Das hier ist mein Kollege Henry Marbach.«

Der Mann warf einen angespannten Blick hinüber zu den Laurents, dann machte er die Tür ganz auf und ließ sie eintreten. In einem geräumigen Flur mit Ölgemälden an der Wand blieben sie stehen. »Was wollen Sie denn noch?«

»Es geht um Dr. Laurents Alibi. Für die Nacht, in der seine Frau gestorben ist.«

Der Mann sagte nichts.

»Ich glaube, dass Ihr Nachbar ein Mörder ist. Wir unterstellen aber nicht, dass Sie der Polizei etwas Falsches erzählt haben«, fügte Suzanne schnell hinzu. »Wir denken nur, dass es Dr. Laurent gelungen sein könnte, einige Zeit nicht zu Hause zu sein, obwohl Sie dachten, er sei da.«

Der Mann sagte immer noch nichts. Er nestelte am Gürtel seines Morgenmantels.

»Es ist noch jemand gestorben, ein junger Schauspieler«, bemerkte Henry. »Und wir wollen einfach auf Nummer sicher gehen, dass nicht noch mehr Menschen ihr Leben lassen müssen. Wenn Sie sagen, Sie haben Ihren Nachbarn wirklich die ganze Zeit über gesehen, dann kann er seine Frau nicht umgebracht haben, und dann können wir ihn definitiv ausschließen. Aber falls auch nur die geringste Möglichkeit besteht, dass er doch für mindestens eine Stunde hätte verschwinden können, dann wäre es einfach toll, wenn Sie uns das sagen könnten. Niemand wird es Ihnen übelnehmen, falls Sie sich versehentlich getäuscht haben sollten. Es war spät in der Nacht, und Sie waren bestimmt müde, vielleicht sind Sie kurz eingedöst oder …«

»Ich habe mich nicht getäuscht«, sagte der Mann müde.

»Dr. Laurent war an dem Donnerstagabend, an dem seine Frau gestorben ist, also von etwa 22.30 Uhr bis nach 1.00 Uhr zu Hause? Sie standen am Fenster und haben ihn die ganze Zeit gesehen?« Suzanne war ein wenig enttäuscht. Abgesehen davon konnte sie sich nicht vorstellen, dass die Geschichte stimmte. Wer stand denn mitten in der Nacht stundenlang am Fenster und beobachtete seine Nachbarn?

Der Mann fuhr sich über sein schütteres Haar. Aus einem der angrenzenden Zimmer kam nun die ältere Frau in Jeans und einem weiten Pullover. »Des mit der Maike isch e habbiche Sach, Eddi«, murmelte sie. Sie sah verängstigt aus.

»Aber sie ist jetzt wieder in Hamburg.«

»Annerweg.« *Trotzdem.*

»Ich habe mich nicht getäuscht«, wiederholte der Mann. »Ich habe ihn den ganzen Abend gesehen. Ich leide an Schlaflosigkeit. Ich werde nie etwas anderes sagen. Ich kann meine Tochter Maike nicht in Gefahr bringen. Der Mann ist verrückt.«

»Hat er Sie bedroht?«, fragte Henry.

Der Nachbar antwortete nicht. Aber der Blick, mit dem er sie ansah, sagte alles.

Kapitel 30

Wenig später standen sie wieder vor der Zahnarztpraxis. Mit ein paar schnellen Griffen öffnete Suzanne die Haustür. Henry schaute fasziniert und gleichzeitig mit einem unguten Grummeln im Bauch zu. »Woher kannst du das so gut?«, flüsterte er, nachdem sie nach einem raschen Blick auf die menschenleere Straße ins Haus geschlüpft waren.

Suzanne grinste nur, zückte zwei kleine Taschenlampen aus ihrer Jacke und gab Henry eine.

Für die Praxistür brauchte sie noch kürzer, und nachdem Henry sich versichert hatte, dass Dr. Laurent tatsächlich keine Alarmanlage installiert hatte, ging er schnell hinter Suzanne her, die wusste, wo das Büro des Zahnarztes war.

Leider war das Schälchen auf dem Schreibtisch leer bis auf zwei kerzengerade Drähte.

»Mist«, flüsterte sie. »Lass uns alles absuchen. Zur Not komme ich morgen noch einmal her und rede mit dem Typen. Dann verbiegt er bestimmt vor Wut ein paar Drähte.«

»Das wäre überhaupt eine viel bessere Idee«, meinte Henry.

Sie schüttelte den Kopf. »Es ist sehr gut möglich, dass er überhaupt nicht mehr mit mir spricht. Und jetzt sind wir ja schon hier.«

Sie teilten sich auf. Henry begann in der Küche, nachdem Suzanne ihm mehr oder weniger genau beschrieben hatte, wie die kleinen Drahtknoten aussahen. Er schaute in jeden Schrank und auf alle Ablagen. Nichts. Unter der Spüle befanden sich Mülleimer, und er kniete sich davor und wühlte mit einer Gabel, die er in einer Schublade gefunden hatte, halbherzig ein wenig darin herum. Da war nichts. Was für eine verdammt idiotische Aktion. Wenn sie erwischt wurden, konnten sie von Glück sagen, wenn sie *nur* nicht mehr als Detektive arbeiten durften.

Und keine Ahnung, was für gefährliche Abfälle in einer Zahnarztpraxis so herumlagen. Was, wenn er sich an einer alten Spritze die Hand aufriss oder an einem verfaulten Zahn? Glücklicherweise schienen diese Dinge irgendwo nicht offen zugänglich untergebracht zu sein.

Er ging ins nächste Zimmer. Hier stank es bestialisch nach Lavendel. Er zog jede Schublade auf, betrachtete die Geräte. Kein Funkgerät. Kein Drahtknoten. Schließlich stieß er auf ein Schubfach, in dem verschiedene Drahtstücke lagen, aber nach einem kurzen Hochgefühl musste er leider feststellen, dass keines davon verbogen war, jedenfalls nicht zu einem Knoten. Immerhin entdeckte er jede Menge Gummihandschuhe und ein ganzes Schränkchen voll mit sterilen Einwegoveralls, die wohl für irgendwelche Eingriffe verwendet wurden. Wenn Laurent sowas getragen hatte, konnte das erklären, warum er im Keller des Horrorhauses keine Spuren hinterlassen hatte.

Im Flur hörte Henry Suzanne, die den Geräuschen zufolge irgendetwas durchwühlte. Er suchte die Ablagen ab. Nichts. Zimmer für Zimmer durchsuchte er, bis er sich schließlich zum Empfangsbereich vorgearbeitet hatte. Er hatte die Hoffnung schon aufgegeben, als er plötzlich in einem halbleeren Mülleimer aus durchsichtigem Plastik unter dem futuristischen Empfangstresen etwas Silbernes glitzern sah. Drahtknoten. Da waren eindeutig Drahtknoten. Er zog ein paar zerknüllte Blätter aus dem Eimer, vorsichtig, um sich nicht zu verletzen, denn wer wusste schon, was sonst noch in dem Müll sein mochte. Sah aus den Augenwinkeln plötzlich einen Schatten, der sich über den Tresen zu ihm beugte. Das musste Suzanne sein. Er wollte ihr gerade sagen, dass er vermutlich etwas gefunden hatte, als er einen scharfen Stich im Oberarm verspürte. Er taumelte nach hinten, dann wurde alles schwarz.

Henry hatte keine Ahnung, was passiert war. Er wusste nur, dass er irgendwo lag, mit dem Kopf leicht nach unten und einem Ding zwischen den Zähnen, das ihn daran hinderte, seinen

Mund zu schließen. Er wollte aufstehen, fühlte, dass er festgebunden war und sich nicht regen konnte. Ihm war schwindelig. Er öffnete die Augen, grelles Licht blendete ihn. Ein Behandlungsraum. Er war in einem Behandlungsraum. War er verletzt worden und in einem Krankenhaus? Wieso roch es hier so extrem nach Lavendel, und warum war er gefesselt und hatte so ein Ding im Mund? Und wo war Suzanne, die …?

»Wer bist du?«, fragte eine männliche Stimme. Der Typ, der ihm im sterilen Einwegoverall mit Handschuhen gegenüberstand und mit sehr weißen Zähnen bösartig grinste, musste Dr. Laurent sein. »Wer hat dich geschickt? Weiß jemand, dass du hier bist?«

Henry sagte nichts und versuchte, sich loszureißen. Vergeblich. Wo war Suzanne? Und warum hatte der Typ ihn hier auf dem Stuhl festgebunden? Warum rief er nicht die Polizei, wenn er einen Einbrecher ertappte? Henry hatte ein flaues Gefühl im Magen. Er versuchte, mit seinem aufgesperrten Mund »Ich habe Geld gesucht« zu sagen. Es klang wie »Ich hae Gelch gechuchk«. Der Typ schien ihn aber zu verstehen. Hoffentlich glaubte er ihm, wenn er behauptete, er sei nur ein harmloser Dieb. Er durfte auf keinen Fall erfahren, dass er ein Privatdetektiv war.

Dr. Laurent lachte hämisch. Dann legte er wortlos und so, dass Henry es ganz genau sehen konnte, einen Hammer, Meißelchen, kleine und größere Zangen sowie Draht auf das kleine Tischchen über dem Behandlungsstuhl. Den Bohrer bestückte er mit einem dicken Bohrkopf. Diese ganzen Gruselgeschichten, die über Laurent erzählt wurden, hatten offenbar einen ziemlich realen Kern. Henry lief es eiskalt den Rücken hinunter, er schluckte panisch. Er musste den Mann hinhalten, vielleicht gelang es Suzanne in der Zwischenzeit, Hilfe zu holen. Wenn der Typ sie nicht schon getötet hatte, oh bitte nicht, keine Ahnung, wie lange er, Henry, weg gewesen war.

»Wer bist du?«, fragte Dr. Laurent erneut. Er nahm ein Stück des Drahts und drehte es zu einem Knoten.

Henry dachte fieberhaft nach. »Ich chollte nur Gelch. Ich gehe, un cherde niehangem …«

»Das ist eine Lüge«, bemerkte der Arzt seelenruhig, warf den Knoten auf das Tischchen, nahm einen Schlauch hoch und spritzte Henry irgendeine ekelhaft nach künstlicher Zitrone schmeckende Flüssigkeit in den Mund. Mehr und mehr, bis Henry das Gefühl hatte zu ersticken. Er musste sich gleich übergeben, er …

Kurz bevor ihm die Luft ganz wegblieb, hörte die Flüssigkeit auf, in seinen Mund zu spritzen, und er kam hustend und japsend wieder zu Atem.

»Waterboarding«, sagte Dr. Laurent. »Davon träumt jeder Zahnarzt. Dass er mal einen von seinen nervigen Patienten zu Tode foltern kann. Ein paarmal habe ich schon ein bisschen damit angefangen, aber dann musste ich die Leute doch wieder gehen lassen. Es hätte einfach zu viele Fragen aufgeworfen.« Er kicherte. »Aber der dumme, kleine Asso, der hier eingebrochen ist, um im Gegensatz zu dir wirklich ein bisschen Kohle zu klauen … Da habe ich Glück gehabt, dass seine Leiche nie aufgetaucht ist. Sehr praktisch, wenn man den Rhein direkt hinter dem Haus hat.« Er kicherte wieder. »Gelegenheit macht Diebe, wie ich immer zu sagen pflege. Was glaubst du, warum ich keine Alarmanlage mehr habe, sondern nur die Kamera? Ich mag Diebe. Niemand weiß, dass sie hier sind, niemand sucht sie hier.«

Der Mann war offensichtlich vollkommen verrückt. Henry stöhnte. Die Flüssigkeit war ihm auch in die Augen gelaufen und brannte wie die Hölle.

»Also. Nochmal. Wer bist du?«

»Ich bin …«, brachte Henry heraus, es war kaum verständlich.

Erneut spritzte zitroniges Wasser in seinen Mund, noch länger, er keuchte, er würde ersticken, ertrinken, Hilfe, Hilfe, er musste hier weg. Verzweifelt bäumte er sich auf, schluckte, atmete die widerliche Flüssigkeit ein, hustete, hustete, bis ihm die Lunge brannte. Er war kurz davor, die Besinnung zu verlieren, als der Strahl abrupt abbrach.

»Ich glaube, du verstehst die Spielregeln nicht. Ich frage, du antwortest. Und zwar schnell und die Wahrheit«, sagte der Zahnarzt mit einem Lächeln und streichelte sanft und genießerisch über die Zangen und den Hammer. »Denn bei jeder falschen Antwort ziehe ich dir einen Zahn. Oder ich zerbohre ihn. Wie ein Wurm einen Apfel. Und für deine Zunge überlege ich mir auch noch was ganz Besonderes, vielleicht werde ich sie mit einem Skalpell in Stücke schneiden«, fuhr er schwärmerisch fort. »Du solltest den Anblick meiner Praxis genießen, denn er ist das Letzte, was du sehen wirst. Also, ich höre?« Er nahm ein weiteres Drahtstück hoch, verdrehte es zu einem Knoten.

»Okay«, lenkte Henry ein, dem Lunge, Augen, Mund, Zunge, alles brannte, als er wieder zu Atem gekommen war. »Ich bin Privatdetektiv.«

»Henry Marbach, nicht wahr?« Der Typ wirkte, als genieße er den Triumph extrem, Henrys Namen bereits zu kennen. »Und was hast du in meinem Mülleimer gesucht?«

»Einen Beweis dafür, dass Sie Mona Laurent und Benni Koch umgebracht haben.«

Der Zahnarzt lächelte. »Schade, dass Mona tot ist. Wirklich schade. Eine gute Frau. Manchmal habe ich sie mit in die Praxis genommen. Am Abend, wenn wir alleine waren. Wir haben ein paar nette Spielchen miteinander gespielt.« Seine Stimme klang erregt. »Manchmal habe ich ein paar der Instrumente auch mit in unser Schlafzimmer genommen. Man kann unvorstellbar geile Dinge damit machen. An Stellen, die niemand sieht. Hat ihr auch gefallen, ganz tief in sich drin. Sie konnte sich nur nicht so gehen lassen.«

Henry erschauderte.

»Selbst schuld, dass sie tot ist. Man verlässt mich nicht«, bemerkte der Zahnarzt mitleidlos. »Aber eines Tages hat sie geglaubt, sie kann einfach weglaufen. Vor mir.« Er schüttelte den Kopf. »Dabei hatte ich einen Peilsender in ihrem Ehering und in jedem Schmuckstück, das sie getragen hat. Und sie hatte eine ganze Menge davon. Eitelkeit kommt vor dem Fall. Ich habe sie verfolgt wie eine Katze die Maus. Ich hatte eigentlich vor, sie zu erdrosseln. Den Strick hatte ich immer dabei.« Er lächelte. »Eitelkeit. Das war ihre größte Schwäche. Genau wie bei diesem bescheuerten Schauspieler. Hat geglaubt, dass er mich erpressen kann, weil er anscheinend gesehen haben wollte, dass ich für Monas Tod kein Alibi hätte. *Mich* erpressen. Der dachte, ich habe keine Ahnung, wer mich da erpresst, dabei wusste ich es von Anfang an. Ich habe ihn überrascht. Als er die Tasche mit dem vermeintlichen Geld geholt hat.«

Laurent kicherte wieder, es klang sehr zufrieden. »Habe ihn mitgenommen. Ins Horrorhaus. Er hatte keine Chance. Er konnte gar nicht so schnell schauen, wie ich ihn erdrosselt habe. Wobei ich ihn zwischendrin noch ein paar Mal habe zu sich kommen lassen. Weil es so viel Spaß gemacht hat. Und war die Idee mit dem Erhängen nicht herrlich? Wo doch alle in diesem Haus anscheinend erhängt wurden?«

»Warum der Abschiedsbrief? Wenn die Polizei doch so oder so erkannt hätte, dass …«

»Der pure Spaß, um ein wenig Unruhe in die Ermittlungen zu bringen und Zeit zu schinden. Genau aus dem gleichen Grund habe ich Monas Schwester ein bisschen gefoltert und so getan, als wüsste ich nicht, wo meine Frau sich aufhält. Damit ich auf jeden Fall den Flieger in die Freiheit kriege. Die dürfen irgendwann ruhig wissen, dass ich es war. Meine Genialität soll ihnen gar nicht verborgen bleiben. Ich will zu dem Zeitpunkt nur schon weit weg sein, wie du sicher verstehst.« Er strich erneut liebevoll über den Bohrer.

»Diesen Benni habe ich auch für Mona umgelegt. Die hat ihn nämlich nicht im Geringsten interessiert, auch wenn er behauptet hat, er wolle ihren Tod rächen, indem er mich zur Kasse bittet. Nur das Geld hat den interessiert. Sonst wäre er doch zu den Bullen gegangen mit seinem Wissen, nicht zu mir, das ist völlig klar. Auch wenn das nichts genützt hätte. Denn mein Nachbar hat zwei kleine Enkelinnen und eine Tochter, die er gerne in Sicherheit und am Leben wissen möchte. Deswegen hat er den Bullen bereitwillig erzählt, er habe mich an dem Abend gesehen. Ich hoffe, er hat euch gerade eben nichts anderes gesagt? Ich dachte, mich trifft der Schlag, als ich die fette Ökotussi und dich drüben bei den Schillers erspäht habe.«

»Er hat kein Wort gesagt, sonst hätten wir ja nicht hierherkommen müssen, um Beweise zu suchen.«

»Rührend, dein Versuch. Aber ich glaube, du lügst. Vielleicht nehme ich mir Maike und ihre nervigen Bratzen später noch vor. Ein kleines Abschiedsgeschenk an den dämlichen Staatsanwalt.« Der Zahnarzt nahm eine Zange hoch, packte einen von Henrys Zähnen und zog daran, dass es nur so knirschte.

Henry schrie vor Schmerz. »Lassen Sie mich gehen«, flehte er panisch, nachdem der Zahnarzt die Zange wieder aus dem Mund genommen hatte. Er schmeckte Blut, aber sein Zahn schien noch drin zu sein. »Eine Menge Leute wissen, dass ich hier bin, und …«

»Nur die fette Ökotussi weiß, dass du hier bist. Ich bin euch gefolgt und habe euch reden gehört. Und es gibt wie gesagt Kameras in der Praxis. Mit Bewegungsmeldern. Da kann ich vom Handy aus beobachten, was sich im und ums Haus tut.« Er zuckte mit den Schultern. »Die fette Ökotussi dürfte langsam aber tot sein. Erstickt an der Zahnabdruckmasse, die ich ihr in den Mund gestopft habe, der fetten Kuh. Ein passender Tod. Friss und stirb.« Er kicherte. »Das werde ich bei dir auch noch machen, aber von dir will ich vorher noch ein paar Informationen. Von Mann zu Mann sozusagen. Denn ich habe in meiner Praxis die Erfahrung gemacht, dass Frauen deutlich mehr Schmerzen aushalten als Männer. Von dir erfahre ich also schneller als von der Ökotussi, was ich wissen muss.«

Suzanne. Tot. Henry hätte am liebsten gebrüllt. Tränen stiegen ihm in die Augen. Er zwang sich, ein paarmal tief durchzuatmen.

»Sag mir, was die Polizei weiß. Ich will alles wissen, was diese unfähigen Penner so vor sich hin stümpern. Du warst doch früher Polizist, nicht wahr? Und hast einen Kumpel, der dich mit Informationen versorgt?«

»Sie wissen aber viel über mich«, keuchte Henry, da der Zahnarzt gerade zum Bohrer griff. Er hatte mal irgendwo gelesen, dass es verdammten Psychopathen gut gefiel, wenn man sie bewunderte. Und der Typ hier war bestimmt ein Psychopath. Er erzählte Dr. Laurent alles, was er wusste, während er fieberhaft überlegte, wie er sich aus seiner Position befreien konnte. Lediglich den Brief, den Benni Koch hinterlassen hatte, und all die Dinge, die auf den Zahnarzt als Täter hindeuteten, erwähnte er nicht. Er versuchte, seine Hände zu bewegen, die offenbar mit Draht brutal an den Stuhl gefesselt waren. Sie schmerzten und wurden langsam taub. Der Draht schnitt höllisch in die Haut. Auch seine Füße waren gefesselt, aber die Fessel an seinem rechten Knöchel saß ein wenig locker.

Vielleicht, wenn es ihm gelang, den rechten Fuß zu befreien, konnte er den Zahnarzt mit einem gezielten Tritt in den Solarplexus oder ins Gesicht unschädlich machen. Er drehte den Fuß vorsichtig, versuchte, den Draht abzustreifen. Das Ding wollte einfach nicht abgehen.

Er brauchte mehr Zeit, seine Geschichte war gleich zu Ende, und … »Ihre Taten waren brillant«, brachte er heraus. Er versuchte, sich in den Typen hineinzuversetzen, und hoffte, dass seine schauspielerischen Fähigkeiten in den letzten Wochen so zugenommen hatten, dass er glaubwürdig wirkte. »Wie haben Sie es gemacht? Bei Mona?«

Der Zahnarzt antwortete nicht. Zärtlich strich er über die Werkzeuge auf dem Tischchen. Hob ein weiteres Stück Draht hoch, formte einen Knoten und lehnte sich gemütlich in seinem Stuhl zurück.

»Ich bin Mona an dem Abend wie jeden Tag, seit sie weg ist, gefolgt. Habe darüber nachgedacht, wann und wo ich sie töten soll. Und dann ist sie einfach so zu diesem Horrorhaus gegangen. Ein wundervoller Ort, wenn man in Ruhe jemanden umbringen will, vor allem, weil jeder denkt, die Tat muss was mit dem Film oder der Geschichte des Hauses zu tun haben.« Er lächelte.

»Eigentlich habe ich gedacht, Mona trifft sich da mit ihrem Geliebten. Aber der Typ war ja gar nicht ihr Geliebter. Natürlich nicht, es tut mir auch leid, dass ich so über sie gedacht habe. Selbstverständlich wollte sie nach mir nie wieder jemand anders. Die bringen es einfach nicht.« Er räusperte sich. »Sie ist in den Keller und hat da ein Päckchen Drogen geholt. Das habe ich übrigens mitgenommen und zerstört. Drogen sind sehr schädlich, sowas unterstütze ich nicht.« Er lächelte wieder, offenbar ganz in die Erinnerung versunken.

»Ich habe auf sie gewartet. In so einem abgesperrten Kellerraum hinter irgendwelchem Müll. Mona war echt erstaunt, als sie mich gesehen hat. Ich glaube, sie hat mich erst gar nicht erkannt in dem OP-Anzug mit Kapuze und FFP2-Maske. Hat angefangen zu schreien wie eine Bekloppte. Ich konnte ihr gerade noch das Funkgerät abnehmen, sonst wäre die Sache schiefgegangen. Wir haben uns ein bisschen gestritten.« Erneut griff der Zahnarzt nach einem Draht, verdrehte ihn zu einem Knoten und warf ihn auf das Tischchen zurück. »Sie hat gebeten und gebettelt, und als sie meinte, wir könnten doch im Licht einer mittelalterlichen Laterne schönen Sex in diesem Loch haben, auf einer alten Schlachtbank, da bin ich fast schwach geworden. Sie hat es sogar geschafft, mit diesem Flaschenzug die Falltür hochzuziehen. Ich musste ihr kaum helfen. Meine Mona, sie war wirklich was Besonderes. Ich habe sie dann aber doch lieber gepackt und runtergestoßen. War mir nicht sicher, ob sie lügt, als sie gesagt hat, sie würde mich nie verraten. Ich dachte eigentlich, ich muss noch nachhelfen, aber sie war sofort tot.« Das schien er ziemlich schade zu finden.

»Perfekter ging es kaum, da die Staatsanwaltschaft von einem Unfall ausgegangen ist. Weil ich ein paar Äxte habe mitgehen lassen und ihr diese komische Lampe in den Keller nachgeworfen habe. Und weil sie Petrows Notizbuch geklaut hatte. Selbst schuld, die kleine Diebin«, fügte er dann hinzu. »Und als die fette Ökotussi in der Hecke der Nachbarn saß und ich den Bullen und ihr ein bisschen Theater vorgespielt habe … Das war zu lustig.«

Erneut verbog er einen Draht. Der Tisch war voll mit Beweisstücken. Henry versuchte verzweifelt, sein Bein zu befreien. Ein ganz klein bisschen ließ es sich bewegen, aber ob er es je aus der Schlinge würde ziehen können, stand in den Sternen. »Und bei Benni?«, hakte er nach. »Wie haben Sie es hinbekommen, dass Sie so ein geniales Alibi hatten?«

Der Zahnarzt lächelte erfreut. »Mona hat mir immer viel von ihrer Arbeit am Set erzählt. Sie hat geglaubt, sie kann mich so davon abhalten, Sex mit ihr zu haben. Aber sie war meine Frau. Wofür sonst hätte ich eine Frau gebraucht? Sicher nicht, um mit ihr über Filme zu reden.« Er lachte herzhaft. »Aber zufällig hat sie mir davon erzählt, dass es in letzter Zeit immer Ärger mit einem bestimmten Scheinwerfer gab. Nach einer gewissen Zeit wird er zu heiß und brennt durch. Sie meinte, er würde nie länger als eine Stunde brennen. Ich dachte mir, das müsste doch genügen, um zu verhindern, dass der Todeszeitpunkt korrekt geschätzt wird. Und so habe ich Bennis Leiche erwärmt, zuerst mit allen Scheinwerfern. Da hat es in diesem Haus zweimal die Sicherung rausgeballert. Aber dann hatte ich den Dreh raus, und als ich gegangen bin, habe ich nur den einen Scheinwerfer angelassen. Direkt in den Bauchbereich hat der gestrahlt.« Er lächelte zufrieden. »Mir ist klar, dass die das vermutlich nicht ewig schlucken werden, aber lange genug, bis ich abhauen kann. Und jetzt lassen Sie uns endlich mit dem schönen Teil des Abends beginnen, denn mein Flieger geht bald.« Er schaltete Mozart an, nahm den Bohrer aus seiner Halterung und bohrte Henry einfach so ins Zahnfleisch.

Henry schrie auf, Blut schoss ihm in den Mund, und er zappelte auf seinem Stuhl herum. Er kam einfach nicht frei, verdammt nochmal. »Ich denke, zwei tote Privatdetektive in ihrer Praxis werden Sie nicht so leicht erklären können«, schrie er zwischen unverständlichen Schmerzensschreien.

Dr. Laurent lachte. »Das habe ich auch nicht vor. Die Praxis ist die nächsten Tage geschlossen. Man wird euch erst finden, wenn ihr zu stinken anfangt. Und dann bin ich schon lange weit weg. Hörst du mir nicht zu? Hat mich eh gelangweilt, dieses

Spießerleben hier in Kehl. Viel zu freundlich, die Leute hier. Und dann die ganzen gut gelaunten Franzosen. Ein grässliches Örtchen.« Erneut setzte er den Bohrer an, und Henry brüllte.

Plötzlich war an der Tür in Laurents Rücken eine Bewegung zu erkennen, und eine blutüberströmte Suzanne stolperte in den Raum. Sie hatte eine volle gläserne Sprudelflasche in der Hand und schlug sie dem Zahnarzt ohne zu Zögern mit einem Kampfschrei auf den Kopf. Der schaute kurz ganz erstaunt, aber Suzanne hatte die Flasche schon erneut erhoben und schlug wieder zu.

Ein dumpfes, ungesundes Knacken ertönte, und mit einem kaum hörbaren Seufzen glitt Gerard Laurent von seinem Stuhl auf den Boden und rührte sich nicht mehr.

Kapitel 31

Staatsanwalt Paul hatte sich nach einem ersten kurzen Wutanfall erstaunlich verständnisvoll gezeigt, nachdem Suzanne ihm unter Tränen erzählt hatte, sie habe die Tür mit einem Einbruchset geöffnet, um Beweismittel zu sichern. In seinem Protokoll der Vernehmung hatte er sogar notiert: *Privatermittlerin Suzanne Griesbaum erläutert auf Nachfrage: Wir haben zufällig in Kehl einen kleinen Spaziergang gemacht. Die Tür der Villa, in der sich die Zahnarztpraxis befand, stand offen. Herr Marbach und ich dachten, hier habe sich ein Einbruch ereignet, und wir gingen hinein, um nach dem Rechten zu sehen. Dabei wurden wir von Herrn Dr. Laurent angegriffen.*

Das Türöffnungsset hatte Paul allerdings mitgenommen und Suzanne noch zugeraunt, sowas wolle er bei ihr nie wieder sehen. Er hoffe sehr, dass ihr klargeworden sei, dass dies wirklich das allerletzte Mal gewesen sei, dass er ihr geholfen habe.

Dr. Laurent war in ein Krankenhaus gebracht worden, wo er sich unter strenger Bewachung durch die Polizei von einem Schädelbruch erholte. Sobald er gesund genug war, würde er ins Gefängnis verlegt werden, um dort seine Untersuchungshaft anzutreten. Auch die alten Todesfälle, die sich im Umfeld des Zahnarztes ereignet hatten, wie etwa der verschwundene Dieb und die alte Dame aus Hanau, würden noch einmal aufgerollt werden.

Suzanne war ebenfalls ins Krankenhaus gekommen. Eine Platzwunde am Kopf hatte genäht werden müssen. Sie hatte jedoch nach der ersten Nacht wieder entlassen werden können, da glücklicherweise weder Laurents Schlag noch die Abformmasse, die er ihr in den Mund gestopft hatte, ernste Schäden bei ihr verursacht hatten. Zum Glück für sie hatte der Zahnarzt nicht bemerkt, dass sie von dem Schlag gar nicht ohnmächtig geworden war, sondern das nur gespielt hatte. Er hatte ihr auch das Alginat, wie das Zeug offenbar hieß, nicht sonderlich gründlich in den Mund pressen können, da er Henry noch hatte erledigen müssen. So hatte sie die Masse wieder entfernen können, nachdem der Zahnarzt nach draußen geschlichen war. Zwar hatte er die Tür des Kopierraums abgeschlossen, aber mit dem Einbruchset hatte sie es schließlich trotz ziemlich zittriger Hände geschafft, die Tür zu öffnen. Und das, obwohl ihr elend schwindlig gewesen und ihr ständig Blut in die Augen gelaufen war. Sie hatte Henrys Schreie gehört und verzweifelt nach einer Waffe gesucht. In der Küche war sie fündig geworden. Sie hatte aus dem Sprudelkasten eine volle Flasche genommen und war zu Behandlungsraum 4 geschlichen, aus dem die Stimmen und die Schreie und die Musik gekommen waren. An den Rest konnte sie sich nur noch verschwommen erinnern, aber offensichtlich hatte sie zwei gute Schläge auf den Kopf des Zahnarztes platziert und Henry aus seiner misslichen Lage befreit. Danach musste sie wohl umgekippt sein.

Henry verbrachte die nächsten drei Tage im Wesentlichen mit Bodybuilding in seinem Fitnesscenter in Stuttgart, wo er seinen letzten »Zahnarztbesuch« mit kaum stemmbaren Gewichten und einarmigen Liegestützen zu verarbeiten suchte und fieberhaft, aber fruchtlos überlegte, ob er Carlotta eine WhatsApp schreiben sollte oder nicht. Und, wie er an das Geld für Nikita kommen konnte, ohne Achim noch einmal anzubetteln oder Suzanne gestehen zu müssen, dass er vollkommen mittellos war. Er wohnte im Moment bei einer Bekannten, die für drei Wochen in den Urlaub geflogen war und jemanden gesucht hatte, der auf ihre Wohnung aufpasste und ab und an ihre Zimmerpflanzen goss.

Als er sich Freitagabend dann endlich doch ein Herz fasste und bei Achim durchklingelte, ging nur die Mailbox des Handys dran. Siedend heiß fiel Henry ein, dass sein bester Freund ja auf einem Juristenkongress in Hamburg war, und zwar, wie er ihm vor Wochen augenzwinkernd erzählt hatte, mit einer »scharfen

Inhouse-Anwältin aus einem Steuerberaterbüro«, die er »klarmachen« wollte. Er hinterließ Achim zwei Nachrichten, hatte allerdings nicht sonderlich große Hoffnung, dass der vor Montag zurückrief. Denn wenn Achim mit anderen Dingen beschäftigt war und keinen wichtigen beruflichen Anruf erwartete, schaltete er sein Handy gern aus. Und am Wochenende kam es vor, dass er es einfach vergaß.

Es war früher Samstagmittag, als Suzanne von ihrem Büro am Offenburger Marktplatz aus zu Fuß Richtung Edeka in der Berta-von-Suttner-Straße marschierte. Henry hatte vor drei Stunden angerufen und gefragt, ob er später zu einer »Nachbesprechung des Falls« vorbeikommen solle, er habe gerade »ein wenig zeitliche Kapazität in seinem Detektivbüro«. Sie hatte bejaht, da sie ihn sowieso endlich fragen wollte, ob er nicht Lust hatte, richtig bei ihr anzufangen.

Endlich hatte der Eisregen aufgehört, der den ganzen Morgen gegen ihre Büroscheiben getrommelt hatte, und die Sonne lugte aus den Wolken hervor, was Suzanne ein Lächeln entlockte. Sie ging ein wenig schneller. Seit ihrem Einbruch in der Zahnarztpraxis hatte sie sich mehr Bewegung verordnet und fühlte sich schon deutlich fitter. Vielleicht konnte Henry ihr ja auch noch weiter Unterricht in Selbstverteidigung geben. Vor lauter Muskelkater hatte sie sich zwar nach den letzten beiden Malen kaum bewegen können, aber das Training hatte ihr gutgetan und abgesehen davon das Leben gerettet. Sie hätte in der Zahnarztpraxis niemals ohne zu zögern zugeschlagen, hätte sie das nicht vorher mit Henry trainiert gehabt.

Schließlich betrat sie den Supermarkt. Sie kaufte knackigen Ackersalat, Karotten, einen Rotkohl und köstlich duftende Orangen. Sie würde nachher einen großen Salat zubereiten, mit einer Soße aus Walnussöl, Balsamico und Zitronensaft, die sie mit kleinen Zwiebelwürfelchen und den eingefrorenen Kräutern aus ihrem Garten verfeinern würde. Dazu frisch gepresster Orangensaft und ein paar mit ihrem selbstgemachten Ziegenkäse,

Thymian und einem Tropfen Honig überbackene Baguettescheiben. Und weil morgen Sonntag war, lud sie auch noch die Zutaten für ihren legendären winterlichen Gewürzkuchen in den Einkaufswagen. Allein die Vorstellung, wie der Duft nach Zimt, Kakao und Lebkuchen aus dem Ofen strömen und die Spätherbstkälte vor den Fenstern vertreiben würde, war wundervoll. Ihr lief das Wasser im Mund zusammen.

Wenig später parkte sie auf dem Hof vor ihrem Haus, wo sie auf Henry traf, der offenbar ein wenig früher gekommen war, wohl, weil er noch hatte laufen gehen wollen. Er trug einen Trainingsanzug und Turnschuhe, war vollkommen verschwitzt und seltsam wortkarg und verschwand als Erstes unter die Dusche, während sie den Ackersalat putzte und die Zwiebeln hackte. Als sie gerade die belegten Baguettescheiben in den Ofen geschoben hatte, kam Henry in die Küche. Er sah irgendwie nicht gut aus. Offenbar hatte er seine Begegnung mit Dr. Laurent doch nicht so einwandfrei verkraftet, wie er am Telefon behauptet hatte. Einfach unmöglich, dass sie ihn in diese Situation gebracht hatte! Wie konnte sie das je wiedergutmachen?

»Suzanne«, sagte Henry in diesem Moment, und seine Stimme klang kläglich. »Ich muss dir was erzählen.« In seinem Magen krampfte sich alles zusammen. Er hatte eigentlich gedacht, wenn er vorher zwei Stunden laufen gewesen war, wäre er so erschöpft, dass es ihm nichts mehr ausmachen würde, aber dem war ganz und gar nicht so. Nie im Leben würde er sich unter normalen Umständen eine solche Blöße geben, schon gar nicht vor einer attraktiven Frau, aber er wusste einfach nicht mehr, was er tun sollte. Er hatte den ganzen Tag versucht, den verdammten Achim zu erreichen, damit der ihm Geld für den verdammten Eselskauf leihen konnte. Aber sein bester Freund war leider immer noch nicht zu erreichen gewesen, und morgen musste er das Tier bar bezahlen. Henry räusperte sich. »Also, Suzanne, ich …« Er brach ab. In ihm sträubte sich alles. Sie würde ihn nie wieder ernst nehmen, wenn sie die Wahrheit kannte, das war bei all seinen Freunden und Freundinnen und Bekannten so gewesen, mit Ausnahme von Achim, aber den kannte er ja schon seit der Schulzeit. »Ich habe dir ja erzählt, dass ich ...«

Er räusperte sich erneut. Er musste es hinter sich bringen. Aber schnell. »... Also dass ich eine verdammt erfolgreiche Detektei in Stuttgart hätte. Es ist jetzt nicht gerade so, dass ich ... Doch, es ist so. Es ist so, dass ich pleite bin. Und ich habe auch keine Detektei mehr, und eine Wohnung habe ich auch nicht mehr. Als ich ... Seit ich im Knast war wegen unseres letzten Falls ...« Er spürte, dass sein Gesicht glühte vor Scham. »Ich konnte meine Miete nicht mehr bezahlen. Das Einzige, was ich in meinem Leben gut hinbekommen habe, ist Schuldenmachen.«

Er verstummte. Suzanne sagte nichts, schaute nur scheinbar verständnisvoll. Das war immer so. Weil die Leute nicht wussten, was man in so einer Situation sagen sollte. Das war so ähnlich, wie wenn jemand gestorben war und man sein verdammtes Beileid aussprechen musste. Und weil die Leute wahrscheinlich ahnten, dass er sie gleich um Geld anhauen würde. Sie dachten sich, was für ein peinlicher Versager er war. Ein Lügner und Blender. Ein fauler, lästiger Bettler, der selbst schuld war an seiner Situation. Er ballte die Hand zur Faust. Suzanne würde gleich sowas wie »Oh, das tut mir aber leid« sagen. Oder etwas wie »Das macht doch gar nichts. Geld ist nicht so wichtig«. Das würde so lange gehen, bis er dann nach Geld fragte. Dann würde es höchstens noch einen oder zwei Tage dauern, bis sie ihm mit fadenscheinigen Argumenten die Freundschaft aufkündigte und ihn vom Hof warf. Vielleicht in diesem Fall ein paar Wochen länger, weil sie sich offensichtlich schuldig fühlte, dass er von einem wild gewordenen Zahnarzt gefoltert worden war, aber ...

Suzanne sagte allerdings: »Das weiß ich«, und Henry musste sich erst mal am Türrahmen anlehnen.

Es ging also gar nicht um den Horrorabend in der Zahnarztpraxis. Suzanne schluckte. »Ich ...«, setzte sie an. Henry tat ihr furchtbar leid, und sie wusste nicht so recht, was sie sagen sollte. Es war so bescheuert von ihr gewesen, das Thema nicht mal anzusprechen. Sie hatte deutlich gemerkt, dass es Henry peinlich gewesen war, es von sich aus zu thematisieren. »Ich … Also bei unserem letzten Fall, als ich dachte, dass du ein Mörder bist, da habe ich natürlich routinemäßig deine Finanzen durchleuchtet. Daher weiß ich, dass du Schulden hast. Und dass du deine Wohnung verloren hast, weiß ich auch. Ich wollte dich schon lange fragen, ob du bei mir in der Detektei anfangen willst, also so richtig. Aber ich habe mich nicht getraut, weil ich … Na ja, ich wollte dich nicht in Verlegenheit bringen, weil du mir ja immer erzählt hast, dass du eine erfolgreiche Detektei in Stuttgart besitzt.«

Henry ballte die Hand zur Faust. Damit hatte er jetzt nicht gerechnet. »Das ist lieb, aber ich brauche kein Mitleid«, sagte er.

»Das hat mit Mitleid nichts zu tun. Mir fehlt ein Detektiv, und ich denke, du würdest gut in mein Team passen.«

»Aber glaubst du nicht, dass ich ein verdammt schlechter Detektiv bin? Ich meine, ich muss ja schlecht sein, sonst hätte ich doch irgendwann reich werden müssen.« Das war ihm herausgerutscht, bevor er darüber nachgedacht hatte, wie idiotisch es war, sich noch schlechter zu machen.

Sie schüttelte den Kopf. »Nein, eigentlich finde ich, dass du ein ziemlich guter Detektiv bist.«

»Aber was läuft bei mir dann die ganze Zeit schief?«

»Vielleicht das Gleiche, was bei mir immer schiefläuft, wenn ich abnehmen will?«

»Aber du siehst verdammt gut aus. Du musst überhaupt nicht abnehmen. Das ist was völlig anderes als bei mir.«

Ein strahlendes Lächeln überzog ihr Gesicht. »Danke schön!«, sagte sie.

Henry zwang sich zu einem Grinsen.

»Wenn du magst, kannst du übrigens fürs Erste die Einliegerwohnung haben. Die steht ja leer.« Weil die *Dieselskandal*-Bandmitglieder nicht mehr da waren. Und vielleicht nie mehr wiederkommen würden. Sie verdrängte den Gedanken sofort.

Henry verspürte ein warmes Gefühl der Dankbarkeit. Die waren einfach nett, diese Badener. Suzanne ganz besonders, und sein neuer Job hier sah endlich mal nach einem echten Silberstreifen am Horizont aus. Auch wenn er dafür in die hinterste Provinz ziehen musste, wo es Igel gab und sonstiges fürchterliches Getier … Siedend heiß fiel ihm Nikita ein. »Suzanne«, setzte er an. »Das ist noch nicht alles. Es gibt da noch etwas …«

Suzanne, die gerade das Blech aus dem Ofen geholt hatte, auf dem die nun köstlich duftenden, krossen Brotscheiben mit dem Ziegenkäse lagen, drehte sich zu ihm um.

»Ich habe einen Esel gekauft«, sagte er. »Und ich wollte dich fragen, ob ich vielleicht einen Vorschuss auf mein zukünftiges Gehalt haben könnte.«

Suzanne fiel fast das Blech aus der Hand. Du meine Güte, was wollte Henry denn mit einem Esel? Eigentlich hatte sie das Gefühl gehabt, dass er vor allen Tieren mit Ausnahme von Katzen und Ziegen Angst hatte. Und wo wollte er den Esel denn unterstellen? Etwa bei ihr? Da hätte sie eigentlich schon gedacht, dass er das vorher mit ihr absprechen …

»Sie wird sonst am Montag geschlachtet«, fügte Henry hinzu.

Er erzählte ihr die ganze Geschichte. Nur seinen erzwungenen Ritt auf Nikita ließ er mal weg, man musste sich ja nicht zweimal am Tag ausziehen. Wie hatte Jack Jackson in *Bombastico* gesagt: »Der erste Schlag, der deine Deckung durchbricht, ist der, der dir die Fresse zertrümmert. Aber der zweite zertrümmert deine Selbstachtung.« Henry beendete seine Schilderung, wie er zu Nikita gekommen war, mit den Worten: »Ich konnte sie doch nicht einfach sterben lassen.«

Suzanne nickte zufrieden. Es war wirklich eine sehr, sehr gute Idee gewesen, Henry ein Jobangebot zu machen. Er passte sogar noch viel besser in ihr Team, als sie sowieso schon gedacht hatte.

Als Suzanne am frühen Abend in ihrer Scheune darüber nachgrübelte, wo genau sie den Esel hinstellen konnte und was am Morgen noch alles erledigt werden musste – Tierärztin anrufen, Gatter verstärken und so weiter –, surrte ihr Handy plötzlich.

Eine WhatsApp von Liam. Ihr Herzschlag beschleunigte sich. Eigentlich sollte sie sie sofort ungelesen löschen, aber das brachte sie dann doch nicht über sich, und so klickte sie die Nachricht an.

Liebe Suzanne, die ich nie wieder Sweetheart nennen darf,

danke, dass du für uns gevotet hast. Es war auch eine schöne Zeit mit dir. Es tut mir leid, was passiert ist. Aber ich war really einsam, und Katzen sind niemals wrong. Deshalb habe ich sie einfach mit reingenommen. Ich dachte nicht, dass du was dagegen haben würdest, wenn sie auf der Bettdecke schläft.

Ich verstehe zwar nicht, warum du wieder mit Emil zusammen sein willst, aber ich werde das akzeptieren, auch wenn es mir schwerfällt. Ich dachte, du magst mich, zumindest ein ganz kleines bisschen. Aber wahrscheinlich wollen alle Frauen im Grunde ihres Herzens lieber einen langweiligen Mann. Ein wenig feige finde ich es, dass du mir das nicht ins Gesicht sagen kannst, sondern eine durchgedrehte Katze und einen kaputten Lampenschirm vorschiebst. Ich hoffe, du wirst glücklich,

Liam

PS: Selbstverständlich werde ich dir die Kosten für den Lampenschirm ersetzen. Ich wollte dir eigentlich eine Freude machen mit der Verzierung. Ich konnte nicht wissen, dass die Katze bei dem neuen Sticker-Design ausrasten und den Schirm angreifen und zerfetzen würde.

PPS: Das Sticker-Design ist wirklich great! Die Dinger leuchten bei Dunkelheit! Aber das wird dich jetzt ja nicht mehr interessieren.

Suzanne musste sich erst mal auf einen Heuballen setzen. Dann las sie die Nachricht noch einmal. Und nochmal. Ihr Herz begann wie wild zu klopfen.

Mir tut es leid!!! Ich dachte, du hättest eine andere Frau bei dir im Zimmer. Ich wusste nicht, dass es nur eine Katze war, schrieb sie schließlich zurück. *Und wie ich dich mag!!! Der Lampenschirm ist mir übrigens völlig egal, aber die Sticker will ich sehen.*

Es dauerte nur wenige Sekunden, bis Liam zurückschrieb: *Wenn du magst, komme ich dich morgen besuchen, Sweetheart.*

Dann kann ich dir vielleicht auch mal erzählen, warum ich bislang so zurückhaltend war. Angefügt war ein Foto von einem von ihm mit wenigen Strichen gezeichneten Auto, das dem hingekritzelten Schild zufolge Richtung Neuried-Altenheim fuhr. Auf dem Fahrersitz klebte ein ziemlich abgefahrener *Dieselskandal*-Aufkleber in Form eines grinsenden Totenkopfs, der in allen Neonfarben zu glimmen schien.

Sie antwortete mit: *Ich würde mich wahnsinnig freuen!!!!!*

Am Abend konnte Suzanne lange nicht einschlafen, und das lag nicht nur daran, dass sie kribbelig vor Glück war, weil sie an Liam dachte und manchmal, mit einem leisen Schauder, auch noch an das Gefühl des Alginats in ihrem Mund, sondern auch daran, dass sie sich riesig auf die Eselin freute. Esel waren fast genauso süß wie Ziegen, und vielleicht konnte man auf Nikita sogar reiten. Das würde richtig toll werden. Mit Bildern von Liam, Ziegen und Eseln vor ihrem inneren Auge glitt sie langsam in den Schlaf hinüber.

Sie wachte wieder auf, weil sich ihr Handy lautstark mit dem *Dieselskandal*-Song »Hot Nights in Wellington Boots« meldete, den sie vor dem Ins-Bett-Gehen als neuen Klingelton eingespeichert hatte. Es war kurz vor fünf. Müde nahm sie den Anruf entgegen.

Unerwarteterweise war es ein völlig aufgelöster Paul. Sie ließ sich auf ihr Kissen zurückfallen. Du lieber Himmel. Wahrscheinlich hatte der Staatsanwalt doch ein schlechtes Gewissen bekommen wegen seiner kleinen Lüge im Vernehmungsprotokoll und musste ihr das natürlich mitten in der Nacht sagen. Sie wappnete sich innerlich gegen eine Anklage wegen Einbruchs.

»Suzanne, ich hoffe, ich habe dich nicht geweckt?«

»Doch.« Sie würde es ihm nicht zu leicht machen, wenn er sie schon unbedingt vor Gericht bringen wollte.

»Das ... das tut mir wahnsinnig leid, aber ... Suzanne, ich brauche deine Hilfe. Als Detektivin. Du musst ein paar Dinge für mich herausfinden. Diskret. Ohne, dass die Polizei davon erfährt.« Er keuchte, als sei er auf einer anstrengenden Route zu Fuß unterwegs. »Würdest du meinen Fall übernehmen? Bitte? Ich weiß, ich bin vielleicht nicht immer einfach, aber du bist einer der wenigen echten Freunde, die ich habe.« Er sprach leise, als befürchte er, jemand könne mithören.

Sie rieb sich verschlafen die Augen. Das war das Letzte, womit sie gerechnet hätte. »Das kann ich gerne machen, aber …«

»Und kannst du mich bitte hier abholen? Jetzt sofort? Es ist wirklich dringend«, unterbrach er sie.

Sie setzte sich auf. »Na gut. Wo bist du denn?«

»In der Nähe des Heidengrabs.«

»Was zum Teufel machst du mitten in der Nacht draußen im Wald? Und dann auch noch am Heidengrab?«

»Ich bin da vor ein paar Wochen in eine richtig böse Sache hineingeraten, Suzanne.« Im Hintergrund knackte es, als ginge er zügig durch dichtes Unterholz, über Äste und Laub. »Und jetzt …« Er schrie plötzlich auf, als hätte ihn etwas sehr erschreckt. »Nein, oh nein, bitte nicht«, hörte sie ihn verzweifelt flehen, dann brach das Telefonat ab.

Sie versuchte mehrfach zurückzurufen. Pauls Telefon war mausetot. Was war mit ihm los? Ging es ihm gut? Hastig stand sie auf. Sie musste Henry wecken. Und dann mussten sie zusammen zum Heidengrab fahren. Sofort.